Jenny Colgan
Weihnachten in der kleinen Bäckerei am Strandweg

PIPER

Zu diesem Buch

Weihnachten steht vor der Tür, Zeit, das Kaminfeuer zu schüren und die Füße hochzulegen. Nicht jedoch für Polly Waterford. Wärme in ihrem eiskalten, zugigen Leuchtturm spenden nur die Umarmungen ihres Freundes Huckle und statt eine Auszeit vom Backen zu nehmen, muss sie ein üppiges weihnachtliches Festmahl ausrichten. Außerdem ist ihre beste Freundin Kerensa in echter Bedrängnis. Sie ist schwanger, jedoch nicht sicher, ob tatsächlich von ihrem Mann Reuben. Auch das Schutzgebiet für Papageientaucher ist in Not, in finanzieller, und obwohl Neil kaum mehr Ausflüge zu seinen Artgenossen unternimmt, setzt Polly alles daran, diesen Zufluchtsort für Vögel zu erhalten. Sie ist derart beschäftigt, dass Huckle sie nur noch selten zu Gesicht bekommt und sich allmählich fragt, ob er überhaupt noch einen Platz in Pollys Leben hat und wie es mit ihnen weitergehen soll. Nicht gerade die besten Vorzeichen für das Fest der Liebe. Werden sie alle es schaffen, trotzdem eine fröhliche Weihnacht zu feiern?

Jenny Colgan studierte an der Universität von Edinburgh und arbeitete sechs Jahre lang im Gesundheitswesen, ehe sie sich ganz dem Schreiben widmete. Mit dem Marineingenieur Andrew hat sie drei Kinder, und die Familie lebt etwa die Hälfte des Jahres in Frankreich. Die ersten beiden Romane um Polly Waterford standen wochenlang auf der *Spiegel*-Bestsellerliste.

Jenny Colgan

Weihnachten in der kleinen
Bäckerei
am Strandweg

Roman

Übersetzung aus dem Englischen
von Sonja Hagemann

Mehr über unsere Autoren und Bücher:
www.piper.de

Von Jenny Colgan liegen im Piper Verlag vor:
Die kleine Bäckerei am Strandweg
Sommer in der kleinen Bäckerei am Strandweg
Weihnachten in der kleinen Bäckerei am Strandweg
Die kleine Sommerküche am Meer

MIX
Papier aus verantwor-
tungsvollen Quellen
FSC
www.fsc.org   FSC® C083411

Deutsche Erstausgabe
ISBN 978-3-492-31153-3
1. Auflage Oktober 2017
8. Auflage November 2018
© Jenny Colgan 2016
Titel der englischen Originalausgabe:
»Christmas at Little Beach Street Bakery«, Sphere Books, London 2016
© der deutschsprachigen Ausgabe:
Piper Verlag GmbH, München 2017
Umschlaggestaltung: zero-media.net, München
Umschlagabbildung: FinePic®, München
Satz: Fotosatz Amann, Memmingen
Gesetzt aus der Joanna
Druck und Bindung: CPI books GmbH, Leck
Printed in the EU

Für euch Träumer und eure großen und kleinen Träume.
Selbst wenn sie nur die Ausmaße eines Papageientauchers haben.

»Frieden findet man nicht durch Hass, mein Junge. Das wird dich nur noch mehr von der Welt abschließen. Und verflucht ist unser Dorf nur, wenn du es dazu machst. Für uns hier ist dieser Ort gesegnet.«

Brigadoon

Liebe Leser,

vielen Dank, dass ihr euch für dieses Buch entschieden habt, den (vermutlich) letzten Band der *Bäckerei*-Trilogie. Ich fand es so wunderbar, über die Abenteuer von Polly, Huckle und dem frechen Papageientaucher Neil zu schreiben.

Wenn ihr gerade erst neu dazugekommen seid, braucht ihr eigentlich gar nicht viel zu wissen: Vor einiger Zeit ist Polly nach der Pleite ihrer Firma auf die Gezeiteninsel Mount Polbearne gezogen und hat sich dort ein neues Leben aufgebaut.

Sie wohnt in einem Leuchtturm, weil sie die Vorstellung romantisch fand (Anmerkung: In Wirklichkeit nervt es tierisch!), und zwar zusammen mit Huckle, ihrem lässigen amerikanischen Freund, und natürlich ihrem zahmen Papageientaucher. Polly backt jeden Tag Brot für die Einwohner von Mount Polbearne und die Besucher der Insel, und damit seid ihr jetzt auch schon auf dem Laufenden!

Noch eine Bemerkung zum Schauplatz:

Da ich als Kind viel Zeit in Cornwall verbracht habe, ist es für mich nicht nur ein echter Ort mit richtigen Menschen, sondern auch eine Art Märchenland aus meiner Fantasie. Es kommt mir vor wie meine Version von Narnia oder einem der anderen Zauberreiche, die ich früher so gern besucht habe –

9

ich war völlig besessen von *Bevor die Flut kommt* und natürlich von den *Fünf Freunden* oder der *Dolly*-Reihe.

In meiner Kindheit haben wir bei unseren Cornwall-Aufenthalten immer ein altes Häuschen in der Nähe von Polperro gemietet, in dem früher Zinnbergleute gelebt hatten. Meine Mutter war ein großer Fan von Daphne du Maurier und erzählte meinen beiden Brüdern und mir gerne schaurige Geschichten über Schiffbrüche, Piraten, Gold und Plünderer, wenn sie abends an unseren schmalen Betten saß. Wir waren begeistert, haben uns aber auch so sehr gegruselt, dass immer einer von uns die halbe Nacht aus Albträumen hochgeschreckt ist. Meiner Meinung nach war das normalerweise mein kleiner Bruder, obwohl der das wohl anders sehen würde.

Im Vergleich zum kalten Schottland war das sonnige Cornwall für mich das reinste Paradies. Es war jedes Jahr etwas Besonderes, wenn unsere Eltern uns diese Bodysurfbretter aus dickem Styropor gekauft haben. Damit rannten wir morgens früh ins Wasser, um den ganzen Tag auf den Wellen zu reiten, immer und immer wieder, bis wir fix und fertig waren und sich an den Rändern meiner überkreuzten Badeanzugträger der Sonnenbrand bemerkbar machte. Dann zogen wir uns auf das Handtuch zurück, um ein in Frischhaltefolie eingeschlagenes Butterbrot zu essen, wobei immer auch etwas Sand zwischen den Zähnen knirschte.

Später briet mein Vater Fisch auf einem kleinen Grill, den er jedes Jahr eigenhändig aus Ziegeln und einem Rost baute, und ich saß im hohen Gras, las Bücher und wurde von Insekten gestochen.

Und weil man in den Ferien abends lange aufbleiben darf, fuhren wir danach noch nach Mousehole oder St Ives, kauften uns ein Eis und spazierten damit vor den Schaufenstern der Kunstgalerien im Hafen entlang. Manchmal verspeisten wir auch heiße, salzige Pommes oder kauften uns Buttertoffee, von dem ich völlig besessen war, obwohl mir davon immer schlecht wurde.

Das waren glückliche Zeiten, und es war mir so eine Freude, sie mir für mein erstes Buch über Mount Polbearne wieder in Erinnerung zu rufen. Damals unternahmen wir auch einen Tagesausflug nach St Michael's Mount – wie es sich für Cornwallbesucher eben so gehört –, und ich weiß noch, wie gruselig und zugleich faszinierend ich es fand, als die Pflastersteine der alten Straße dorthin langsam in den Wellen verschwanden. Das war der romantischste und magischste Moment in meinem Leben, darum fand ich es auch so toll, an diesem Ort später meine Bücher spielen zu lassen. Wenn ich durch sie auch nur einen Bruchteil des Glücks weitergeben kann, das Cornwall in mein Leben gebracht hat ... tja, dann wäre ich wirklich froh.

Jenny XXX

KAPITEL 1

In dieser Geschichte geht es um ein bestimmtes Weihnachtsfest, eigentlich fing aber alles mit etwas wirklich Schlimmem an, was schon im Frühling passierte. Diesen verdammten Vorfall im Frühling werden wir nur kurz beleuchten, denn die Gezeiteninsel Mount Polbearne in Cornwall ist zu dieser Jahreszeit ein viel zu schönes Fleckchen Erde, um nicht davon zu erzählen.

Dort führt ein Fahrdamm zu einem uralten Örtchen, das früher mal mit dem Festland verbunden war, bis der Meeresspiegel anstieg. Jetzt verschlingt die Flut zweimal am Tag das alte Kopfsteinpflaster, was die kleine Stadt zu einem sowohl sehr romantischen als auch äußerst unpraktischen Wohnort macht.

Rund um einen Hafen mit einem kleinen Strand drängen sich Häuschen und Geschäfte, darunter Pollys kleine Bäckerei am Strandweg, die zur Unterscheidung von der ursprünglichen Inselbäckerei so genannt wird. Vielleicht fragt ihr euch jetzt, wie sich denn in so einem kleinen Ort gleich zwei Bäckereien halten können, aber dann habt ihr da offensichtlich noch nicht eingekauft. Polly ist unter den Bäckern nämlich so was wie Phil Collins unter den Schlagzeugern. Nee, Moment, das ist vielleicht nicht der passendste Vergleich. Na ja, auf jeden Fall kann ich euch versichern, dass sie wirklich toll backt.

Ihr Sauerteigbrot ist nussig und knackig und hat die allertollste Kruste, ihre Baguettes sind leicht und luftig. Sie macht köstliche, reichhaltige Focaccias mit Olivenöl und zarte, leicht herbe Käsescones. Neue Sachen probiert sie erst einmal zu Hause in der Leuchtturmküche aus, in der Bäckerei hat sie jedoch beeindruckende Industriebacköfen, darunter einen tollen Holzofen. Wenn der Duft ihrer Backwaren durch das kleine Städtchen wabert, zieht er Hungrige und Neugierige von nah und fern an.

Im Hafen gibt es außer der Bäckerei noch Andys Pub Red Lion. Dort nimmt man es mit den offiziellen Öffnungszeiten nicht immer so genau, vor allem, wenn der Biergarten mit den funkelnden Lichterketten an warmen Abenden voll ist und vom Wasser her der Duft der See herüberweht. Auch der supertolle, aber teure Fish-and-Chips-Wagen nebenan gehört Andy, der deshalb ein viel beschäftigter Mann ist. Im Hafen selbst klimpern und klappern die Kutter der Fischereiflotte, die früher den Menschen auf Mount Polbearne ihr Auskommen gesichert hat. Heute wird die Arbeit auf den Booten allerdings durch Jobs in der Tourismusbranche auf Platz zwei verwiesen.

Auf der Insel schlängeln sich kleine Kopfsteinpflasterstraßen den Hügel hinauf, der schon seit Generationen von denselben Familien bewohnt wird. Noch vor einiger Zeit plagte die Menschen hier die Angst, ihre Gemeinschaft würde nach und nach aussterben. Dann ist jedoch Polly hergezogen und hat die Bäckerei übernommen, nachdem ihr Grafikdesign-Unternehmen pleitegegangen war. Das fiel mit einer neuen Beliebtheit der Insel zusammen, in deren Zug auch ein schickes Fischrestaurant eröffnet hat, und manche halten Polly sogar für den Grund all dieser Veränderungen. Inzwischen werden auf der Insel auch wieder Kinder geboren, und man hat einfach das Gefühl, dass es bergauf geht.

Jetzt müssen nur alle gucken, wie sie ihre eigentlich zauberhaften, aber ziemlich heruntergekommenen Häuschen irgendwie renovieren können, ohne sie dafür an reiche Leute aus London und Exeter zu verscherbeln. Die würden sich nämlich unter der Woche hier nicht blicken lassen, auf Dauer allerdings die Preise so sehr in die Höhe treiben, dass die Menschen aus der Gegend sich hier nichts mehr leisten könnten.

Aber mal abgesehen von ein oder zwei Ausnahmen haben die Gezeiten und der Mangel an vernünftigem WLAN den Ort bislang mehr oder weniger vor einer Invasion bewahrt. Noch ist alles weitgehend so, wie es seit Hunderten von Jahren war, es könnte also schlimmer sein.

Der Sommer ist hier allerdings ein wenig verrückt, weil es immer voll ist und alle viel zu tun haben. Dann versucht nämlich jeder, in kurzer Zeit so viel Geld wie möglich zu verdienen, um damit durch den langen, kalten Winter zu kommen. Im Frühling läuft das Geschäft mit den Touristen nur langsam an, obwohl es um Ostern herum normalerweise einen kleinen Ansturm gibt. Erste Ausflügler reisen mit großer Hoffnung an und verbergen ihre Enttäuschung, wenn der Wind, der an diesem trügerischen Küstenabschnitt schon viele Schiffe zum Kentern gebracht hat, ihnen die Zuckerwatte ins Gesicht bläst. Sie müssen sich eingestehen, dass die Fischkutter im Hafen nicht nur für ihre Videokameras so beeindruckend auf und ab tanzen, sondern tatsächlich von Wellen mit weißer Schaumkrone hin und her geworfen werden. An Bord flicken immer noch Fischer mit roten Fingern Netze oder brüten heutzutage öfter mit gerunzelter Stirn über Computerausdrucken, um mit Informationen über Fischschwärme und ihre Bewegungen den möglichen Fang zu errechnen.

Dann verschwinden die enttäuschten Osterurlauber irgendwann wieder. (Aber die Triumphierenden, die bis zum Dienstag geblieben sind und dafür mit einem perfekten und zauberhaften goldenen Tag belohnt wurden, werden den ihren Freunden die nächsten fünf Jahre unter die Nase reiben.) Jetzt kann Mount Polbearne kurz verschnaufen, bevor die Menschenflut des Sommers über den Ort hereinbricht: Kinder mit Keschern und ihre Eltern, die von den Urlauben ihrer Kindheit träumen, als sie an breiten goldenen Stränden frei herumtollen durften. Die Erwachsenen merken dann aber rasch, dass der Fahrdamm links und rechts ja gar nicht abgesichert ist und die Flut unglaublich schnell kommt. Außerdem erfüllt das, was 1985 völlig okay war und von ihren Eltern erlaubt wurde, sie heute mit Entsetzen. Na ja, und darüber hinaus brauchen sie auch vernünftiges WLAN, was Mount Polbearne nun wirklich nicht bieten kann. Aber jetzt müssen sie eben das Beste daraus machen.

Im April atmet Mount Polbearne also einmal tief durch, und man kann beim Blick bis zum Festland sehen, wie die Bäume zu blühen beginnen und sich mit riesigen Girlanden in Weiß und Rosa schmücken. Tage, die kühl und unbeständig anbrechen, werden plötzlich mit strahlendem Sonnenschein belohnt. Wenn die Sonne den Morgennebel vertrieben hat, wird es langsam warm, und die sprießenden Pflanzen fangen zu duften an. Emsig bauen Vögel ihre Nester, und generell zeigt sich England im Frühling mit dem hellen Grün der knospenden Bäume und allgemein zauberhafter Stimmung einfach von seiner besten Seite.

Aber leider wird unsere Geschichte nicht lange hier verweilen, sondern beginnt nur in diesem Moment. Es ist generell eine Zeit des Neuanfangs, in der man Fleecepulli und Fernseher hinter sich lässt und ins frische Morgenlicht blinzelt.

Allerdings wurde die Idylle an diesem Apriltag nun davon unterbrochen, dass Polly Waterfords beste Freundin, die mit Huckles bestem Freund verheiratete blonde und schicke Kerensa, laut ins Telefon fluchte.

»Jetzt hör mal mit dem Geschimpfe auf«, bat Polly vernünftig und rieb sich die Augen. »Ich versteh ja kein Wort.«

Aber dann war die Verbindung zwischen Polbearne und dem Festland, wo Kerensa in einer riesigen und lächerlich prunkvollen Villa mit ihrem genialen (und ziemlich lauten) amerikanischen Ehemann Reuben lebte, mal wieder unterbrochen.

»Wer war das denn?«, fragte Huckle, der in der sonnigen Küche des von ihnen bewohnten Leuchtturms vor dem Toaster auf sein Brot wartete. Obwohl es für so spärliche Bekleidung eigentlich nicht warm genug war, trug er nur Boxershorts und ein verblichenes graues T-Shirt. Polly störte sich nicht daran. Heute war Sonntag, und damit ihr einzig freier Tag in der Woche. Und hier saß sie nun und überlegte, ob sie sich etwas von der gesalzenen Butter aus der Gegend aufs Brot schmieren sollte oder etwas von Huckles Produkten, zum Beispiel einen süßen Orangenblütenhonig, der gut zum sanften Wetter an diesem Morgen passte.

»Das war Kerensa«, erklärte Polly. »Und sie hat geschimpft wie ein Rohrspatz.«

»Tja, das klingt nach ihr. Worum ging es denn?«

Während Polly erfolglos ihre Freundin zurückzurufen versuchte, antwortete sie: »Ach, das könnte bei ihr doch alles

Mögliche sein. Vermutlich hat sich Reuben mal wieder wie ein Arschloch benommen.«

»Davon können wir wohl ausgehen«, bemerkte Huckle mit gerunzelter Stirn, während er den Toaster nicht eine Sekunde aus den Augen ließ. »Mensch, es sollte wirklich mal jemand einen Hochgeschwindigkeitstoaster erfinden«, fügte er dann hinzu.

»Was?«, fragte Polly. »Einen Hochgeschwindigkeitstoaster?«

»Das Brot braucht viel zu lange«, beklagte sich Huckle.

»Wovon redest du da nur?«

»Ich hatte wirklich Lust auf Toast und wollte was von deinem Sauerteigbrot rösten, weil das ja den besten Toast der Welt ergibt.«

»Dann weiß ich jetzt endlich den Grund, warum du mit mir zusammen bist«, grinste Polly.

»O mein Gott, das duftet einfach so gut, ich kann es kaum erwarten, meine Zähne in diese tolle Sauerteigbrotscheibe zu schlagen.«

Als er auf den Knopf drückte, sprangen zwei noch nicht ganz fertig getoastete Scheiben goldgelbes Brot heraus. »Siehst du?« Er bearbeitete sie mit dem Messer. Die Butter war immer noch hart, weil sie direkt aus dem Kühlschrank kam, und riss ein Loch in die weiche Krume. Finster starrte Huckle auf seinen Teller. »Ich gerate jedes Mal in Panik und hole die Scheiben zu früh raus, und das versaut mir dann das ganze Toasterlebnis.«

»Dann mach doch einfach noch welchen.«

»Hab ich ja schon versucht, aber es funktioniert einfach nicht.«

Huckle schob trotzdem zwei weitere Scheiben in den Toaster. »Das Problem besteht darin, dass ich die erste Fuhre schon aufgegessen habe, bevor die zweite fertig ist. Es passiert jedes Mal dasselbe, das ist der reinste Teufelskreis.«

»Und wenn du dich einfach mit geöffnetem Mund über den Toaster beugst und wartest, bis dir das Brot in den Mund springt?«, schlug Polly vor.

»Ja, das ich hab ich mir auch schon überlegt«, nickte Huckle. »Vielleicht sollte ich mich dafür mit einer Sprühdose bewaffnen, um die Scheiben im Flug zu buttern. Dann muss ich sie nicht mit dem Messer malträtieren.«

»Dass ich mal jemanden treffen würde, der noch besessener von Brot ist als ich, hätte ich nicht gedacht. Und ich kann kaum glauben, dass ich das jetzt wirklich ausspreche, aber ich fürchte, dass du dir vielleicht zu viele Gedanken über das Thema Toast machst.«

»Wenn ich doch nur diesen Hochgeschwindigkeitstoaster erfinden könnte«, seufzte Huckle, »dann würde ich bestimmt mehr Geld verdienen als Reuben.«

Die getoasteten Scheiben sprangen nach oben. »Mund auf! SCHNELL! SCHNELL!«, rief Polly.

Danach gingen sie einfach wieder ins Bett, weil Polly als Bäckerin, im Gegensatz zu Huckle als Honigverkäufer, an allen anderen Tagen furchtbar früh aufstehen musste, sodass ihre Arbeitszeiten nur selten zusammenfielen.

Polly schickte Kerensa eine Nachricht, dass sie sich beruhigen sollte und sicher alles gut werden würde. Sie versprach außerdem, ihre Freundin später zurückzurufen, und stellte dann ihr Handy aus.

Und das würde sich als schrecklicher, schrecklicher Fehler herausstellen.

KAPITEL 2

Eins sollten wir vielleicht klarstellen: Die ganze Angelegenheit war weder Pollys noch Huckles Schuld, sondern Kerensas, wie wir noch sehen werden. Ein kleines bisschen hatte es auch mit Selina zu tun, die es in einer Million Jahren nicht zugeben würde, aber Verrücktes tatsächlich noch unterstützte. (Manche Menschen sind einfach so, oder? Sie mischen die Dinge gern auf.)

Aber es war auch ein kleines bisschen Reubens Schuld, weil er – und das kann ich gar nicht oft genug betonen – selbst für seine Verhältnisse an diesem Tag ein echtes Arschloch war.

Er hatte nämlich ihren Hochzeitstag vergessen, ihren ersten Hochzeitstag! Und als Kerensa ihn darauf aufmerksam machte, meinte er nur, na ja, dass er in der Vergangenheit doch genug von diesem ganzen Romantikscheiß mitgemacht hätte. Seiner Meinung nach wäre es damit jetzt, wo sie verheiratet waren, nun aber wirklich gut, oder? Er hätte das schließlich alles brav erledigt, außerdem lief es doch super, und Handtaschen hätte sie inzwischen ja wohl genug, nicht wahr? Und jetzt müsse er sowieso ein Flugzeug nach San Francisco nehmen und Wichtiges mit seinem Börsenteam besprechen – was nur persönlich ging.

Kerensa beschwerte sich, weil sie von seiner Reise keine

Ahnung gehabt hatte. Da entgegnete er nur, dass sie sich eben seinen Terminkalender hätte ansehen sollen, den ihr sein Assistent gemailt hatte. Als er erklärte, dass er in zwei Stunden losmusste, fragte Kerensa, ob sie nicht mitkommen könnte, weil sie gehört hatte, dass es in San Francisco im Frühling wirklich schön sei. Und da sagte Reuben nur, nein, das ginge wirklich nicht, weil er furchtbar beschäftigt sein würde. Dann küsste er sie zum Abschied und schlug ihr vor, vielleicht ein Stündchen in den Fitnessraum zu gehen, dafür hätten sie ihn doch schließlich eingerichtet.

Also, ihr seht wohl schon, was ich meine. Reuben hatte gar keine bösen Absichten, aber so war er nun mal: Wenn er arbeitete, dann verwandelte er sich in eine Art Steve Jobs und dachte eigentlich an niemanden mehr außer sich selbst. Und deshalb war er eben auch so reich wie Steve Jobs, zumindest mehr oder weniger. Auf jeden Fall war er eine ziemlich große Nummer.

Und da stand Kerensa nun mutterseelenallein im riesigen luxuriösen Flur ihres enormen, unglaublichen Hauses mit seinem eigenen Strand an der Nordküste von Cornwall und zog in Erwägung, erst einmal eine Runde zu heulen. Aber dann beschloss sie, doch lieber wütend zu werden. In letzter Zeit lief das nämlich immer öfter so, und Reuben schien einfach nicht zu verstehen, dass Kerensa nicht an Reubens persönlichen Assistenten verwiesen werden wollte. Der war nämlich Amerikaner und supercool und trug teure Klamotten, und Kerensa fühlte sich durch ihn ein wenig eingeschüchtert, obwohl ihr doch sonst wenig imponierte. Außerdem bekam sie Reuben ja kaum noch zu Gesicht, seitdem er letztes Jahr nach seiner Beinahepleite wieder voll durchgestartet war.

Kerensa beschloss also, wütend zu werden, und rief stinksauer Polly an. Die hatte an ihrem freien Tag aber erstens schlechten Empfang, zweitens wichtige Fragen zum Thema Toast mit Huckle zu erörtern und zeigte vor allem nicht das Mitgefühl, das Kerensa unter diesen Umständen gebraucht hätte. Dies sollte Polly später bitter bereuen.

Also rief Kerensa ihre andere Freundin an, Selina, die vor zwei Jahren selbst eine schlimme Zeit durchgemacht hatte, als sie Witwe geworden war. Deshalb wurde sie gelegentlich immer noch ein wenig weinerlich. Selina hatte früher auf dem Festland gelebt und war beruflich erfolgreich gewesen, bevor sie sich aus Versehen in einen Fischer verliebt hatte.

Und jetzt hatte sie eine tolle Idee: Da ihr auch furchtbar langweilig war, schlug sie einen Trip nach Plymouth vor, um dort ins schickste Restaurant zu gehen und die teuersten Sachen von der Karte zu bestellen. Die Rechnung könnte Kerensa dann an Reuben schicken und ihm für das schöne Geschenk zum Hochzeitstag danken, wenn sie ihn das nächste Mal sah.

Kerensa fand den Vorschlag toll, also machten sie genau das. Was mit einem Mittagessen und weitschweifigen, endlosen Klagen über die Männer in ihrem Leben losging, lief allerdings ein wenig aus dem Ruder. Sie trafen eine Gruppe junger Frauen bei einem Junggesellinnenabschied, die sie sofort in ihre Runde aufnahmen, und schauten sich mit ihnen zusammen dann eine »Tanzshow« an. Ich überlasse es mal eurer Fantasie, um was für eine Art von Spektakel es sich dabei handelte, auf jeden Fall kam dabei ziemlich viel Babyöl zum Einsatz. Außerdem gab es in diesem »Tanzlokal« eindrucksvolle Männer mit brasilianischem Akzent und flambierten Sambuca, und danach begann in Kerensas Gedächtnis alles zu verschwimmen. Als sie am nächsten Morgen in einem unglaublich schicken Hotel aufwachte, konnte sie sich noch vage daran erinnern, dass sie zu unchristlicher Zeit an die Rezeption gewankt war und mit einer Platinum-Kreditkarte gewedelt hatte. Und sie erinnerte sich auch noch an etwas anderes, und zwar so genau, dass sie sich die Szenen am liebsten hätte rausoperieren lassen, wenn das denn möglich gewesen wäre.

Er war bereits weg, in der Dusche entdeckte sie jedoch ein langes schwarzes Haar.

Ich weiß, übel, oder? Ich hatte euch ja gewarnt.

Oh, und es kommt noch schlimmer. Denkt mal an etwas Bedauernswertes, was ihr irgendwann in einer wilden Partynacht angestellt habt, und multipliziert es mit einer Million.

Kerensa kehrte mit einer kichernden, nur leicht katergeschädigten Selina nach Hause zurück, die das alles zum Schreien fand. Sie war aber offenbar auch geistesgegenwärtig genug gewesen, selbst immer schön viel Wasser zu trinken, so eine Art von Freundin war die nämlich. Jedenfalls erkannte Kerensa dann, dass Polly ein furchtbar schlechtes Gewissen gehabt haben musste, weil sie sich nicht um ihre Freundin gekümmert hatte. Deshalb hatte sie Reuben angerufen und ihm quasi befohlen, nach Hause zu fliegen und nett zu seiner Frau zu sein.

Also hatte Reuben seine Termine in San Francisco verschoben, sich auf den Rückweg gemacht und im Duty-Free-Shop jedes einzelne Parfüm gekauft, weil er nicht mehr wusste, welches seiner Frau gefiel. Nun marschierte er ins Haus, wo eine unglückliche Kerensa sich den ganzen Morgen übergeben hatte und mit einer Mischung aus Katerstimmung und schlechtem Gewissen die Kacheln im Badezimmer entlanggekrochen war. Er zog Kerensa in seine Arme, schwor ihr seine unsterbliche Liebe und versuchte dann, sie dramatisch die Treppe hinaufzutragen. Das klappte allerdings nicht, weil er die ganze Nacht im Flugzeug gesessen hatte und weil Kerensa nicht nur fünf Zentimeter größer war als er, sondern auch gerade am liebsten gestorben wäre. Aber sie taten zusammen trotzdem ihr Bestes, während die frühe Aprilsonne durch die riesigen, vom Fußboden bis zur Decke reichenden Fenster in ihr weitläufiges, kreisrundes Schlafzimmer fiel auf ihr groteskes/spektakuläres Bett (bitte je nach persönlicher Vorliebe streichen). Und danach nahm Reuben Kerensa während der nächsten sechs Monate überallhin mit.

Das war also diese furchtbare Sache, die im April passiert ist. Und wenn das hier ein Film wäre, dann würde an dieser Stelle zu unheilvoller Musik der Vorspann beginnen …

KAPITEL 3

Drei Wochen vor Weihnachten

»Dieses Jahr«, verkündete Polly entschlossen und setzte sich unter der Bettdecke auf, »schmiede ich einen Plan und lege mir eine Liste an. Dieses Mal wird nicht wieder alles ein Desaster.«

»Wann war Weihnachten denn je ein Desaster?«, fragte Huckle und drehte sich schläfrig um. Er war noch lange nicht bereit, das Bett zu verlassen.

Polly stand mitten in der finstersten Nacht auf, wie sie das im Winter nun mal monatelang tat. Die Heizkosten bereiteten ihnen in dieser Zeit so einiges Kopfzerbrechen, dabei wurde es im Leuchtturm ja eigentlich selten richtig warm.

Polly hatte ja anfangs gedacht – und gehofft –, dass der Leuchtturm vom Thema Heizen her wie ein riesiger Schornstein funktionieren würde, dass die ganze Hitze nach oben ziehen und alle Räume warm halten würde, wenn sie unten den Ofen anmachte. Aber so war es leider überhaupt nicht. Die Küche wurde warm, der Rest des Gebäudes aber nur, wenn sie die uralte, ächzende und nur widerwillig funktionierende Heizung etwa fünf Stunden lang laufen ließen. Dabei ignorierten sie mal lieber die Tatsache, dass sie in einem Gebäude mit Energieeffizienzfaktor I lebten, welches in keinster Weise isoliert war und eigentlich gar nicht als Wohnraum gedacht war. Die Treppen im Turm rauf- und runterzulaufen, war die reinste Tortur, und sie mussten sich zu dieser sportlichen Betätigung gegenseitig mit Herausforderungen und Bestechungen anspornen.

Manchmal sehnte sich Huckle nach dem kleinen Imkerhäuschen zurück, das er einst jenseits des Fahrdamms auf dem Festland gemietet hatte. Das war einfach deshalb schon viel wärmer gewesen, weil es nicht mehr oder weniger mitten im Meer gelegen hatte. Die Hütte hatte niedrige Decken und winzige Fenster gehabt und war mit weichen Kissen und Decken und Vorhängen ausgestattet gewesen. Mit ihren nur zwei kleinen Schlafzimmern hatte er sie mit dem Kamin und vier Heizöfchen problemlos warm halten können.

Wenn er noch weiter zurückdachte, kam ihm das Zuhause seiner Kindheit in den Sinn. Er stammte aus Virginia in den USA, und da war es ohnehin fast das ganze Jahr über warm gewesen – manchmal sogar zu heiß. Wenn es doch einmal kalt geworden war, hatte sein Vater einfach den riesigen Ofen im Keller angeworfen und damit augenblicklich das ganze Haus auf eine angenehme Temperatur gebracht. Vor Huckles Umzug nach England hatte sein Vater dann warnend zu ihm gesagt: »Du weißt schon, dass da die Häuser nicht geheizt werden, oder?«

Damals hatte Huckle das noch für eine altmodische und urige Angewohnheit gehalten, auf einer Stufe mit der Tatsache, dass die Engländer ihr Bier gern lauwarm tranken und scheinbar keine vernünftigen Zahnärzte hatten. Inzwischen dachte er jedoch bedauernd an das Gespräch zurück und fragte sich, ob er seinen Vater vielleicht noch um andere gute Ratschläge bitten sollte, bevor sein Hirn völlig einfror.

Polly zog sich einen dritten Pullover über.

»Das ist mein Lieblingspullover«, behauptete Huckle. »Der ist irgendwie noch formloser als die anderen und verleiht dir diese sexy Marshmallow-Man-Silhouette.«

Polly warf einen Strumpf nach ihm.

»Die ist aber immer noch attraktiver als eine Gänsehaut«, fand sie. »Außerdem hast du noch gar nichts zu meinem tollen Plan mit der Liste gesagt.«

»Es ist fünf Uhr morgens«, knurrte Huckle. »Eigentlich hättest du mich nicht einmal wecken sollen. Das war fies und grausam, und deshalb wird gleich meine tödliche Rache über dich hereinbrechen.«

Er packte sie am Knöchel, zog sie zu sich heran und versuchte, sie unter die warme Decke zu zerren. Ehrlich gesagt gefiel es ihm ja, unter all den Lagen warmer Klamotten nach dem verborgenen Schatz Pollys weicher weißer Kurven suchen zu müssen. Er freute sich bereits auf die Berührung seiner kalten Hand auf ihrer warmen Haut.

Polly kicherte und quietschte.

»NEIN! VERGISS ES! Ich hab noch tausend Sachen zu erledigen, und die Kunden wollen alle nur Lebkuchen.«

»Du duftest ja selbst nach Lebkuchen«, murmelte Huckle und schob den Kopf unter ihre Pullis. »Das ist einfach unglaublich. Da werd ich gleichzeitig hungrig und so richtig scharf. Irgendwann verbannen die mich bestimmt noch aus dem Supermarkt, weil ich mich in Fru T. Bunn verwandele, den perversen Bäcker.«

Polly verzog das Gesicht.

»O Gott, Huckle, ich kann nicht, wirklich nicht. Da bin ich endlich aufgestanden und so richtig wach ... Wenn ich jetzt nicht loslege, krieche ich zurück ins Bett und verlasse es nie wieder.«

»Tja, dann mach das doch, komm her zu mir und bleib ewig bei mir unter der Decke! Und das ist ein Befehl!«

»Aber dann müssen wir verhungern.«

»Quatsch, wir leben einfach von Luft und Lebkuchen.«

»Und sterben einen frühen Tod.«

»Der wäre es unter solchen Umständen wert. Wo steckt denn Neil?«

Neil war der Papageientaucher, den Polly aus Versehen adoptiert hatte, nachdem er sich als Küken den Flügel gebrochen hatte. Sie hatte ihn gesund gepflegt, und seitdem versicherten ihr alle, dass er bald davonfliegen und zu seinem Schwarm zurückkehren würde. Bislang war das aber nicht passiert.

»Draußen.«

Sie schauten einander an. Huckles Haare standen in alle Richtungen ab, er hatte in seinem alten College-T-Shirt geschlafen und roch wie eine Mischung aus warmem Heu und Honig. Wie immer lag auf Huckles Miene ein träger, amüsierter Blick, als wäre die ganze Welt nur ein Spiel. Sein ewiger Optimismus ließ ihn auch in schlimmen Situationen glauben, dass sich irgendwann alles zum Besten wendete.

Als Polly nun einen Blick auf den Wecker werfen wollte, legte Huckle die Hand darüber. Dabei warteten auf sie doch Lieferungen, Rechnungen, Papierkram, Backen und Bedienen ...

Hastig zog sich Polly kurze Zeit später wieder an und versuchte, gleichzeitig eine Nachricht für ihren Mitarbeiter Jayden zu schreiben, um ihm zu signalisieren, dass sie spät dran sei. »Was passiert denn nur«, murmelte sie, »wenn wir irgendwann schon ewig zusammen sind und die Sache mit dem Sex einfach einschläft?«

»Das wird nicht passieren.«

»So was kommt aber vor.«

»Nicht bei uns.«

Huckle sah sie warnend an. Die beiden hatten sich im Sommer verlobt, Polly wechselte aber jedes Mal das Thema oder schob vor, dass sie viel zu beschäftigt sei, wenn Huckle mit ihr über die Zukunft reden wollte.

Er wusste, dass sie sich irgendwann mal zusammen hinsetzen und vernünftig darüber sprechen mussten. Ihm war natürlich auch klar, dass Polly immer viel zu tun hatte, aber darin sah er eigentlich kein Problem. Für Huckle hätten die Dinge nicht klarer sein können – sie liebten einander und wollten für immer zusammenbleiben, gemeinsam eine Familie gründen. Gut, manchmal kam ihm schon in den Sinn, dass er Polly ja gerade deshalb liebte, weil sie eben nicht wie andere Frauen war. Aber ihm drängte sich doch der Gedanke auf, dass solche Aussichten auf eine feste Bindung andere Frauen doch sicher glücklich machen würden.

Wieder einmal beschloss er, dass jetzt wohl einfach nicht der richtige Zeitpunkt war. Er grinste seine Freundin an.

»Kannst du nicht einfach mal irgendetwas fünf Minuten lang genießen?«

Polly lächelte. »Doch«, behauptete sie. »Außerdem waren das gerade bestimmt mehr als fünf Minuten.« Sie runzelte die Stirn. »Allerdings hab ich nun völlig das Zeitgefühl verloren.«

»Gut, damit musst du eben klarkommen. Koste unser Glück aus, das ewig dauern wird. Und ich gönne mir noch eine Runde Schlaf.«

Das tat er tatsächlich, und noch während Polly ihre dicken Wollsocken hochzog, entspannten sich seine Züge schon völlig, und Huckle schlief ein. Als er nun so vor ihr lag, wurde Polly von solcher Liebe für ihn erfasst, dass ihr Herz zu zerspringen drohte. Es machte ihr sogar Angst, wie sehr sie ihn liebte, und vor allem hatte sie Bammel vor den nächsten Schritten, die jetzt anstanden.

Unten am Fuß der Treppe legte sie im Ofen Holz nach, damit Huckle es später warm haben würde. Dann schnappte sie sich einen Becher Kaffee und rannte nach draußen, wo ihr der Regen ins Gesicht klatschte. Natürlich wusste sie durch das Pfeifen des Windes durch die Fenster immer schon vorher, wie schlecht das Wetter sein würde, aber man musste sich trotzdem für diesen Moment wappnen. Und jetzt, im Dezember, war diesbezüglich auch kein Ende in Sicht.

So ist das eben, überlegte Polly, wenn man auf einem Felsen mitten im Meer lebte, wo an den sich windenden Straßen rauf zur Kirchenruine Häuschen aus grauem Schiefer standen, in derselben Farbe wie der steinerne Untergrund selbst. Den Fahrdamm vom Festland hierher mit dem Auto zu überqueren war zwar möglich, aber gefährlich. Deshalb ließen die meisten Touristen ihren Wagen lieber auf dem Parkplatz drüben stehen und kamen zu Fuß über das Kopfsteinpflaster herüber. Wenn sie die Zeit falsch eingeschätzt hatten und plötzlich die Flut einzusetzen begann, hörte man dann so einiges an Quieken und Quietschen. Die Fischer von Mount Polbearne mussten des Öfteren Gestrandete retten und verdienten sich gutes Geld dazu, indem sie mit ihren Booten einen überteuerten Taxidienst anboten.

Vor einem Jahr oder so hatte es mal Bestrebungen gegeben, eine ständig befahrbare Straße nach Mount Polbearne einzurichten. Aber dagegen hatten die Bewohner des Ortes heftig protestiert, die den einzigartigen Charakter ihrer Insel liebten. Sie hatten nicht gewollt, dass sich Polbearne nach Jahrhunderten plötzlich so veränderte, auch wenn es vielleicht praktischer gewesen wäre.

Pollys Sandwichstand an der Zufahrtsstraße war im Winter geschlossen, aber die Bäckerei hatte geöffnet, und dort war so viel los wie immer. Nebensaisontouristen stellten sich zu den Ortsansässigen in die Schlange, um frisches, warmes Brot zu erstehen oder welche von den heißen Pasteten, die die Fischer so gerne auf den Kutter mit rausnahmen. Außerdem gab es dort auch noch luftige Croissants, die Tierarzt Patrick in seiner sonnigen Praxis verspeiste, während er auf zumeist bellende Patienten wartete. Muriel aus dem kleinen Lädchen, in dem man einfach alles kaufen konnte, fand vor allem die Frischkäse-Brownies toll. Dann wurden in Pollys Bäckerei auch noch Doughnuts für die Bauarbeiter der schicken Ferienwohnungen mit ihren Glasbalkonen und Stahlseilen feilgehalten und klassische Marmeladentörtchen, die vor allem von alten Damen gekauft wurden. Dass die Seniorinnen auf der Gezeiteninsel ihr ganzes Leben verbracht hatten, hörte man am tiefen Tonfall ihrer Stimme und ihrer leicht singenden Aussprache, die für die Region typisch war. Ihre Großeltern hatten noch Cornish gesprochen, und sie konnten sich an ein Mount Polbearne ohne Strom und Fernsehen erinnern.

Jetzt trotzte Polly dem heftigen Wind auf der mit Muscheln verzierten Treppe, die vom Leuchtturm nach unten führte, und kämpfte sich bis zur Promenade vor, deren niedrige Steinmauer nach dem jahrelangen Ansturm der tosenden Wellen langsam zu bröckeln begann. Dann näherte sie sich langsam dem Strandweg, der kleinen kopfsteingepflasterten Straße mit Blick raus aufs Meer.

Sie wusste ja, dass der Kauf des Leuchtturms eine total verrückte Idee gewesen war. Als sie erfahren hatte, dass der Turm zum Verkauf stand, hatte Polly reflexartig zugeschlagen. Danach hatte sich aber herausgestellt, dass am Leuchtturm noch unheimlich viel gemacht werden musste, und das konnte sie sich einfach nicht leisten. Trotzdem liebte sie dieses Bollwerk am Rande des Ortes mit seinen fröhlichen roten und weißen Streifen so sehr und war unglaublich stolz, wenn sie den Turm im Dunkeln leuchten sah. (Der immer noch funktionierende Lampenraum ganz oben gehörte weiterhin der Regierung.) In die Räume darunter schien das Licht nicht – es handelte sich um den einzigen Ort in ganz Polbearne, an dem man davon verschont blieb –, und sie hatten von ihren Fenstern aus freien Blick auf den Ärmelkanal. Die sich ständig verändernde Aussicht aufs Meer – das manchmal wütend und dramatisch war, manchmal unfassbar friedlich und im Glühen des Sonnenuntergangs oft den wunderbarsten, zauberhaftesten Anblick auf Erden bot – machte für Polly jeden Penny der elend hohen Hypothek und die eiskalten Morgen wieder wett.

Abgesehen vom Leuchtturm und ein paar Schiffslaternen im Hafen brannte um diese Uhrzeit nur in der Bäckerei Licht. Polly umrundete den Laden und lief zur Hintertür hinein.

Als die wohlige, bullige Wärme der Backstube sie in Empfang nahm, stieß sie einen Seufzer der Erleichterung aus und schälte sich aus ihrem riesigen Parka. Aber Pollys Wangen fingen nicht nur wegen der Hitze im Raum zu brennen an, als Jayden seine Chefin fragend anschaute. Ihr war vielmehr siedend heiß eingefallen, warum sie gerade zu spät kam.

»Äh, hi!«

»Die Käsestangen sind schon im Ofen!«, verkündete Jayden wichtigtuerisch. Er hatte sich im Vorjahr für Mowember einen Schnurrbart wachsen lassen und ihn dann beibehalten, weil er ihm so gut gestanden hatte. Außerdem trug er eine weiße Schürze über einem immer weiterwachsenden Bauch. Seine Wampe hatte viel damit zu tun, dass er die Ware gern auf ihre Qualität prüfte und generell viel mehr aus der Bäckerei aß, als Polly irgendwem raten würde. Insgesamt erinnerte er an einen fröhlichen Kaufmann etwa aus dem Jahr 1935, und das passte wirklich gut zu ihm. Jayden war bis über beide Ohren in Flora verliebt, eine junge Frau aus der Gegend, die ein Händchen für köstliches Gebäck hatte. Obwohl sie Jayden noch weiter mästete, blieb sie selbst dabei unerklärlich schlank, und die beiden sahen aus wie ein Paar aus einem Kinderlied.

Während der Nebensaison ging Flora nun zum College auf dem Festland, wo sie viel Zeit verbrachte. Sie hatte sich in Devon in einer Patisserie-Schule eingeschrieben, was Jayden ganz furchtbar fand. Und deshalb grummelte er auch ständig herum wie ein trauriges Walross, weil er ihre Abwesenheit nicht ertragen konnte. Polly fand ihre Romanze ja wirklich rührend, wünschte sich aber, Jayden wäre nicht auch den Kunden gegenüber so knurrig. Früher hatte er immer mit den alten Damen geflirtet und sie damit für den ganzen Tag aufgeheitert.

»Danke, Jayden«, sagte Polly jetzt zu ihrem Mitarbeiter und holte sich erst einmal an der Kaffeemaschine Nachschub.

Sie hatten vor Kurzem damit angefangen, auch heiße Getränke anzubieten, und Polly hatte einen langen und äußerst koffeinhaltigen Tag lang bei einer Messe nach einer Kaffeemaschine gesucht, deren Erzeugnisse nicht entweder widerlich oder alle gleich schmeckten. Irgendwann war sie dann fündig geworden – wie ihr gleich klar geworden war, weil sich alle um diesen einen Stand geschart und Freigetränke abzustauben versucht hatten. Polly hatte dort sogar Verkäufer entdeckt, die doch eigentlich selbst ihre Maschinen an den Mann bringen wollten. Natürlich war das dort angebotene Modell mit Abstand das teuerste gewesen, und Polly würde von Glück reden können, wenn sie ihr Geld dafür in dreißig Jahren wieder reinkriegen würde. Viel konnte man einem Fischer, der achtzehn Stunden lang auf dem Wasser gewesen war, schließlich nicht für eine heiße Tasse Instantbrühe abknöpfen, deshalb deckte Polly mit den Einnahmen kaum ihre Kosten. Trotzdem freute sie sich bei ihrem Anblick jedes Mal über die Maschine.

Nur heiße Schokolade machte sie darin nicht, die wurde in einer Maschine einfach nichts. Nachdem sie das Gerät gekauft hatte, war Reuben, ihr lauter amerikanischer Freund, in den Laden marschiert. (Manche fanden den ja äußerst nervig, aber Polly hatte sich im Laufe der letzten Jahre an ihn gewöhnt.) Jedenfalls hatte Reuben verkündet: »Ich mache die beste heiße Schokolade aller Zeiten, und die darf man nicht in der Maschine zubereiten. Denk nicht einmal daran, sonst wäre unsere Freundschaft nämlich abrupt zu Ende!«

Zum Glück brachte er ihr so einiges von seiner speziellen, extra aus der Schweiz importierten Schokolade mit. Er hatte selbst ein Händchen fürs Kochen und zeigte ihr persönlich, wie man diese Schokolade mit sanft erwärmter Milch und Sahne anrührte. Wenn man die Schokolade langsam unterrührte, wurde sie zu einem dicken, wärmenden Sirup, der wie flüssiges Glück schmeckte. Am Schluss wurde das Meisterwerk dann noch mit extra dafür gedachten amerikanischen Marshmallows, einer Flocke Schlagsahne und einem Stückchen Schokolade dekoriert.

Polly rechnete diese heiße Schokolade separat ab und bot sie auch nur im Winter an, aber zu Reubens großer Genugtuung fanden alle im Ort – und in einem ziemlich weiten Umkreis –, dass sie ihren Preis absolut wert war. Tatsächlich läutete für viele Inselbewohner der Beginn der Heiße-Schokolade-Saison in der kleinen Bäckerei am Strandweg den Anfang der Adventszeit ein.

»Da draußen bläst der Südwestwind aber heftig«, bemerkte Jayden nun traurig. »Hoffentlich ist mit Flora alles in Ordnung.«

»Sie liegt drüben auf dem Festland in ihrem Campusschlafsaal mit Zentralheizung und kann jetzt noch drei Stunden heia machen«, sagte Polly. »Ich denke, sie wird schon klarkommen.«

»Wie mir die Kleine fehlt«, seufzte Jayden.

»Du fehlst ihr doch auch, deshalb bekommst du ja so viele Päckchen.«

Als fürchtete sie, es könne Jayden an Backwaren mangeln, schickte Flora ihm die Ergebnisse ihrer Anstrengungen alle paar Tage mit der Post. Manche kamen in recht akzeptablem Zustand an – die französischen Törtchen waren ein besonderes Highlight gewesen –, bei anderen, wie der Croquembouche, endete der Transport in einer ziemlichen Katastrophe. Postbote Dawson hatte schon mehrmals damit gedroht, Flora wegen schmutziger Klamotten zu verklagen. Der war sowieso schon sauer, weil er dauernd die Ebbe verpasste und dann bei Flut auf der Insel festsaß. Mount Polbearne war nun wirklich alles andere als der Traum eines Briefträgers, das musste man schon sagen. Andererseits hatten ihm alle Inselbewohner versichert, dass er Werbesendungen ruhig bereits auf dem Festland in den Papiercontainer werfen dürfte, und damit war schließlich beiden Seiten geholfen.

Aber dann war das mit Floras Backerzeugnissen losgegangen. Anfangs hatte Jayden dem Briefträger ja noch vom Gebäck angeboten, Dawson hatte jedoch beim ersten Mal abgelehnt und war jetzt zu stolz, um seine Meinung zu ändern. Wenn das Gebäck besonders toll geworden war – die Cremehörnchen waren zum Beispiel überraschend makellos eingetroffen –, dann verkaufte Polly sie und schickte den Erlös an Flora zurück. Das ärgerte Dawson dann auch, vor allem, wenn sie Münzen in den Umschlag legte.

»Morgen, Dawson«, sagte Polly jetzt an der Hintertür und nahm von ihm einen Haufen Rechnungen sowie eine nur leicht durchweichte Versandtasche entgegen. »Hätten Sie vielleicht gern eine Tasse Kaffee?«

Dawson murmelte etwas vor sich hin. Offenbar hatte er heute Morgen extra früh mit seinem Rad den Fahrdamm überquert, um die Flut zu umgehen, und war auch darüber verärgert. Wann die Post hier zugestellt wurde, schwankte – und zwar zwischen sechs Uhr morgens und zwei Uhr mittags.

»Aufs Haus«, fügte Polly hinzu.

Sie fürchtete, dass Dawson irgendwann von der Kälte und allem anderen komplett die Nase vollhaben, gar nicht mehr auf die Insel kommen und ihre Post einfach ins Meer schmeißen würde. Na ja, an manchen Tagen wäre das gar keine so schlechte Idee, dachte sie, während sie den endlosen Stapel Rechnungen durchsah.

Dawson murmelte wieder irgendetwas und zog sich dann in die tiefblaue Dunkelheit zurück. Polly zuckte mit den Achseln und schloss die Tür.

»Es ist doch wirklich wunderbar, wie gut wir uns nach nur zwei Jahren in die Gemeinschaft hier eingefügt haben und von allen akzeptiert werden.«

Jayden schnaubte. »Oh, Dawson war immer schon so. Ich bin mit ihm zur Schule gegangen, und da hat er immer geheult, wenn er Bratensoße essen musste. Also haben ihm alle ihre Bratensoße auf den Teller gekippt. Na ja, im Nachhinein kommt mir das jetzt nicht mehr so nett vor. Wir haben ihn auch Bratensoßendoofi genannt, nee, das war wohl ziemlich fies.«

»Oh!«, rief Polly und zog einen schlichten braunen Briefumschlag mit Mount Polbearner Absender hervor. Diesen Brief hatte Dawson demnach aus dem altmodischen roten Briefkasten auf der kleinen Hauptstraße der Insel geholt und ihn nach Looe mit rübergenommen, nur um ihn dann später den ganzen Weg wieder zurückzutragen.

Polly hielt also einen Brief von Samantha in der Hand, die auf der Insel zwar nur eine Ferienwohnung hatte, aber in Mount Polbearne trotzdem gern bei allem mitmischte. Sie hatte letztes Jahr ein Baby bekommen und sich besorgt über die Schulen in London und die horrenden Preise für Kindergärten dort geäußert. Außerdem waren Großstadtkinder ihrer Meinung nach viel zu übersättigt und blasiert (obwohl sich Polly und Kerensa insgeheim gedacht hatten, dass Samantha selbst sich doch gern so übersättigt und blasiert wie möglich gab).

Bei dem Schreiben handelte es sich um einen getippten Rundbrief, mit dem Samantha zu einer Debatte über die Neueröffnung der örtlichen Schule einlud. Inzwischen musste nämlich über ein Dutzend Kinder jeden Tag aufs Festland gebracht werden – was ja auch Kosten verursachte –, und es würde in den nächsten Jahren noch jede Menge Nachwuchs dazukommen.

Jayden und seine Altersgenossen – die jetzt Mitte zwanzig waren – waren als Letzte auf Mount Polbearne eingeschult worden. Inzwischen wurde das kleine Schulhäuschen auf der Insel nur noch für Ortsversammlungen und Feste genutzt.

Die hölzernen Pulte standen dort immer noch etwas verloren herum, und an zwei Seiten des Gebäudes waren die Inschriften »Jungen« und »Mädchen« über den Türen zu erkennen. Allerdings hatte an ihnen, wie an allem anderen auf der Insel, der Zahn der Zeit genagt, Gezeiten und Unwetter hatten ihnen ganz schön zugesetzt.

Jayden lächelte, als Polly ihm den Brief vorlas.

»Ach, die Schule hier war toll«, schwärmte er. »Na ja, mal abgesehen von Dawson.«

»Und ihre Neueröffnung würde auf jeden Fall die Fehltage verringern«, überlegte Polly, der aufgefallen war, wie oft die Kinder bei schlechten Wetterverhältnissen auf der Insel bleiben mussten.

»Dann gehen wir also zu dem Treffen«, beschloss Jayden.

»Auf keinen Fall!«, protestierte Polly. Für sie kam es einem Sakrileg gleich, dafür einen Winterabend mit Huckle zu opfern, bei dem sie an ihren Freund geschmiegt gegen halb neun einschlafen würde.

»Das solltest du aber«, fand Jayden. »Du bekommst doch schließlich auch irgendwann Kinder.«

Polly starrte auf den Ringfinger ihrer linken Hand, der immer noch auf den Verlobungsring von Huckle wartete. Der Ring aus Algen, den er ihr letzten Sommer angesteckt hatte, hatte dann doch nicht so lange gehalten, wie es ihre Beziehung hoffentlich tun würde.

»Hm«, murmelte sie und spürte, wie sie die vertraute Panik zu überkommen drohte, die sich beim Gedanken an die Zukunft immer bei ihr bemerkbar machte.

Natürlich wurde sie auch nicht jünger. Aber sie hatte so viel damit zu tun, die beiden Geschäfte über Wasser zu halten, dass sie unmöglich noch jemanden einstellen und in Mutterschutz gehen konnte. Und leider gab es da ja auch noch diesen albernen Leuchtturm, den sie einst für so eine tolle Idee gehalten hatte … Wie sollte sie unter diesen Umständen nur für ein Kind sorgen? Wie machten die Leute das bloß? Polly hatte wirklich keine Ahnung. Vermutlich würde Huckle auch demnächst heiraten wollen, und sie hatte doch nun wirklich genug um die Ohren …

Obwohl es immer noch so gut wie finster war, warteten draußen bereits die ersten Kunden. Nach einem entbehrungsreichen Leben hier am Rand der Britischen Inseln begannen die meisten alten Leute ihren Tag weiterhin früh. Und natürlich liefen jetzt auch die Kutter rechtzeitig für den Fischmarkt ein, sodass Restaurants und Pommesbuden die beste, frischeste Ware erstehen konnten. Im Sommer konnte Polly bereits ohne Jacke nach draußen gehen, wenn sie um diese Zeit ein Schwätzchen mit den Fischern halten und sich den Sonnenaufgang ansehen wollte. Im tiefsten, dunkelsten Winter traten hingegen alle eilig in den Laden und machten die Tür rasch hinter sich zu. Darunter waren alte Damen mit ihren Hündchen und auch Archie, der Kapitän der Trochilus, der völlig durchgefroren aussah. In dieser Gegend hörte man oft die alte Weisheit, dass es kein schlechtes Wetter gibt, nur schlechte Kleidung. Aber die Fischer hatten doch die allerbeste Ausrüstung, und ihr Leben da draußen war trotzdem noch hart, vor allem, wenn sie mit ihren steif gefrorenen

Fingern Knoten lösen oder die Tür des Kühlraums öffnen mussten.

Und deshalb waren Archies Hände jetzt auch rot-weiß gesprenkelt. Polly reichte ihm eine Tasse vom besonders starken Tee, den sie hinten in der Backstube extra für ihn aufbewahrte, aber er brauchte eine Weile, bis er die Finger wieder strecken konnte.

»Hattet ihr einen guten Fang?«, fragte Jayden, der früher mal mit Archie zusammengearbeitet hatte und immer noch unfassbar dankbar dafür war, dass er nicht mehr rausmusste.

»Ja, nicht schlecht«, antwortete der Kapitän mit gesenktem Kopf und atmete den warmen Dampf des Tees ein. Aus Archies Mund bedeutete so eine Äußerung, dass es eindeutig bergauf ging.

Nun marschierte die alte Mrs Corning, eine von Pollys Stammkundinnen, auf die Theke zu.

»Wo ist denn dein Kalender?«, fragte sie und fuchtelte mit ihrem Stock herum. Wie zur Unterstützung bellte Brandy, ihr winziges Hündchen.

»Mein was?«, fragte Polly verwirrt.

»Dein Adventskalender! Heute geht doch der Advent los! Oder bist du etwa nicht in einer christlichen Gemeinschaft aufgewachsen?«

»Ich hab sie noch nie in der Kirche gesehen!«, warf da eine der anderen Seniorinnen ein, die eigentlich in ein Gespräch mit Jayden vertieft war.

Polly verdrehte die Augen. Sie hatte ja eigentlich gehofft, nach ihrer Verlobung mit Huckle würde das allgemeine Interesse an jedem einzelnen Schritt, den sie machte, endlich abnehmen. Aber es schien nur noch schlimmer geworden zu sein. Polly war in Exeter aufgewachsen, einer ziemlich großen

Stadt, und fand das Leben in einem so kleinen Ort zwar angenehm, aber schon sehr anders.

»Mattie und ich kommen wirklich gut miteinander klar«, verkündete sie nun. Mattie war die Vikarin vom Festland, die alle paar Wochen rüberkam, um eine Messe abzuhalten. Polly sparte sich den Gottesdienst meistens – während der Saison arbeitete sie zu dieser Zeit nämlich, und außerhalb der Saison schlief sie tief und fest –, aber Mattie kam oft auf einen Kaffee vorbei, da Polly und sie etwa in demselben Alter waren und bei den meisten Dingen eine sehr ähnliche Einstellung hatten.

»Ist heute wirklich schon der erste Dezember?«, fragte sie.

»Ja, der erste Tag des Advents. Du weißt schon, in dieser Zeit warten wir auf die Geburt unseres Herrn Jesus Christus, darum geht es doch schließlich an Weihnachten.« Eigentlich war Mrs Corning ja eine nette alte Dame, aber sie hatte manchmal selbst hier im ländlichen Cornwall das Gefühl, dass ihr die Welt davonlief. Nun musterte sie Polly durch ihre dicken Brillengläser. »Ist alles in Ordnung, mein Schatz?«

Polly blinzelte. »Entschuldigung, aber ich war mir des Datums nicht bewusst. Der November war so grau und endlos, da ist irgendwie alles ineinander übergegangen ... Tag für Tag ...« Sie verdrehte das Handtuch in den Händen. »Aber das ergibt für Sie ja alles gar keinen Sinn. Tut mir leid, Mrs Corning. Na ja. Wie auch immer. Heute ... heute hat mein Dad Geburtstag.«

Es kam ihr gar nicht richtig vor, ihn so zu nennen. Er war nicht ihr Dad, ein Dad war jemand, der im Leben seiner Kinder eine Rolle spielte.

»Ah«, machte Mrs Corning. Sie gehörte zu einer Generation, in der die meisten Männer längst tot waren. In ihrem kleinen Bataillon aus alten Damen mit Dauerwelle im dünnen Haar und vernünftigen beigefarbenen Anoraks, die sie bei gelegentlichen Besuchen in Looe gekauft hatten, hielten alle fest zusammen. Die Rentnerinnen kümmerten sich gut umeinander und sprachen eigentlich öfter über die Zipperlein ihrer kleinen Hunde als über die Vergangenheit und ihre feschen Teddyboys aus den Sechzigern, die grinsend und mit einer Zigarette im Mundwinkel vom Militärdienst zurückgekehrt waren. »Ist er schon lange fort?«

»O ja«, sagte Polly. Selbst jetzt wollte sie nur ungern die Wahrheit erzählen: Dass ihr Vater nämlich niemals für sie da gewesen war und deshalb auch nie hatte verschwinden können. Sein Geburtsdatum kannte sie nur, weil sie es gebraucht hatte, um ihren Pass zu beantragen. Und das war eigentlich auch schon alles, was sie je von ihm bekommen hatte, mal abgesehen von einer finanziellen Grundversorgung, wie ihre Mutter ihr versichert hatte. Ihr Vater war ein Windhund gewesen, jemand, um den es einem nicht leidtun sollte. Außerdem, so hatte ihre Mutter immer gesagt, konnte man ja auch gar nicht vermissen, was man nie gekannt hatte.

Was das betraf, war sich Polly aber nicht so sicher.

An diesem kalten Morgen strömten die Kunden in Scharen herein, schon allein, um einen Moment dem Wind zu entgehen. Und dann nutzen sie die Gelegenheit natürlich, um zum Beispiel ein paar Zimt-Pekannuss-Brötchen mitzunehmen. Die heiße Schokolade blubberte in ihrem Topf und wurde mit jeder Tasse immer dicker und reichhaltiger, und die Kasse klingelte den ganzen Vormittag zufrieden.

Huckle kam so gegen drei herein, als Polly gerade nach der Post griff und sich auf den Weg zurück zum Leuchtturm machen wollte. Sie würde neben dem warmen Ofen ihren Papierkram erledigen und ein neues Rezept für einen Christmas Cake ausprobieren, obwohl die Idee unterschiedlicher Kuchen für die Festtage bei den Leuten im Ort zu hochgezogenen Augenbrauen geführt hatte.

»Hey«, sagte Polly, die sich freute, ihren Verlobten zu sehen.

Huckle schaute sie prüfend an, weil Polly irgendwie bedrückt wirkte. »Ist alles in Ordnung?«

Beschwichtigend schmiegte sie sich in seinen Arm, während er die Post durchsah und ihr dabei sanft übers Haar strich.

»Alles klar«, brachte Polly leise hervor. »Ich hab mir heute einfach nur gewünscht, dass mich mal schnell einer drückt. Mrs Corning hat sich ja angeboten, aber ich hatte Angst, dass sie sich dabei womöglich die Hüfte bricht.«

»Hast du etwa deine Mutter angerufen?«

Sie tauschten Blicke.

»Das Übliche?«

»Ja.«

Huckle seufzte. Pollys Mum hatte nicht viel dafür übrig, ans Telefon zu gehen oder auch nur mal das Haus zu verlassen. Bevor sie bei ihr ausgezogen war, war Polly eigentlich nie aufgefallen, wie zurückgezogen ihre Mutter lebte. Sie lud nie Freunde zu sich ein, hatte selten Besuch, ging selbst kaum aus und hatte an sozialen Kontakten eigentlich nur ihre inzwischen verstorbenen Eltern gehabt. Weil Polly so aufgewachsen war, hatte sie all das nie groß infrage gestellt, bis sie dann selbst in die Welt hinausgezogen war und entdeckt hatte, wie toll der Kontakt zu den vielen Menschen da draußen sein konnte.

»Sag ihr doch einfach, dass sie mal zu uns rauskommen soll. Hier könnte sie schön spazieren gehen, frische Luft schnappen und ein bisschen Farbe bekommen. Das würde ihr wirklich guttun.«

»Das schafft sie nicht«, erwiderte Polly. Diese Diskussion führten sie nicht zum ersten Mal. »Im Ernst, es geht wirklich nicht. Beim letzten Mal konnte sie angeblich nicht kommen, weil sie dann *Doctors* verpassen würde.« Als sie Huckles verständnislosen Blick bemerkte, erklärte sie: »*Doctors* läuft fünfmal die Woche auf BBC One, und das schon seit circa 72 Jahren. Man kann entweder *Doctors* gucken oder selbst ein Leben führen, beides gleichzeitig ist allerdings unmöglich.«

»Sie sollte sich lieber mal einen Termin bei einem echten Doktor holen«, befand Huckle, und Polly verzog das Gesicht. Auch das hatten sie schon mal besprochen. Ihre Mutter war nicht krank, sondern einfach nur … introvertiert. Das war alles. Es war doch durchaus in Ordnung, in einer Welt voll von lauten Extrovertierten, die jeden einzelnen Schritt in sozialen Netzwerken dokumentieren, zu den Leisen zu gehören, oder nicht?

»Na ja, versuch's einfach noch mal bei ihr, wenn wir zu Hause sind«, schlug Huckle vor. »He, Moment mal!«, sagte er dann und griff nach Samanthas Brief. »Was ist das denn?«

»Es geht um ein Treffen wegen der Schule hier im Ort«, erklärte Polly. »Hast du inzwischen Neil gesehen?«

Huckle schnaubte. »Ob ich ihn gesehen habe? Der kriecht beinahe in den Ofen. Ich hab noch nie von einem Vogel gehört, der so scharf auf die Bequemlichkeiten einer menschlichen Behausung ist. Wenn er nicht aufpasst, dann gibt's zum Abendessen Brathähnchen.«

»Das ist nicht witzig!«, protestierte Polly, die bei ihrem

frechen Papageientaucher immer mehr als nur ein Auge zudrückte. »Und weiterhin keine Spur von Celeste?«

Celeste war Neils Freundin. Na ja, genauer gesagt hatte sich Neil mit dem Papageientaucherweibchen eigentlich nur gepaart und dann mit ihr zusammen hinter dem Leuchtturm ein Nest gebaut. Aber zu Pollys Entsetzen war aus ihrem ersten Ei nichts geschlüpft. Celeste war zu ihnen am Anfang ziemlich ruppig gewesen, und diese Tragödie hatte ihre Haltung nicht gerade verbessert. Am Ende war sie eines Tages einfach verschwunden. Polly war deshalb so fertig gewesen, dass Huckle sie lieber ins Bett gebracht hatte. Er hatte all seine Überzeugungskraft aufbringen müssen, um Polly zu versichern, dass sich Vögel die Zukunft nicht ausmalten und Neil deshalb keine Ahnung hatte, was er da verpasste. So ganz kaufte sie ihm das aber immer noch nicht ab.

Eins stimmte allerdings, in der kalten Jahreszeit war Neil jetzt glücklich und zufrieden damit, vor der Haustür herumzufiepen, bis ihm jemand aufmachte, dann hereinzumarschieren und sich ein warmes Plätzchen vor dem Ofen zu suchen. Seine gescheiterte Langzeitbeziehung schien ihn nicht sehr zu belasten.

»So warm sollten Papageientaucher es gar nicht haben!«, schimpfte Huckle manchmal, wenn er den genüsslich vor dem Ofen ausgestreckten Neil entdeckte. »Womöglich führt das noch zum Aussterben seiner Art!«

Polly kratzte Neil nur liebevoll am Kopf, während der Vogel Huckle mit einem Knopfauge musterte.

»Okay, okay«, seufzte Huckle dann. Meistens war er ja auch ziemlich gut darin, seine Gefühle über das Zusammenleben mit einem kleinen schwarz-weißen Seevogel zu verbergen.

Jetzt schlossen Polly und Huckle die Tür der Bäckerei zu und machten sich in der bereits hereinbrechenden Dunkelheit auf den Heimweg. Wolken huschten über den Himmel, und ihnen spritzten Regen und Gischt ins Gesicht, als sie über die Kieselsteine der Promenade und die Treppe zum Leuchtturm hinaufliefen.

»Puh«, stöhnte Polly, »heute wäre ich lieber die Besitzerin der kleinen Karibikbäckerei.«

Huckle lächelte.

»Aber die könnten wir immer noch eröffnen«, überlegte Polly, »und für Neil dann einen passenden Strohhut besorgen.«

Schnell machten sie die Leuchtturmtür hinter sich zu, dann zog Polly sich die Stiefel aus und stellte den Wasserkocher an.

»Uff, hier bewege ich mich nicht mehr weg.«

Huckle stand immer noch an der Tür und studierte den Rundbrief, den er vom Bäckereitresen mitgenommen hatte.

»Das Treffen ist ja heute. Meinst du nicht, dass wir lieber in die Schule gehen sollten?«

Polly runzelte die Stirn. »Zu dieser Ortsversammlung?«

»Es ist schließlich auch unser Ort.«

Sie schauten sich an.

»Du hast doch was.« Polly sah ihn prüfend an.

»Na ja«, murmelte er. Auf dem kleinen Küchentisch lag ein großes Geschäftsbuch. »Also, das mit dem Honig ... Hm, das läuft im Moment nicht besonders ...«

»Aber das macht doch nichts«, sagte Polly. »Dann ziehe ich einfach diesen Mantel bis zum Sommer nicht mehr aus. Du kannst mich auch in meine Unterwäsche einnähen, wenn du meinst, das hilft.«

Huckle goss für beide eine Tasse Tee ein und bedeutete ihr, sich zu setzen.

»Ich hab nachgedacht.«

»Oh-oh«, machte Polly, während ihr Herz ein wenig schneller zu klopfen begann. »Ich hab nachgedacht« war einer dieser Sätze, die immer ein wenig Panik auslösten, genau wie »Wir müssen reden« und »Vielleicht solltest du dich lieber hinsetzen«. Polly erinnerten sie an die schreckliche Trennung von ihrem Ex, Chris, und an den Verlust des Unternehmens, das sie gemeinsam mit ihm aufgebaut hatte. Sie hasste solche Unterhaltungen.

Huckle griff nach ihrer Hand, was offenbar beruhigend wirken sollte, die Sache aber bloß schlimmer machte.

»Was ist denn?«, fragte sie alarmiert. »Nun spann mich nicht so auf die Folter.«

Huckle hatte es eigentlich nie eilig. Er war ein lässiger Südstaatler, der sogar besonders langsam und gedehnt sprach. Normalerweise konnte er Polly in jeder Situation beruhigen, egal, wie hysterisch sie gerade noch gewesen war. Hoffentlich gelang es ihm auch jetzt.

»Ich hab halt an unsere Hochzeit gedacht.«

Reubens und Kerensas Hochzeit war die übertriebenste und verrückteste Themenparty aller Zeiten gewesen. Danach hatten sich Polly und Huckle geschworen, dass sie so etwas auf keinen Fall machen würden. Sie wünschten sich vielmehr eine kleine, intime Feier. Das schien sich allerdings schwierig zu gestalten, da im Ort bei derartigen Anlässen alle davon ausgingen, dass sie eingeladen waren. Außerdem würden dann noch Pollys Mutter und ihre alten Freunde von zu Hause dazukommen, die sich ohnehin dauernd beschwerten, dass sie sie seit ihrem Umzug in die Pampa nie zu Gesicht bekamen.

Polly hätte natürlich wieder einmal entgegnen können, dass sie in Wirklichkeit doch nur zwei Fahrstunden entfernt war, aber das machte sie inzwischen auch nicht mehr. Sonst tauchten nämlich die Leute mit Eimern und Spaten bei ihr auf, um die Sommerferien im Leuchtturm zu verbringen. Das war ja auch toll, aber nach den ersten Erfahrungen ziemlich ermüdend. Vor allem dann, wenn ihre Gäste bis spätabends feierten und darauf bestanden, dass sie ihnen dabei Gesellschaft leistete, obwohl Polly um fünf Uhr aufstehen musste.

Sie redete sich ein, dass sie wegen all der logistischen Probleme nicht weit im Voraus planen wollte. In Wirklichkeit wollte sie sich nur nicht eingestehen, dass es da durchaus noch einen anderen Grund geben konnte. Vielleicht lag es ja auch an der Tatsache, dass ihre Mutter und ihr Vater nie eine Familie gewesen waren. Bei den wenigen Familien, die sie kannte, war einfach alles schiefgelaufen.

»Äh, ja?«

Huckle senkte den Blick, während er darüber nachdachte, was er als Nächstes sagen sollte. Nachdem seine erste Langzeitbeziehung wegen der verrückten Arbeitszeiten von beiden in die Brüche gegangen war, hatte er aus einer Laune heraus seinen guten Job in der Wirtschaft aufgegeben und war einfach so nach England gezogen.

Ursprünglich hatte er bloß geplant, es endlich mal ruhig angehen zu lassen, eine Zeit lang kleinere Brötchen zu backen und sich weit weg von zu Hause selbst ein wenig Freiraum zu geben. Die Arbeit mit Bienen fand er toll, und der britische Pass seines Vaters hatte ihm die Einreise erleichtert.

Aber dann hatte er sich aus Versehen in diesen rotblonden Wirbelwind mit einer Aura aus Tüchtigkeit und Backpulver verliebt, und damit war alles entschieden gewesen.

Nur leider saß er seitdem in Cornwall fest, dieser wunderschönen, aber weit abgelegenen Gegend, wo es weder eine verlässliche Internetverbindung noch öffentlichen Nahverkehr oder normale Jobs gab. Als Polly letztes Jahr kurzzeitig arbeitslos gewesen war, hatte Huckle versucht, des Jobs wegen einen Teil des Jahres in den Staaten zu verbringen, aber das hätte für ihre Beziehung fast das Ende bedeutet. Außerdem konnte er auf keinen Fall wieder als Manager arbeiten. Das brachte er einfach nicht über sich, weil es sich anfühlte, als würde es von innen heraus seine Seele auffressen. Polly war zu einem Umzug in die USA sowieso nicht bereit, aber es wäre selbst dann nicht gegangen, wenn sie sich darauf eingelassen hätte. Und Huckle wusste natürlich auch, dass es in Savannah nicht viel für sie zu tun gegeben hätte. In dieser wunderschönen, altmodischen Stadt war vermutlich kein Platz für noch eine kleine Bäckerei mit liebevoll von Hand geformtem Brot.

Außerdem gehörte Polly einfach auf die Gezeiteninsel, da mochte sie noch so sehr über das Wetter schimpfen. Tatsächlich hatten sich beide wunderbar in Mount Polbearne eingefügt. Sie gehörten in guten Zeiten zur Gemeinschaft, wenn es mit dem Geschäft voranging und das Städtchen ein fröhlicher Ort war. Aber sie fühlten sich hier auch in schwierigen Momenten zugehörig, wie zum Beispiel während des Sturms, bei dem der junge Kapitän Tarnie mit seinem Kutter untergegangen war, was allen hier in der Gegend das Herz gebrochen hatte. Und sie zwei gehörten jetzt dazu.

Aber leider gelang es Huckle einfach nicht, Geld reinzubringen. Ein paar Gläser hier und da von seinem exklusiven Honig, den er an Bioläden und Schönheitssalons verkaufte, reichten eben nicht. Damit konnte man bei Weitem keine

Hochzeit finanzieren, nicht einmal eine viel weniger protzige als die von Reuben.

Polly sah Huckle besorgt an, als er ihre kleine Hand festhielt, die vom täglichen Teigkneten kräftig geworden war und unter deren ordentlichen, unlackierten Fingernägeln Mehl klebte. Er verfluchte sich selbst, weil er Geld gleichzeitig wichtig fand und dann doch wieder nicht. Eigentlich sollte es für die Gestaltung des Tagesablaufs nicht entscheidend sein. Stattdessen sollte man sich frei und kreativ bewegen, draußen an der frischen Luft oder beim Experimentieren in der Küche, und nicht in einem üblen Büro mit Klimaanlage eingesperrt sein, wo man langweiligen Managern zuhörte und zehn Stunden am Tag Tabellen ausfüllte.

»Also, wegen der Hochzeit.«

Gequält verzog Polly das Gesicht. Was auch immer sie jetzt sagte, dieses Thema würde wohl eine große Sache bleiben.

»Jetzt guck doch nicht so!«, schimpfte Huckle. »Mal im Ernst, das ist wirklich kein passender Gesichtsausdruck für eine Unterhaltung darüber, ob du, na ja, mich heiratest.«

»Ich weiß, es ist nur ... du weißt schon. Da wird dann ja nicht nur meine Mutter dabei sein, sondern deine Familie muss den ganzen weiten Weg anreisen. Dann soll natürlich alles wunderschön und eben besonders werden, und das wird mir einfach zu viel. Außerdem sind wir doch so ...«

Sie wollte nur ungern »blank« sagen, wusste aber nicht, wie sie es vermeiden sollte. Auf keinen Fall sollte Huckle zu diesem gut bezahlten Job zurückmüssen, der ihn so unglücklich gemacht hatte. Das war es nicht wert, wirklich nicht, denn sie kamen doch klar. Ja, sie brauchten nur wenig und kamen deshalb über die Runden. Gut, am Leuchtturm müsste einiges gemacht werden, aber der stand schließlich schon seit zweihundert Jahren, da würde er sicher noch ein paar Winter in diesem Zustand durchhalten.

»Okay«, sagte Polly schließlich, »sprich dich aus.«

»Also, ich hab mich gefragt«, begann Huckle, »na ja, du bist immerhin schon dreiunddreißig ...«

»Vielen Dank auch.«

»... und es sieht für mich ganz so aus, als würden wir uns wegen dieser Hochzeit viel zu viel Stress machen. Wegen Geld und anderer alberner Sachen, über die wir doch eigentlich gar nicht nachdenken wollen.«

Er drückte sie. »Weißt du, noch mehr lieben könnte ich dich wohl nicht, das ginge ja gar nicht.«

Blinzelnd schaute Polly zu ihm hoch. »Ich liebe dich auch«, hauchte sie. »Und zwar unendlich.«

»Gut«, befand Huckle. »Das ist ja schon mal ein vielversprechender Anfang. Also, hör zu. Und das heißt jetzt überhaupt nicht, dass ich dich nicht heiraten will, in Ordnung?«

»Hm.«

»Was würdest du davon halten, wenn wir ...« Er umklammerte den Rundbrief ein wenig fester. »Wie würdest du es denn finden, wenn wir die Dinge vielleicht nicht in der üblichen Reihenfolge machen?«

Polly blinzelte, weil sie zunächst nicht sicher war, was er da sagen wollte. Dann dämmerte es ihr.

»Du meinst ...«, stammelte sie, und ihr Herz begann, heftig zu schlagen. Es war ja nicht so, als wäre ihr das Thema Kinder nie in den Sinn gekommen, aber es war ihr immer weit weg erschienen. Vielleicht nach der Hochzeit und alldem, wenn sie sich des Erfolgs der Bäckerei sicher sein konnte und ... Plötzlich stieg Panik in ihr auf, sie fühlte sich bedrängt.

Und dann ging ihr auf, dass sie all diese Fragen wohl schon lange vor sich herschob.

»Ich meine«, murmelte Huckle, »wie's geht, wissen wir nach ausführlichem Üben ja schon ...«

»Ja«, sagte Polly, »aber ...«

Draußen krachten die Wellen gegen die Felsen, und die Gischt spritzte. Aber hier drinnen war es warm und gemütlich, ein Feuer flackerte im Ofen und eine Kerze auf dem Fenstersims. Huckle und sie waren nicht abergläubisch, die Fischer jedoch schon, und Polly wusste, dass sie sich bei ihrer Rückkehr über das kleine Lichtchen freuten, das ihnen den Weg zurück in den sicheren Hafen wies.

Sie schaute Huckle an, musterte seine blauen Augen, in denen stets so ein amüsierter Ausdruck lag, und den breiten, freigiebigen Mund, der immer für ein Lächeln bereit war. Jetzt lächelte Huckle aber nicht.

Polly griff nach seiner Hand. »Meinst du wirklich, dass wir dazu schon bereit sind?«, fragte sie.

»Nein«, entgegnete Huckle. »Wahrscheinlich wirst du die kleinen Kerlchen mit nichts als Kuchen füttern, sodass sie ganz fett und knurrig werden, wie Celeste.«

»Oh«, machte Polly.

Er strich ihr über die Wange. »Aber ich glaube ehrlich gesagt nicht, dass je irgendjemand so richtig dazu bereit ist. So läuft das einfach nicht.«

Polly schluckte all ihre Ängste und ihre Unentschlossenheit hinunter. Schließlich sollte sie begeistert sein, oder etwa nicht? Der Mann, mit dem sie verlobt war und den sie von ganzem Herzen liebte, hatte ihr gerade vorgeschlagen, gemeinsam ein Kind zu bekommen.

»Lass es dir einfach mal durch den Kopf gehen«, bat

Huckle, weil ihm Pollys Anspannung natürlich nicht entging. Und er wollte sie ja wirklich nicht drängen.

»Okay«, murmelte Polly. »Gut, danke.« Unbeholfen schaute sie zu ihm hoch. »Dann können wir ja jetzt vielleicht nach oben gehen ...«

Huckle schüttelte den Kopf. »Ich hoffe, damit willst du dich nicht vor der Ortsversammlung drücken.«

»Erwischt!«, rief Polly, obwohl sie in Wirklichkeit nur auf einen Themenwechsel gehofft hatte. »Ich dachte, wenn ich dich jetzt mit nach oben nehme und schlimme Sachen mit dir anstelle, dann jagst du mich heute nicht mehr raus in die Kälte. Denn ich habe nicht vor, noch mal vor die Tür zu gehen, das hab ich dir doch gesagt. Wenn ich erst einmal meine Winterruhe angetreten habe, dann war's das. Im Sommer können wir gerne am Strand entlangspazieren und draußen essen und das Paradies genießen. Aber im Winter werd ich fünfundzwanzig Kilo zunehmen, meine Sechzig-Dernier-Strumpfhose nicht mehr ausziehen und mir wahrscheinlich auch die Beine nicht mehr rasieren. Damit musst du eben klarkommen.«

»Das tu ich nur zu gerne. Und dich, kleine Lady, nehme ich mir später noch in aller Ruhe vor. Aber nach der Versammlung.«

»Neeeeiiin!«

»Jetzt zieh schon deinen Mantel an!«

»Aber der ist doch ganz nass!«

»Ich lad dich nachher auch auf ein paar Pommes ein.«

»Das ist mir ganz egal.«

»Nun komm schon! Wenn du dich weigerst, schicke ich nachher Samantha hier vorbei, damit sie dich persönlich in ihr Komitee aufnimmt.«

»Ich kann einfach nicht fassen, dass ich mein ganzes Leben mit so einem bösen, bösen Mann verbringen soll.«

Huckle grinste. »Das sind doch nur meine innere Antriebskraft und Entschlossenheit. Und jetzt setz mal deinen Hintern in Bewegung!«

KAPITEL 4

Im Gemeindesaal war erstaunlich viel los – oder vielleicht war es doch nicht so erstaunlich, schließlich stellte Samantha gern alles Mögliche auf die Beine und konnte dabei unglaublich hartnäckig sein.

Draußen war das Wetter wirklich fies, am Himmel schien der Regen in alle Richtungen gleichzeitig zu tanzen, und es lag eindeutig Schnee in der Luft. Wegen des Salzwassers schneite es auf der Insel nur selten, aber es kam durchaus vor. Und bei diesem eisigen Wind schien es sehr wahrscheinlich. Huckle legte auf dem Weg zum alten Schulhaus oben auf dem Hügel einen Arm um Polly, aber das half auch nicht viel. Unter dem anderen Arm trug der große Amerikaner eine Schachtel. Polly hatte Jayden am Vormittag erlaubt, ein paar Apfeltaschen extra zu backen, die sie dann als nicht verkaufte Ware ausgeben und für die Versammlung spenden wollte. Aber es gab tatsächlich einige Nörgler, die ihr eine Standpauke über Vorratsverwaltung und Sparsamkeit hielten, sodass sie sich wünschte, sie hätte das Gebäck gar nicht mitgebracht.

Überall im Raum waren rege Unterhaltungen und hier und da auch Weinen zu hören. Muriel aus dem Lebensmittelgeschäft hatte ihr Baby Marina mitgebracht und Samantha ihre Tochter Cornelia. Für Polly sah es so aus, als wären die meisten Inselbewohner gekommen. Vor allem die älteren unter ihnen freuten sich über eine kostenlose Tasse Tee (und die Apfeltaschen) und ein bisschen Abwechslung, woran ja auch nichts falsch war. Außerdem entdeckte Polly Vikarin Mattie und eine streng dreinblickende Dame, die sie nicht kannte. Diese säuerlich wirkende Frau musste wohl die Sachbearbeiterin vom Kommunalrat sein.

Samantha räusperte sich und begann, die Anwesenden zur Ruhe zu rufen.

»Herzlich willkommen zur Mount Polbearner Ortsversammlung … Die Tagesordnung findet ihr auf euren Stühlen …«

Alle taten so, als würden sie sich das Papier interessiert anschauen.

»Gut, wir möchten heute Abend über die Möglichkeit sprechen, die Schule hier im Ort wieder zu eröffnen. Im nächsten Kalenderjahr wird es hier neun Babys im Kita-Alter und immerhin vierzehn Kinder von bis zu elf Jahren geben. Das wären die höchsten Anmeldezahlen für eine Mount Polbearner Schule seit zwanzig Jahren, und deshalb halten wir nun den richtigen Zeitpunkt für gekommen, um die Wiedereröffnung der Schule zu beantragen.«

In ähnlicher Form sprach sie noch um einiges länger weiter, als eigentlich nötig gewesen wäre, und lobte dabei Mount Polbearne »nicht als ein in Aspik eingelegtes Monument des alten Großbritannien, sondern als lebende, atmende und wachsende Gemeinschaft«. Polly hörte aufmerksam zu und musste sich eingestehen, dass Samantha sie mit ihren Ausführungen wirklich beeindruckt hatte.

Mount Polbearne gab es ja wirklich schon seit Hunderten von Jahren, und Generation für Generation hatten hier Söhne ihre Väter, Töchter ihre Mütter abgelöst. Dass die Inselpopulation weniger wurde, war ein recht neues Phänomen und lag daran, dass die Leute es heute im Leben vor allem bequem haben wollten und dass die Lebensgrundlage hier bedroht war, weil Urlauber inzwischen lieber weiter wegfuhren.

Wäre es vielleicht möglich, fragte sich Polly nun, den Prozess umzukehren? Konnte man dieses kleine Fleckchen Erde mit dem unpraktischen Zugang, den sich windenden Straßen, dem üblen Wetter, der schlechten Internetverbindung und dem Mangel an Lieferdiensten vielleicht neu beleben?

Die junge Bäckerin war schon seit vielen, vielen Stunden auf den Beinen, und in der Gemeindehalle war es ziemlich warm. Samantha sprach immer noch, und ihre Stimme lullte Polly zunehmend ein. Sie schmiegte sich in Huckles Armbeuge und spürte, wie ihr die Augen zufielen. Ihr Freund stupste sie an.

»Hey, schließlich wird unser Kind auch mal hier zur Schule gehen«, flüsterte er ihr zu, und sie lächelte schläfrig.

Dann verstummte Samantha abrupt, und eine andere Stimme meldete sich zu Wort. Sie war so barsch und grob, dass Polly blinzelnd aus ihrem Halbschlaf hochschreckte.

»Uns obliegt hier natürlich die Verantwortung, wir müssen die Gesundheit und Sicherheit all unserer Bürger gewährleisten«, erklärte die Frau vom Kommunalrat unangenehm näselnd. »Ich sehe hier, dass es in Mount Polbearne vor zwei Jahren heftigen Widerstand gegen eine neue Brücke zum Festland gab, die den schnellen Zugang von Krankenwagen und anderen Fahrzeugen ermöglicht hätte. Ich kann mir nicht vorstellen, wie irgendjemand hier eine Schule genehmigen sollte.«

Und das ist eure eigene Schuld, schien sie damit anzudeuten, auch wenn sie es nicht aussprach.

Nun wurde Protest laut. Die anwesenden Ortsbewohner riefen jede Menge Fragen durcheinander. Die Frau, die Xanthe hieß, presste jedoch nur die dünnen Lippen aufeinander und zuckte mit den Achseln. Das lief gerade gar nicht gut.

Und plötzlich wurde Polly klar, dass ihr die Sache ja doch wichtig war, mehr, als sie bisher geahnt hatte. Sie setzte sich aufrecht hin und fragte sich, wie man wohl mit dem Problem umgehen konnte, dass hier ein auf dem Schulhof gestürztes Kind bei Flut nicht sofort ins Krankenhaus gebracht werden konnte. Eine Möglichkeit wäre vielleicht, öfter einen Arzt dazuhaben. Die Hausärztin aus der Gegend war aber auch nicht besonders scharf auf Mount Polbearne, was natürlich wieder mit den Gezeiten zusammenhing.

Polly spürte, dass diese Xanthe die Mount Polbearner für absolut lächerlich hielt, weil sie sich an einen Felsen mitten im Meer klammerten. Ihrer Meinung nach wäre wohl das Vernünftigste, auf dem Festland in quadratische Häuserklone zu ziehen, wo es beim Thema Krankenversorgung, Postzustellung und Müllabfuhr keine Probleme gab, wo vom Kommunalrat alles sauber und ordentlich geregelt war. Und das ging Polly so gegen den Strich, dass sie nun erst recht genau das Gegenteil wollte. Schließlich lebten sie hier in einem freien Land, oder etwa nicht? Warum sollten sie brav alles tun, was von ihnen erwartet wurde, nur damit irgendein hohes Tier vom Kommunalrat die Themen Gesundheit und Sicherheit abhaken konnte? Inzwischen saß sie kerzengerade da.

»Könnten wir die Schule nicht vielleicht nur dann öffnen, wenn die Gezeiten günstig sind?«, fragte sie. Huckle schaute sie grinsend an. Polly konnte ihren natürlichen Übereifer nur selten lange im Zaum halten.

»Schulen haben feste Öffnungszeiten. Wir können uns nicht

einfach aussuchen, wann es Unterricht gibt und wann nicht«, erwiderte Xanthe.

»Aber natürlich können Sie das!«, widersprach ihr Polly. »Es steht doch zum Beispiel nicht auf heiligen Tafeln geschrieben, dass man im August zumachen muss, oder? Ich meine, das ist doch kein Gesetz.«

»Schulöffnungszeiten sind gesetzlich geregelt«, belehrte sie Xanthe. Sie hätte genauso gut »Ich bin das Gesetz« sagen können.

»Gesetze ändern sich«, gab Polly zurück.

»Glauben Sie etwa, dass wir die Gesetze von ganz England ändern sollen, nur damit Mount Polbearne da irgendwie reinpasst?«

»Na, das hat sich ja wirklich schnell hochgeschaukelt«, murmelte Huckle. »Was soll das hier denn werden, etwa ein Staatsstreich?«

Wutschnaubend lehnte sich Polly wieder zurück. »Ich denke einfach nur, dass auch Sie einen Weg finden würden, wenn Sie Interesse daran hätten.«

»Wir müssen Kosten einsparen und für die Sicherheit unseres Personals sorgen«, verkündete Xanthe. »Es dreht sich auf dieser Welt wirklich nicht alles um Mount Polbearne, sondern wohl nur das Licht Ihres Leuchtturms.«

»Ich hoffe echt, dass sie heute Abend die Ebbe verpasst«, murmelte Jayden, der direkt hinter Polly und Huckle saß. Empörte Stimmen wurden laut, vor allem erklang jetzt aber das typische Gescharre einer inzwischen ermüdeten Menschenmenge, die langsam mal nach Hause oder in den Pub wollte.

Plötzlich fuhren alle herum, weil die Tür des Gemeinderaums dramatisch aufflog, um den Blick auf Kerensa und Reuben freizugeben. Der kleine Millionär marschierte so draufgängerisch wie immer herein.

»Hey!«, rief er nun auch noch, als würden ihn nicht sowieso schon alle anstarren. Kerensa hielt sich ein wenig hinter ihm und wirkte heute ungewöhnlich zaghaft, sogar ein bisschen blass, wie Polly gleich auffiel. Sie hatte ihre Freundin schon länger nicht mehr gesehen, immerhin arbeitete Kerensa, wenn auch nicht mehr Vollzeit. Und Polly hatte ja selbst zugegeben, dass sie sich quasi in den Winterschlaf zurückgezogen hatte.

Die Vorstellung, sich fertig zu machen und dann irgendwo hinzugehen, wo man erst die obersten sieben Lagen Klamotten wieder ausziehen musste, sprach Polly im Moment so gar nicht an. Natürlich hatten sich die beiden Frauen Nachrichten geschrieben, aber wegen der Probleme mit der Handyverbindung auf Mount Polbearne hatten sie kaum miteinander gesprochen. Jetzt freute sich Polly, Kerensa zu sehen, gleichzeitig war sie aber auch etwas besorgt.

Und als sie mit den Augenbrauen in Kerensas Richtung wackelte und »Hi!« rief, bekam sie keine Antwort.

»Hey, alle zusammen!«, sagte Reuben. »Tolle Neuigkeiten, Leute, super News und so weiter! Also, wir kriegen ein Baby!«

Polly zuckte zusammen, Huckle rollte an ihrer Seite jedoch nur mit den Augen. Es war typisch Reuben, diese Bombe ausgerechnet auf der Ortsversammlung platzen zu lassen.

Trotzdem jubelten und klatschten natürlich alle und freuten sich über die Neuigkeiten. Reuben und Kerensa mochten zwar in einer riesigen Villa an einem Privatstrand leben, Babys waren jedoch Babys und immer willkommen, vor allem gerade jetzt.

Polly rannte zu ihrer Freundin, um sie in die Arme zu schließen.

»Wie konntest du mir das nur verschweigen? Ich bring dich um!«, rief sie liebevoll. »Im Ernst, ich bring dich um!«

»Davon hätte ich einfach niemandem erzählen können!«, antwortete Kerensa. »Ich musste ja selber erst mal damit klarkommen.«

»Wie weit bist du denn?«

»Offenbar schon im siebten Monat.«

»NEIN!«

»Doch, ich weiß ... Sei bitte nicht sauer!«

»Das darf doch wohl nicht wahr sein!« Jetzt war Polly wirklich eingeschnappt. »Warum hast du mir denn nichts gesagt?«

Kerensa zuckte mit den Achseln. »Weil ich es ja selbst nicht wusste. Ich hab es einfach nicht gemerkt.«

»Du hast es nicht gemerkt? Wie blöd muss man denn sein? Und Reuben ist auch nicht auf die Idee gekommen?«

»Nicht bis heute Abend.«

Irgendetwas an Kerensa kam Polly seltsam vor. Sie betrachtete ihre Freundin und warf dann einen Blick in Richtung Reuben.

»Verteilt der da etwa gerade an alle Zigarren?«

»Ich hab ihm ja gesagt, dass er das lassen soll ...«

»Und, wie fühlst du dich?«

»Schlecht, fett und so weiter.«

Polly trat einen Schritt zurück. Das alles sah ihrer Freundin überhaupt nicht ähnlich.

»Das ist ja unglaublich, Kez. Und du hast es nicht gemerkt?«

Kerensa zuckte nur mit den Achseln. Polly war zwar immer

noch ein wenig verstimmt, versprach ihrer Freundin jedoch, dass sie bald zu Besuch vorbeischauen würde. Und jetzt bestand Reuben darauf, alle in den Pub einzuladen, und es würde wohl eine ziemlich laute Nacht werden.

Zunächst aber meldete sich wieder Xanthe zu Wort, der es offenbar gar nicht passte, plötzlich nicht mehr im Mittelpunkt zu stehen.

»Zusammenfassend muss ich also sagen, dass keine überzeugenden Argumente für eine Neueröffnung der Schule auf Mount Polbearne vorgebracht wurden.«

Reuben hob die Hand, um das Tohuwabohu zu stoppen, und drehte sich dann zu ihr um.

»O ja, es sollte hier auf jeden Fall eine Schule geben!«, rief er. »Eine fantastische Idee, ich werd meine Kinder auch herschicken. Super! Brillant! Toll, dass wir das geklärt haben.«

»Ihnen dürfte entgangen sein, dass wegen Unzulänglichkeiten im Bereich Gesundheit und Sicherheit der Kommunalrat diesbezüglich keine Empfehlung aussprechen kann – und wird«, verdeutlichte Xanthe mit schriller Stimme.

Reuben starrte sie einen Moment an.

»Und, wen schert das schon?«, sagte er schließlich. »Dann kaufe ich das Gebäude eben und eröffne hier meine eigene Schule, kein Problem. Privatschulen können doch machen, was sie wollen, oder? Den Kindern hier aus dem Ort steht sie natürlich kostenlos offen, aber vielleicht können wir ja noch ein paar betuchten Russen ein dickes, fettes Schulgeld abknöpfen. Damit werd ich bestimmt noch reicher, als ich jetzt schon bin. Und ich bin ziemlich reich.«

Der Raum brach in Applaus aus, während Xanthe den Millionär entrüstet anstarrte. »Aber die Öffnungszeiten ...«

»Meine Schule, meine Öffnungszeiten«, verkündete Reuben, und so endete das Treffen in allgemeiner Fröhlichkeit. Die Inselbewohner schwärmten in die eisige Kälte hinaus und machten sich auf den Weg hinunter zum Pub. Nur Jayden musste mit dem Taxiboot noch eine wutschnaubende Xanthe zum Festland zurückbringen, wo sie ihr Auto selbstgefällig außerhalb des offiziellen Parkplatzes abgestellt hatte. Jetzt stand es zentimetertief im Wasser.

»Ich kann einfach nicht verstehen, warum Sie hier draußen leben«, zischte sie Jayden noch zu, als es ihr endlich gelungen war, den Motor zu starten.

Jayden blinzelte nur, und man musste ihm wohl hoch anrechnen, dass er »Weil es hier nicht voll von Leuten wie Ihnen ist« nur dachte und nicht sagte.

KAPITEL 5

Am nächsten Tag ließ Polly Jayden Doughnuts an die verschlafenen und katergeplagten Nachbarn verteilen und überquerte den Fahrdamm, um sich auf den Weg zu Kerensa zu machen.

Reubens und Kerensas Villa war vor Kurzem komplett umgestaltet und neu dekoriert worden. Der junge Millionär machte neuerdings eine *Game-of-Thrones*-Phase durch, deshalb war er ein wenig von dem ganzen Gold abgekommen. Stattdessen dominierte nun eine Art mittelalterliches Potpourri die Räume, überall gab es Wandteppiche und riesige thronähnliche Stühle aus Holz. Von schmiedeeisernen Gardinenstangen hingen Tartan-Vorhänge, und Reuben hatte große Ölgemälde einfliegen lassen, außerdem standen jede Menge Kerzen rum. Polly fand das alles eher gruselig, während Kerensa nur froh war, dass sie Reuben den Turmfalken ausgeredet hatte.

Als Polly nun an der Schnur der lächerlich tief dröhnenden Glocke zog, machte Hausmädchen Marta ihr die Tür auf.

Kerensa hatte sich auf einer Chaiselongue in dunklem Lila neben einem fröhlich flackernden Feuer drapiert, dem eigentlich nur noch ein Spanferkel fehlte. Sie lächelte immer noch nicht, sondern sah blass und fahl aus.

»Mensch, das war gestern Abend toll. Es wurde ja auch Zeit, dass wir mal wieder ein bisschen Spaß hatten!«, sagte Polly, die zwei Gläser Wein getrunken hatte und inzwischen fast dazu bereit war, sich endlich auf die Vorweihnachtszeit einzulassen. »Wie sieht's denn aus bei dir? Geht es dir immer noch so schlecht?«

Selbst Huckle gegenüber hatte Polly nicht zugegeben, wie sehr es sie gekränkt hatte, nicht früher von Kerensa eingeweiht worden zu sein. Gut, sie hatten sich lange nicht gesehen, aber ... im siebten Monat? Bevor sie noch darüber nachdenken konnte, brach es deshalb auch schon aus ihr heraus: »Wer kriegt denn sieben Monate lang nicht mit, dass er schwanger ist?«

»Jede Menge Leute«, behauptete Kerensa gereizt, während Marta hereinkam und alles für den Nachmittagstee auf einem Beistelltischchen arrangierte. Daran, dass Kerensa Personal hatte, würde sich Polly nie gewöhnen.

»Manche Frauen wissen nicht einmal, dass sie ein Kind bekommen, bevor es dann in die Kloschüssel plumpst«, erklärte ihre Freundin.

»Okay«, stammelte Polly. »Okay, okay, okay. Das kommt mir nur so ... aber gut.« Sie schaute ihre geliebte Freundin an. »Und du bist einfach so ... Ich meine, freust du dich denn darüber? Deine Mutter ist doch bestimmt ganz aus dem Häuschen, oder?«

»Allerdings«, nickte Kerensa und rührte ihren Tee um.

»Ist irgendwas?«, fragte Polly, die sich langsam wirklich Sorgen machte. Was war denn nur mit ihrer überschäumenden, frechen Freundin passiert?

Als Kerensa einen tiefen Seufzer ausstieß, lehnte sich Polly auf dem riesigen, üppig gepolsterten Sofa etwas weiter vor.

»Was denn?«, fragte sie. »Fühlst du dich dafür noch nicht bereit, Kez? Ich meine, wir werden ja auch nicht jünger ...«

Sie war sich dessen bewusst, dass sie hier gerade einige von

Huckles Argumenten an Kerensa ausprobierte. Und sie fragte sich neugierig, ob ihre Freundin der ganzen Fortpflanzung wohl genauso zwiespältig gegenüberstand wie sie selbst.

Aber zu ihrem Entsetzen brach Kerensa plötzlich in Tränen aus.

»Was?«, rief Polly und rückte näher an ihre Freundin heran. »Ist irgendwas? Was hast du denn? Willst du das Baby etwa nicht?«

Kerensa brachte vor lauter Schluchzen kaum ein Wort heraus.

»Erinnerst du dich noch ... an diesen Tag im Frühling ... als Reuben so ein Arsch war?«

Polly kramte in ihrer Erinnerung. Das Problem bestand darin, dass sich Reuben so oft unausstehlich benahm. Deshalb war es gar nicht so einfach, sich da an bestimmte Momente zu erinnern.

»Geht es hier um seinen Geburtstag? Als er sich beim Konzert im Garten auf die Bühne gedrängt und alle Songs mitgesungen hat, nur um dann die Gäste wegen ihrer mangelnden Begeisterung über seine grauenhafte Stimme anzuschnauzen?«

Kerensa schüttelte den Kopf. »Nein, das meine ich nicht.«

»Dann vielleicht den Vorfall mit der Telefongesellschaft? Als er nach einem Streit mit denen 95 Leute dafür engagiert hat, dass sie alle Kabel zu ihrem Gebäude kappen? Da dachte MI5 doch, dass er einen Terroranschlag geplant hatte, und er musste sich diesen superteuren Anwalt zulegen.«

»Nein, das war es auch nicht.« Kerensa seufzte. »Erinnerst du dich noch an unseren Hochzeitstag?«

»Als er von San Francisco zurückgeflogen ist, weil er so ein schlechtes Gewissen hatte?«

»Genau«, hauchte Kerensa und ließ den Kopf hängen.

»Danach hat er dich doch überallhin mitgenommen, sogar in die Staaten, und war total lieb und romantisch!«

»Ja, ja«, schnaubte Kerensa. »Aber davor war er echt ätzend.«

»Und ...?«, fragte Polly.

»An dem Abend bin ich mit Selina ausgegangen.«

Polly kniff die Augen zusammen und versuchte, sich daran zu erinnern.

»Ach ja, sie hat mir erzählt, dass du da betrunken warst. Ich find's ja nicht so toll, wenn jemand rumerzählt, dass ein anderer sich total abgeschossen hat.«

»Und, hat sie sonst noch was gesagt?«

Jetzt fiel Polly wieder ein, dass Selina damals ausgesehen hatte, als hätte sie etwas unglaublich Pikantes zu erzählen. Ihrem Gesichtsausdruck nach wäre sie deshalb fast geplatzt. Polly hatte aber nichts über die Dummheiten anderer Leute hören wollen – sie hatte selbst schon genug angestellt – und einfach nur weitergearbeitet.

Deshalb verneinte sie jetzt.

»Wirklich nicht?«, staunte Kerensa. »Ich war viel zu ... Na ja, ich wollte nicht ...«

»Hast du dich deshalb kaum noch bei mir gemeldet?«, fragte Polly. »Ich dachte, es hätte an meiner Arbeitswut gelegen, daran, dass ich mir einfach nicht genug Zeit für dich genommen habe.«

»Gott, nein. Das war es nicht.« Dann schwieg sie lange. »Ich hab gewissermaßen ... Es war ja nur das eine Mal, weil ich echt sauer und ein bisschen betrunken war und ... Na ja, ich, also ... Vielleicht hab ich da ja ... mit einem anderen geschlafen.« Kerensa ließ den Kopf hängen.

Polly zuckte zurück und brachte erst einmal kein Wort heraus. »Du hast was?«, fragte sie schließlich.

»Ich war wirklich durch den Wind.«

»So durch den Wind, dass du aus Versehen auf einen Penis gefallen bist?« Diesen Spruch bereute Polly sofort wieder. »Sorry, sorry, tut mir leid!«

Kerensa, deren Miene schmerzverzerrt war, schien sie gar nicht zu hören. »Ich weiß wirklich nicht, was ich mir dabei gedacht habe. Aber ich war einfach so wütend ... Wir sind durch die Kneipen gezogen und haben was getrunken, und da hab ich dann diesen Typen getroffen und ... «

Polly schüttelte den Kopf.

»Warum hast du stattdessen denn nicht bei mir vorbeigeschaut, um Dampf abzulassen?«

»Aber das war es ja!«, rief Kerensa aus. »Als ich es versucht hab, hast du nur davon geschwafelt, was du alles zu tun hast, blablabla ... Außerdem hättest du mich auch total verurteilt: ›Oh, du solltest Reuben doch wirklich dankbar dafür sein, dass er dir dieses neue Auto und das große Haus gekauft hat. Freu dich doch darüber, dass man dir wie einer Hausfrau aus den Fünfzigern alle Entscheidungen abnimmt ... So musst du wenigstens nicht die perfekte moderne Frau geben wie ich mit meiner eigenen Firma und meinem hingebungsvollen Partner!‹«

Polly schloss die Augen, während Kerensa Tränen über die Wangen liefen.

»Aber jetzt ist doch alles wieder in Ordnung, oder? Das war bloß ein alberner Fehler. Das hat doch nichts zu bedeuten. Die Sache ist vorbei und vergessen, und jetzt würdest du nie wieder so etwas Dummes machen, richtig? Oder willst du mir etwa sagen, dass ... «

Beide gleichzeitig starrten auf Kerensas Bauch.

»O nein …«, stöhnte Polly.

»Es war doch nur ein einziges Mal«, beteuerte Kerensa. »Oder, na ja, eine einzige Nacht.«

»Ja?«

»Ich hab … Ich meine, als ich am nächsten Morgen aufgewacht bin, hab ich mich schon ganz schrecklich gefühlt. Und dann ist Reuben ja bereits zurückgekommen, weil er den nächsten Flieger genommen hatte. Wir haben uns direkt am Tag darauf versöhnt, und es war wieder alles in Ordnung zwischen uns. Es IST alles in Ordnung.«

Als Kerensa erneut zu schluchzen begann, lehnte ihre Freundin sich vor, um sie in die Arme zu schließen.

»O mein Gott!«, rief Polly aus. Es überraschte sie selbst, wie sehr sie das alles mitnahm, wie die Traurigkeit sie zu überwältigen drohte. Eigentlich hatte sie doch selbstsüchtig gehofft, dass Kerensas Freude – ihre mutmaßliche Freude – über ihre Schwangerschaft auf sie abfärben würde und sie sich dann eher für ein Kind bereit fühlen würde.

»Ich weiß«, erwiderte Kerensa. »So, jetzt haben wir also klargestellt, dass ich ein ganz, ganz furchtbarer Mensch bin. Könnten wir das nun bitte mal vergessen und nach vorne schauen?«

Polly schluckte. Kerensa war immer für sie da gewesen, Mensch, sie hatte Polly doch sogar bei sich aufgenommen, als diese nach ihrer Firmenpleite nirgendwohin konnte. Sie waren die besten Freundinnen, und Polly hatte ihr einfach alles zu verdanken. Aber das hier, das war wirklich eine heikle Angelegenheit.

»Jetzt …«, brachte sie schließlich unter Anstrengung hervor, »jetzt sag mir doch bitte, dass er klein und rothaarig war.«

Kerensa schüttelte den Kopf, während die Tränen weiter in Strömen flossen.

»Neeeinn«, schluchzte sie. »Er war Brasilianer, über eins neunzig und behaart. Ganz furchtbar behaart. Schwarz behaart.«

»Ach du liebe Scheiße«, fluchte Polly. »Und, kannst du es nicht irgendwie rausfinden?«

»Nicht vor der Geburt.«

Schweigen breitete sich aus.

»Hat das Baby denn beim Ultraschall heute Morgen behaart ausgesehen?«, fragte Polly schließlich.

»So genau kann man das ehrlich gesagt nicht erkennen«, erklärte Kerensa.

Und dann saßen sie einfach nur da und ließen ihren Tee kalt werden.

»Du bist ja so still«, sagte Huckle später. »Wie geht's Kerensa denn? Die beiden sollten wir wirklich mal wieder einladen.«

»Nein, sollten wir nicht«, entgegnete Polly. Sie backte Stollen und knetete den Teig viel heftiger als eigentlich vorgesehen. Ihr gefiel das fröhliche kleine Geräusch des Batzens auf dem Holz, und außerdem konnte sie sich so auch ein wenig abreagieren.

»Was ist denn los?«, fragte Huckle. Polly war irgendwie komisch, seit er die Sache mit der Hochzeit und dem Baby wieder zur Sprache gebracht hatte. Normalerweise hatte er es im Leben ja nicht eilig, und er hatte auch hier eigentlich nicht das Gefühl gehabt, dass er die Dinge überstürzte. Er hatte einfach nur das Bild einer schwangeren Polly vor sich gesehen, rund und strahlend wie der Mond. Sie würde so wunderschön aussehen … Und jetzt hieb sie auf dieses Holzbrett ein, als wollte sie es mit einem Karateschlag zerteilen.

»Nichts. Ich hab nur viel zu tun. Die Arbeit.« Sie wusste ja, dass sie gerade nicht sehr nett zu Huckle war, was er wirklich nicht verdient hatte, aber das konnte sie nun mal nicht ändern.

Kerensa hatte sie Stein und Bein schwören lassen, dass sie absolut niemanden in ihr Geheimnis einweihen würde, und erst recht nicht Huckle.

Es wäre doch einfach furchtbar, wenn der sich dann verpflichtet fühlte würde, es Reuben zu erzählen. Männer sahen solche Dinge oft ziemlich schwarz-weiß. Ein Mann würde es für unfair halten, dass einer seiner Geschlechtsgenossen ein Kind aufziehen musste, welches vielleicht gar nicht seins war. Dabei kam das den Statistiken zufolge doch ziemlich oft vor.

Aber generell war die ganze Situation ein Desaster. Und obwohl es doch nicht Pollys persönliches Desaster war, fühlte es sich irgendwie trotzdem so an. Es kam ihr vor, als hätte sich ein Wolf aus dem dunklen Winterwald an ihre sichere, gemütliche kleine Welt herangeschlichen und sich direkt vor ihrer Haustür niedergelassen.

KAPITEL 6

Eine Woche später machte sich Huckle wegen Polly immer noch Sorgen. Sie wirkte zurückgezogen und irgendwie komisch. Während sie sich mit aller Kraft in die Arbeit stürzte, hoffte er nur, dass er nicht der Grund für ihr Verhalten war. Vielleicht lag es ja an seinem Vorschlag mit dem Kind. Er hatte das für eine tolle Idee gehalten, schließlich war es doch der nächste logische Schritt, oder? Er selbst hatte sich festgelegt, den Ozean überquert und entschieden, sein Leben an diesem Ort zu führen. Hier war es zwar ein wenig kalt und zugig, aber damit kam er schon klar. Huckle liebte ihr Leben und hätte einfach so gerne ein Kind. Für ihn waren die Dinge ganz simpel, deshalb konnte er nicht verstehen, warum Polly so durcheinander war.

Polly hingegen fühlte sich schrecklich, als wäre ihr etwas auf den Magen geschlagen. Und wie es Kerensa erst ergehen musste, wollte sie sich nicht einmal ausmalen. Sie wollte ihre Freundin so gerne anrufen oder ihr eine Nachricht schreiben, wusste aber nicht, was sie sagen sollte. Normalerweise schlief Polly wie ein Stein, wie Huckle mal gesagt hatte, jetzt wälzte sie sich nachts im Bett hin und her. Dabei konnte sie Kerensa ja irgendwie verstehen, oder etwa nicht? Menschen machten Fehler, das Leben war doch voller Fehler.

Aber dann musste Polly an Reuben denken und daran, wie

nett er oft zu ihr gewesen war. Er hatte ihr den Holzofen geschenkt, damit sie ihre erste Bäckerei eröffnen konnte, und hatte ihr geholfen, als sie mit dem Kauf des Lieferwagens ein großes Risiko eingegangen war. So nervig er auch manchmal sein mochte – selbst nach seiner Firmenpleite war er immer für sie da gewesen.

Wie konnte sie dann daneben stehen, während er für ein Baby sorgte, das vielleicht gar nicht seins war, womöglich nicht einmal wie er aussah? Konnte sie sich einfach zur Mitwisserin dieses Betrugs machen? In gewisser Weise wünschte sie sich inzwischen, Kerensa hätte sie nie ins Vertrauen gezogen.

Andererseits hatte die werdende Mutter es ihr ja gerade deshalb erzählt, weil sie jetzt eine Freundin an ihrer Seite nötig hatte, wirklich, wirklich eine Vertrauensperson brauchte. Hier stand ihre Freundschaft auf dem Prüfstand, und Polly schien mit ihrem Schweigen auf ganzer Linie zu versagen.

»Du siehst ja aus wie ein begossener Pudel«, sagte Jayden zu ihr, während er Doppelkekse in Tüten packte. »Ich hab zwar keine Ahnung, was das bedeuten soll, aber das hat meine Großmutter immer gesagt, und ich find den Spruch toll.«

»Oh, ich hab einfach nur viel um die Ohren«, behauptete Polly.

»Ja, ich weiß. Dich haben sie auch in die Mangel genommen, oder? Und du hast dich breitschlagen lassen.«

»Wovon redest du? Wen meinst du denn?«

»Na, die vom Weihnachtsmarkt.«

»Was denn für ein Weihnachtsmarkt?«

Jayden starrte sie an. »Sag mal, wo hast du denn letztes Jahr über die Festtage gesteckt?«

»Ich hab meine Mutter besucht. Also, worum geht es?«

»Na ja, um den Weihnachtsmarkt«, erklärte Jayden in ernstem Tonfall. »Um das Highlight aller gesellschaftlichen Aktivitäten hier in Mount Polbearne. Wie üblich hat mal wieder Samantha mit ihrem Komitee dafür gesorgt, dass diese alte Tradition ein bisschen entstaubt wird.«

»Das hätte ich mir ja denken können«, stöhnte Polly. »Und, was muss ich mir darunter vorstellen?«

In diesem Moment ging die Türklingel, um Samantha höchstpersönlich anzukündigen.

»Ah, Polly!«, strahlte sie. »Ich hatte gehofft, dass ich dich hier erwische.«

Polly verkniff sich die Bemerkung, dass man sie doch wohl kaum irgendwo anders erwarten würde.

»Hi, Samantha«, sagte sie. »Hallo, Cornelia!«

Das Mädchen schaute aus seinem Kinderwagen zu ihr hoch und schenkte Polly ein zahnloses Lächeln. Cornelias Bäckchen leuchteten wie bei ihrem Vater, Henry, aber das passte wirklich gut zu ihr. Mit diesen rosigen Wangen war sie ein hübsches kleines Ding.

»Also«, begann nun Samantha, »die Sache ist die: Wir wollen dem alten Weihnachtsmarkt neues Leben einhauchen.«

»Ja, das hab ich schon gehört«, antwortete Polly.

»Sie war deshalb schon den ganzen Morgen knurrig«, mischte sich Jayden ein.

»Moment mal, war ich überhaupt nicht!«, protestierte Polly. Jayden und Samantha tauschten Blicke.

»Na ja, jedenfalls hab ich mich gefragt, ob du auch mit einem Stand dabei bist«, meinte Samantha.

»Äh, was müsste ich denn da machen?«, erkundigte sich Polly.

»Ach, das Gleiche wie immer, nur oben im Gemeindesaal.«

Polly sah sie an. »Und den Erlös dann an dich aushändigen?«

»Tja, darum geht es dabei doch!«

»Wäre das an einem Samstag?«

Samantha nickte. »Genau! Da kommen dann jede Menge Leute vom Festland rüber, um hier ihre Weihnachtseinkäufe zu erledigen, verstehst du? Und wir bieten unterschiedliche Sachen an – Kunsthandwerk und Bücher und allen möglichen Nippes.«

Polly nickte. Kunsthandwerk und Bücher und Nippes waren ja schön und gut. Aber man erwartete hier von ihr, dass sie die Einnahmen eines ganzen Arbeitstages spendete, obwohl sie auch so schon Probleme hatte, über die Runden zu kommen.

»Und für welchen guten Zweck machen wir das?«, fragte sie.

»Hm, eigentlich war das Geld ja für die neue Schule gedacht«, erklärte Samantha, »aber das hat dein wundervoller, lauter Freund ja wohl schon geregelt. Ist das nicht toll? Deshalb müssen wir uns jetzt eine andere Verwendung überlegen.«

Damit wandte sich Samantha ab und war schon zur Tür hinaus, bevor Polly auch nur hatte antworten können.

»Tja, das war dann wohl ein Ja«, sagte Jayden.

»Hm«, seufzte Polly, »so sieht es scheinbar aus.«

»Weißt du was, lass uns doch einen Backwettbewerb machen. Du dürftest da natürlich nicht teilnehmen.«

Polly lächelte. »Und Flora auch nicht, die würde alle in Grund und Boden backen.«

»Allerdings«, nickte Jayden und schien direkt feuchte Augen zu bekommen. »Aber so würden sich die anderen auch mit einbringen.«

»Würde das nicht zu jeder Menge Streit und Groll führen?«, fragte Polly.

»Na klar!«, rief Jayden. »Das wäre doch echt super!«

Polly griff nach ihrem Handy und guckte trotz des schlechten Empfangs, ob sie vielleicht eine Nachricht von Kerensa hatte. Nichts. Wie sie es auch drehte und wendete, sie fühlte sich in dieser Situation einfach furchtbar. Aber je länger sie jetzt wartete, desto schlimmer würde alles werden. Da kam ihr eine Idee.

Selina, die mit Kerensa ja an jenem unheilvollen Abend ausgegangen war, wohnte oben in Pollys alter Wohnung. Sie war Tarnies Witwe und half Polly manchmal in der Bäckerei aus. Hier im Ort war sie neu – sogar noch neuer als Polly selbst, daher kannte sie Pollys Freunde gar nicht so gut. Es war für sie schwer gewesen, den frühen Tod ihres Mannes zu verkraften. Das Leben hier im Ort schien ihr jedoch etwas von der Gemütsruhe zu bescheren, nach der sie sich so gesehnt hatte. Polly glaubte kaum, dass Selina ewig hierbleiben würde, aber im Moment schien sie die Nähe von Tarnies Familie und Freunden zu trösten, obwohl sie eigentlich ein Stadtkind war. Kein Wunder, dass sie die erstbeste Gelegenheit genutzt hatte, um sich mit Kerensa ins Nachtleben zu stürzen.

Selina schlief morgens gerne lang, daher wartete Polly bis um zehn, bevor sie mit einem großen, edlen Latteccino mit Haselnusssirup (so einem, für den die meisten Ortsbewohner gar keine Zeit hatten) nach oben ging.

Selina schwebte in leichter Loungewear zur Tür der Wohnung, die mit ihrem unebenen Fußboden und Löchern im Dach einst ziemlich heruntergekommen ausgesehen hatte, an der inzwischen aber einiges gemacht worden war. Polly hatte bei ihrem Einzug hier gemütliche Kissen und warme Läufer mitgebracht, Selina hatte das Appartement jedoch in eine ruhige Oase mit weißen Wänden und unbehandelt belassenem Holz verwandelt. Was sie da aufgehängt hatte, sah für Pollys unerfahrenes Auge wie teure Kunst aus.

Auf einem Kissen rekelte sich Selinas dicker Kater Lucas, dem Polly nicht mehr über den Weg traute, seit er Neil angefallen hatte.

Selina nahm im Moment an einem Fernkurs für Schmuckdesign teil, was sie sich leisten konnte, weil sie finanziell ganz gut dastand. Die von Tarnie einst abgeschlossene gute Lebensversicherung machte natürlich nicht für eine Sekunde wieder wett, dass er nun nicht mehr da war. Aber es war schon typisch für seine Besonnenheit, dass er für den Fall der Fälle seine Frau gut abgesichert hatte. Immerhin war Fischen auch heutzutage noch einer der gefährlichsten Berufe der Welt.

Selbst Polly vermisste Tarnie immer noch ganz schrecklich, deshalb konnte sie sich kaum vorstellen, wie es erst für seine Witwe sein musste.

»Hey«, begrüßte Selina sie nun. »Ist der etwa für mich? Oh, wow, danke!«

»Und ...!« Wie ein Zauberer zog Polly eine noch warme Käsestange aus ihrer Schürze hervor. »Aber gib Lucas davon besser nichts, der sieht nämlich jedes Mal fetter aus.«

»Ach Quatsch!«, sagte Selina. »Und weißt du, ich muss ja immer an mich halten, wenn ich an der Bäckerei vorbeikomme. Sonst würde ich da sofort reinstürmen und einfach alles in mich reinstopfen. Ich dachte ja, mit der Zeit würde ich mich daran gewöhnen, aber so sieht es leider nicht aus. Dieser Duft von frischem Brot jeden Morgen ist einfach nicht fair!«

Selina war ein winziges Persönchen und nahm das mit der

schlanken Linie todernst. Polly hatte ja die Theorie, dass sie Lucas mit allem fütterte, wonach eigentlich ihr selbst gelüstete.

»Na, du mit deiner Selbstbeherrschung bist doch genau die Richtige, um hier oben zu wohnen«, bemerkte sie deshalb. »Aber eine Käsestange von Zeit zu Zeit kannst du dir wohl erlauben.«

Mit unerbittlichem Blick starrte Selina das Backwerk an. »Lass uns doch halbe-halbe machen.«

»Bin dabei.«

»Hast du für den Kaffee denn auch Magermilch ...«

»Ja-ha!«

»Also, was kann ich für dich tun?«, fragte Selina, während sie sich auf dem kantigen weißen Sofa niederließ.

Polly biss sich auf die Lippe. »Ist das so offensichtlich?«

Selina nickte. »Jep. Es ist ja nicht gerade so, als würdest du ständig hier bei mir rumhängen.«

»Dabei würde ich gern öfter vorbeischauen«, versicherte Polly. »Nur hab ich immer ... so viel zu tun.«

»Ich weiß. Ich allerdings nicht.«

»Du weißt schon, dass ich dich im Sommer liebend gern wieder einstellen würde, oder?«

Selina nickte. »Egal, also, was ist los? Wenn es um diesen blöden Weihnachtsmarkt geht, vergiss es!«

»Aber dein Schmuck ...«

»Ja, ja«, seufzte Selina. »Ich hatte eigentlich gehofft, tough genug zu sein, um Samantha abzuschrecken. Aber das wird nicht funktionieren, oder?«

Polly schüttelte den Kopf.

»Weißt du, sie erwartet von mir, dass ich die Einnahmen des kompletten Tages spende«, klagte Selina.

»Von mir doch auch.«

»Ich meine, ich will mir mit dem Schmuck schließlich meinen Lebensunterhalt verdienen.«

»Immerhin ist es gute Werbung«, wandte Polly wenig überzeugt ein.

»Das hat Samantha auch gesagt. Aber du brauchst ja gar keine Werbung, die Leute kaufen doch eh alle bei dir, weil du die einzige Bäckerin im Ort bist. Was sollen sie denn sonst machen, sich das Brot vielleicht von einer Drohne liefern lassen?«

»Ich find es eben wunderbar, mich mal wieder so richtig herumkommandieren zu lassen. Irgendwie fehlt mir nämlich Mrs Manse.«

Mrs Manse, die ursprüngliche Bäckerin im Ort und frühere Besitzerin der kleinen Bäckerei am Strandweg, war ein ziemlicher Drache gewesen. »Außerdem gefällt mir die Idee, dass jemand ganz genau weiß, was hier zu tun ist, und es dann auch in die Tat umsetzt. Sorgen mache ich mir nur, wenn ich das Gefühl habe, dass niemand das Ruder in der Hand hat.«

Selina nickte grinsend. »Absolut deiner Meinung. Was machst du denn so über die Feiertage?«

Polly rollte mit den Augen. »Na, hoffentlich mal gar nichts.«

Im Vorjahr war sie mit Huckle zusammen bei ihrer Mutter in deren kleinem Häuschen in Exeter gewesen. Ihre Mum hatte ganz schön daran zu knabbern, dass sich Polly von ihrem früheren Verlobten getrennt hatte und auf eine winzige Gezeiteninsel gezogen war, um dort ihr eigenes Unternehmen zu eröffnen. Doreen hatte nämlich Angst vor allem Ungewöhnlichen, deshalb war die Weihnachtsfeier letztes Jahr auch eine ziemlich ruhige Angelegenheit gewesen. Zum Glück hatte sie wenigstens Huckle ins Herz geschlossen, der angenehm im Umgang war und dem es nun wirklich nichts ausmachte, mal nichts zu tun. Das war für Pollys zurückgezogen lebende Mutter natürlich ideal. Polly wusste, dass sie ihre Mutter eigentlich dazu bewegen sollte, nach Mount Polbearne rauszukommen und ein paar Tage zu bleiben. Aber weil ihr auch klar war, wie schwer es ihrer Mum fallen würde, wollte sie ihr das nicht zumuten.

»Und, was hast du an Weihnachten so vor?«, fragte Polly Selina. »Feierst du wieder mit Tarnies Familie?«

Selina nickte. Natürlich war das irgendwie seltsam, aber es machte Tarnies Mutter einfach so glücklich. Für sie stellte Selina einfach eine Verbindung zu ihrem verstorbenen Sohn dar. Sie würden viel zu viel essen, dann einfach nur rumsitzen und sich alte Videos von Tarnie als Kind anschauen. Wenn schließlich das Hochzeitsvideo an der Reihe war, würden alle stundenlang heulen.

»Das ist wirklich der furchtbarste Tag, den sich die Menschheit je ausgedacht hat«, fand Selina. »Aber eins kann ich dir sagen: Falls es einen Himmel geben sollte, ist mir da ein Platz sicher.« Sie nahm einen weiteren Schluck Kaffee. »Mann, ist der lecker. Es ist schon schön, von Zeit zu Zeit mal richtige Milch zu trinken. Obwohl ich wahrscheinlich eine Laktoseintoleranz habe.«

»Wahrscheinlich«, nickte Polly.

»Du stimmst mir zu, obwohl du nicht meiner Meinung bist«, staunte Selina. »Das muss ja ein Riesengefallen sein. Also?«

»Okay.« Polly wappnete sich für das, was jetzt kam. »Ich brauchte nur gerade mal jemanden zum Reden, und Kerensa ist leider beschäftigt. Ich meine, ich mag dich natürlich genauso sehr wie … Äh, na ja, egal. Also, was meinst du: Ich hab da eine Freundin in Exeter, eine frühere Klassenkameradin. Die kennst du nicht, weil ich sie nämlich nicht besonders oft sehe. Sie ist verheiratet und so, und jetzt ist sie schwanger, aber sie hat Angst, das Kind könnte von einem anderen sein.«

»O mein Gott.« Selina richtete sich ein wenig auf. »Ist es etwa Kerensa, von dieser einen Nacht? Du meinst Kerensa, nicht wahr? Das würde schon passen ...«

»Was?«, stammelte Polly. »Nein, natürlich ist es nicht Kerensa. Ich hab dir doch gerade gesagt, dass du diese Freundin nicht kennst.«

»Ja, aber dabei hast du ganz vergessen, dass ich dabei war!«

»Was? Nein, sie ist es nicht! Wie auch, so was würde sie doch nie machen! Das ist ja überhaupt nicht ihr Stil.«

Polly spürte, wie ihre Wangen zu brennen begannen. Selina schwieg nur und betrachtete sie eine Weile.

»Okay«, meinte Polly irgendwann, »es ist meine Cousine, okay? Und deshalb droht jetzt die ganze Familie zu zerbrechen. Ich weiß ja, dass manche Familien solche Sachen nicht so eng sehen, aber so ist das bei uns nicht ...«

Polly senkte den Blick, schielte aber gleichzeitig zu Selina hoch, um zu sehen, ob die ihr die Sache abkaufte. Zum Glück sah es ganz so aus.

»Na gut«, sagte Selina schließlich, verstummte aber für einen Moment wieder. »Redest du hier etwa von dir selbst?«

»Natürlich nicht!«

»Du hast diesbezüglich ja eine Vorgeschichte!«

»Jetzt fang bitte nicht damit an!«, knurrte Polly. Das fand sie überhaupt nicht witzig. Während einer Ehekrise hatte nämlich Tarnie mal mit Polly geschlafen und ihr dabei verschwiegen, dass er verheiratet war. Das war für alle furchtbar gewesen.

»Das ... das ist wirklich ein schreckliches Familiendrama, aber ich kann mir auch jemand anderes suchen, wenn du mein Problem nicht ernst nimmst ...«

»Okay, tut mir leid«, sagte Selina, die ja eigentlich ganz in Ordnung war. »Ich bereite mich im Moment seelisch darauf vor, einen Monat lang unglaublich rücksichtsvoll und nett zu allen zu sein. Das war gerade bloß ein letztes Aufbäumen.«

»Vergeben«, nickte Polly. »Es ist einfach nur ... Ich meine, mir geht diese Sache echt an die Nieren, auch wenn es eigentlich nicht mein Problem ist.«

»Kennst du den Ehemann?«

»Äh ... ja, ein wenig.«

Selina schaute sie mit gerissener Miene an. »Und, ist er ein Arschloch?«

»Manchmal«, antwortete Polly. »Ist das denn wichtig?«

»Hat er andere Frauen?«

»Nein! Das glaube ich zumindest nicht.«

»Hm«, machte Selina. »Und seid ihr eng befreundet, deine Cousine und du?«

»Ja. Zumindest will ich ihr eine gute Freundin sein. Aber das hier ... ist so schrecklich.«

Selina lehnte sich vor. »Wofür sind Freundinnen denn da?«, fragte sie sanft. »Eben für solche Situationen. Hast du eine Ahnung, wie viele Leute mich haben hängen lassen, als Tarnie gestorben ist? Ich hab dadurch so viele Freunde verloren. Das ist doch wohl nicht fair, oder? Die Leute ... wissen einfach nicht, was sie sagen sollen. Was soll man da denn auch sagen? Blablabla. Dann sag doch einfach, wie scheiße alles ist. Und entschuldige dich schon mal dafür, falls du in Zukunft in irgendwelche Fettnäpfchen treten wirst. Und dann sei einfach weiter ein Freund, das ist doch keine Kunst.« Selina biss die

Zähne aufeinander. »Manche Leute sind auch geblieben. Und andere ...« – bei diesen Worten sah sie Polly an –, »andere sind erst neu dazugekommen. Aber die meisten sind einfach so verschwunden, als würde ich mit meiner Traurigkeit ihre perfekte kleine Welt besudeln. Verstehst du, was ich sagen will?«

Polly nickte. Ja, und ob.

»Wenn etwas Schreckliches passiert, braucht man seine Freunde mehr denn je. Und jetzt kommt das Entscheidende: Man braucht sie selbst dann, wenn man an dieser schrecklichen Sache selbst schuld ist. Vor allem dann. Kapiert?«

KAPITEL 7

»Na, dann komm mal rein.«

Neil liebte den Foodtruck über alles. Gut, Huckles Beiwagen gefiel ihm noch besser, weil er es sich darin gemütlich machen und gleichzeitig den Wind in den Federn spüren konnte. Aber den Bulli fand er nicht minder super.

Inzwischen war der Regen weitergezogen und hatte bitterkaltes Wetter hinterlassen, in Nan, the Van, wurde es aber rasch warm. Polly wollte jetzt lieber schnell los, sonst konnte es nämlich passieren, dass plötzlich Leute draußen Schlange standen und nach Pasteten oder Marmite-Stangen verlangten.

Als sie letztes Jahr ihre Stelle in der Bäckerei verloren hatte, hatte Polly nicht mit dem Backen aufgehört. Sie hatte einfach diesen Foodtruck gekauft, um ihr Unternehmen damit weiterzuführen, und es war viel besser gelaufen als erwartet. Sie hatte den hübschen Bulli, der beim Vorbeifahren allen Passanten ein Lächeln aufs Gesicht zauberte, auch nach ihrer Rückkehr in die Bäckerei behalten. Im Sommer wollte sie darin Sandwiches und Kuchen verkaufen, damit sich nicht alle Kunden vor der Bäckerei drängten. Sie wurde auch öfter gefragt, ob sie mal daran gedacht hatte, mit dem Van einen Lieferservice aufzuziehen. Vor allem aber war Nan bei schlechtem Wetter ihr einziges Transportmittel.

Polly sauste über den Fahrdamm, den sie inzwischen so oft

überquert hatte, dass sie schon lange keine Angst mehr hatte. Früher hatte sie oft befürchtet, dass der Wagen ins Schwanken geraten oder von der Spur abkommen und in den Fluten versinken könnte. Unter der Wasseroberfläche konnte man immer noch die Bäume erkennen, die einst neben der Zufahrt gewachsen waren, als Mount Polbearne noch mit dem Festland verbunden gewesen war. Ihre Spitzen wiegten sich im Wasser. Früher hatte mal jemand unter diesen Bäumen gesessen, hatte vielleicht über sein Leben nachgedacht oder einfach vor sich hin geträumt. Und jetzt befanden sie sich dort unten am Meeresgrund, wo wohl auch Mount Polbearne eines Tages landen würde, wenn der Ozean endgültig all das verschlang, was die Menschen hier so sehr liebten.

Bis zur Landspitze an Cornwalls Nordküste war es nur eine kurze Fahrt. Im Frühling, Sommer und Herbst war der Privatstrand, der Reuben und Kerensa gehörte, perfekt für Surfer, die ganz scharf auf die Wellen hier waren. Der Millionär erlaubte den Jungs aus der Gegend oft, mit ihren Brettern herzukommen. Im Gegenzug halfen sie ihm dabei, am Wochenende die nervigen, lauten Surfer aus der Stadt zu vertreiben, die mit ihren albernen Hipster-Bullis hier einfielen und so taten, als würde der Strand ihnen gehören.

Im Winter war der Sand jedoch mit Reif bedeckt, den auch die Wellen nicht wegzutragen vermochten, und der wunderschöne Strand war leer und verwaist. Reubens Strandcafé mit der perfekt ausgestatteten Küche und Bar war geschlossen, und die Abzweigung zur privaten Zufahrtsstraße war noch schwieriger zu finden als sonst.

Als Polly oben auf den Dünen die buckelige Piste bis zum Haus entlangfuhr, musste sie daran denken, wie verrückt sie bei ihrem ersten Besuch hier alles gefunden hatte. Inzwischen hatte sich so viel verändert, aber eigentlich erging es ihr immer noch so. Es war eben ein verrückter Ort.

Das Haus war in einem sehr zeitgenössischen Stil erbaut, mit viel Stahl und Glas, und hatte eine unschlagbare Aussicht auf die wilde Küste. Reuben hatte auch auf einem kleinen runden Türmchen ganz aus Glas bestanden, weil er so etwas in einem Iron-Man-Film gesehen hatte. Dieser Turm war gewissermaßen ein Sinnbild für den ganzen Wahnsinn dieses Bauwerks. Reuben bekam ständig Anfragen von Filmproduzenten, die das Gebäude gerne für ihr Projekt nutzen wollten, lehnte aber normalerweise ab. In letzter Zeit sagte er jedoch Ja, wenn Kerensa den Hauptdarsteller mochte.

So langsam fragte sich Polly, ob es wirklich eine gute Idee gewesen war, hierherzukommen. O Gott, alles war so ein Chaos! Dabei war es ja nun wirklich nicht so, als hätte sie selbst nie Fehler gemacht. Sie hatte mit Tarnie geschlafen und sich, wenn sie ganz ehrlich war, nicht einmal gefragt, ob er verheiratet gewesen war. Damals waren sie vorsichtig gewesen, aber vielleicht hatte Polly auch einfach Glück gehabt. Sie hätte jetzt durchaus Tarnies Kind großziehen können ... *Vielleicht*, dachte sie nun, *schlittern ja immer alle haarscharf an der Katastrophe vorbei, und entscheidend ist dabei nicht Anständigkeit, sondern einfach nur Glück.*

Unterwegs hatte Polly in einem Ort in der Nähe gehalten, wo allerdings vor allem kitschige Souvenirlädchen Holzschilder aus Treibgut mit der Aufschrift *Zuhause* zu überhöhten Preisen anboten. Im dritten Geschäft hatte Polly dann eine viel zu teure, aber schlichte Kaschmirdecke in einem Cremeton gefunden und auch noch eine Geschenkverpackung dazugenommen, die fast genauso viel gekostet hatte. Mit angehaltenem Atem hatte sie dem Verkäufer dann ihre Kreditkarte gereicht. Kerensa hingegen schien manchmal zu vergessen, dass manche Leute sich ums Geld Gedanken machen mussten, aber darum ging es hier ja nicht. Polly wollte ihr gern etwas wirklich Schönes mitbringen, weil sie sich damit entschuldigen wollte.

Als sie die Glocke läutete, wusste Polly nicht einmal, ob Kerensa überhaupt zu Hause sein würde. In der mit Kieseln bedeckten Auffahrt parkten schließlich immer jede Menge Autos, man wusste also nie so recht, ob die Bewohner da waren. Polly hatte überhaupt nichts mehr von Kerensa gehört, dabei redeten sie doch sonst fast jeden Tag miteinander oder schickten sich wenigstens Nachrichten. Aber deshalb machte sie ihrer Freundin nun wirklich keine Vorwürfe. Polly hatte ihr ganz bewusst nicht gesagt, dass sie kommen würde, um sich keine Absage einzufangen. Das hätte Polly nicht gewundert, und ehrlich gesagt hätte sie es ja auch verdient.

An der Tür hing bereits ein üppiger Weihnachtskranz. Reuben und Kerensa bezahlten doch tatsächlich jemanden für das weihnachtliche Schmücken ihres Hauses. Polly hatte nicht einmal gewusst, dass so ein Service überhaupt angeboten wurde.

Dieses Mal kam nicht das Hausmädchen zur Tür, sondern Kerensa selbst. Sie sah sogar noch schlechter aus als beim letzten Mal, hatte tiefe Ringe unter den Augen und wirkte generell blass und erschöpft. Ihr üblicher Elan war völlig verschwunden.

Keine der beiden Frauen sprach ein Wort, und Kerensas Blick erinnerte an einen Hund, der damit rechnete, gleich geschlagen zu werden.

»Ist Reuben zu Hause?«, fragte Polly.

Kerensa schüttelte den Kopf. »Warum?«, fragte sie und sah plötzlich panisch aus. »Wolltest du etwa zu ihm?«

»Nein.« Polly überreichte ihrer Freundin das Geschenk. »Kerensa, kannst du mir noch mal vergeben? Es tut mir ja so, so leid.«

In der Empfangshalle prasselte ein Feuer im Kamin, neben den sich die beiden jetzt setzten, und zwar unter einen Weihnachtsbaum, der etwa zehn Meter hoch war und das drei Stockwerke hohe Glastürmchen komplett ausfüllte.

»Dieser Baum ist absolut grotesk«, murmelte Polly.

»Genau das hab ich auch gesagt«, erklärte Kerensa. »Deshalb hat Reuben dann mit voller Absicht noch einen bestellt, der ungefähr viermal so groß ist.«

Sie lächelten gequält, und Kerensa starrte zu Boden, als Marta ihnen heiße Schokolade brachte.

»Es tut mir leid«, sagte Polly nun wieder. »Es tut mir ja so leid. Ich war einfach nur schockiert, das war alles. Dass du mir alles so lange verheimlicht hast ...«

»DU warst schockiert?«, schnaubte Kerensa. Als sie dann zu Polly hochschaute, stand so viel Schmerz in ihren Augen. »Von dir ... hätte ich nun wirklich nicht erwartet, dass du dich so verhältst.«

»Das war falsch von mir«, stimmte Polly zu. »Wirklich grundfalsch, Kerensa, schließlich bist du die beste Freundin, die ich je hatte. Ich hätte wirklich nicht ... Eigentlich hätte ich nur eins tun sollen, dich trösten, dir versichern, dass alles wieder gut wird.«

»Wie soll es denn wieder gut werden?«

»Das weiß ich auch nicht«, musste Polly zugeben, »aber irgendwie kommen die Dinge am Ende wieder in Ordnung. Und ihr beide liebt euch schließlich, oder?«

»Das werden wir dann wohl herausfinden, wenn ich ein Eins-neunzig-Baby mit dichtem schwarzem Haar und olivfarbenem Teint zur Welt bringe«, schluchzte Kerensa.

»Jetzt sei doch nicht albern, dann erfindest du eben einen entfernten Verwandten von ganz weit weg. Soll ich vielleicht damit anfangen, das schon mal in unsere Unterhaltungen mit einzuflechten?«

»Was meinst du? – Vielleicht ›Hey, Kerensa, was ist eigentlich aus deinem spanischen Großvater geworden, den du noch nie zuvor erwähnt hast?‹.«

»Ja, zum Beispiel«, nickte Polly. »Und was ist mit diesem Großonkel, der zwischen seinen Seereisen nur selten nach Hause gekommen ist?«

Diese Idee munterte Kerensa tatsächlich ein wenig auf. »Hm, es gibt ja wirklich eine Seite der Familie, die wir so gut wie nie sehen …« Kerensas Vater war vor vier Jahren gestorben, ihre Eltern waren da aber schon lange geschieden gewesen.

»Ganz genau!«, rief Polly. »Allerdings solltest du dir solche Kommentare lieber verkneifen, wenn deine Mutter dabei ist.«

»Vielleicht könnte ich ja noch erwähnen, was für ein Skandal das damals war … einen Ausländer zu heiraten.«

»Meinst du, das wird er schlucken?«

»Spanier, Hispanos … für Reuben ist das alles dasselbe. Das kauft er mir schon ab.«

»Das ist aber unglaublich rassistisch.«

»Was ist unglaublich rassistisch?«, rief da Reuben, der fröhlich pfeifend zur Tür hereinspazierte. »Wo steckt denn nur die wunderschöne Mutter meines Kindes, hm? Hm?«

Kerensa zwang sich zu einem Lächeln, als er ihr einen spielerischen Kinnhaken versetzte.

»Ihr geht's echt so dreckig«, sagte Reuben zu Polly. »Ehrlich gesagt hatte ich ja gedacht, dass sie viel zu umwerfend für Schwangerschaftsbeschwerden ist, aber nein, offenbar nicht. Deshalb schläft sie auch im Gästezimmer, weil sie alle fünf Minuten kotzen muss.«

»Das ist doch ziemlich normal«, entgegnete Polly. »Übrigens hat mir Kerensa gerade gesagt, dass du ein dicker fetter Rassist bist.«

»Hast du heiße Schokolade mitgebracht?«, fragte Reuben mit Blick auf die halb leeren Tassen.

»Nein, aber ein paar Stücke Sachertorte.«

Reubens Miene erhellte sich. »Die tut es auch. Und ja, ich bin ein Rassist. Ehrlich gesagt hasse ich einfach alle.«

»Warum das denn?«

»Weil ich in meiner Schule für hochbegabte Kinder regelmäßig von Schwarzen, Chinesen, Asiaten, Weißen, Hispanos, Arabern, Juden, Katholiken und Zoroastriern verprügelt wurde. Und deshalb hasse ich die alle.«

Polly starrte ihn an. »Bist du dir absolut, hundertprozentig sicher, dass das nicht vielleicht ein kleines bisschen mit dir zu tun hatte?«

»Jetzt sei nicht so ein Arsch«, entgegnete Reuben und verputzte die mitgebrachte Torte, ohne Polly oder Kerensa auch nur etwas davon anzubieten. »Das lag alles nur an denen. An allen. Und deshalb hasse ich die ganze Welt. Nur dich natürlich nicht.« Dabei schaute er Kerensa tief in die Augen.

»Ähem«, machte Polly.

»Ja, was auch immer«, schnaubte Reuben. »Mehr hast du mir nicht mitgebracht?«

Sie folgten ihm in die riesige, funkelnde Küche, die selbst an so einem grauen Tag wie heute von Licht durchflutet war.

Hier stand geheimnisvoll glänzend und weitestgehend ungenutzt jedes nur erdenkliche Küchengerät der jüngsten Geschichte der Menschheit herum. Die Mahlzeiten des Hauses bereitete in einer weiteren Küche im Keller ein Koch zu.

»Polly, du kennst dich doch mit Essen aus: Was sollte eine Schwangere denn so zu sich nehmen? Damit sie zu leuchten anfängt, meine ich. Ich hätte gerne eine von diesen sexy, von innen heraus leuchtenden Schwangeren mit Riesenbrüsten.«

Polly lächelte. »Ich kann leider nur Toast machen, fürchte ich. Aber vielleicht hilft das ja ein bisschen.«

»Mir geht's gut«, behauptete Kerensa. »Wahrscheinlich sollte ich mir einfach nur mal öfter einen Saft pressen.«

»Ja, das solltest du wirklich«, fand Reuben. »Schließlich hat dieser Entsafter viertausend Mäuse gekostet. Man sollte doch wirklich meinen, dass er einem für dieses Geld die ganze Arbeit abnimmt.«

»Mensch, Kerensa«, sagte Polly da, »ich bin gespannt, wie das Baby aussehen wird, vielleicht schlägt es ja nach der Seite deines Vaters.« Das war jetzt ein wenig aus dem Zusammenhang gerissen, aber sie tat, was sie konnte. »Ein Onkel sah doch ausgesprochen südländisch –«

»O nein!«, unterbrach sie Reuben. »Mein Sohn wird genauso aussehen wie ich. Ich sehe exakt aus wie mein Dad, und der so wie sein Vater. Wir Finkels scheffeln schon seit Generationen Kohle und heiraten dann die umwerfendsten Frauen, trotzdem bleiben wir kleine Wichte mit Sommersprossen und roten Haaren. Die allerdings die schärfsten Frauen an Land ziehen können.«

Kerensa sah aus, als würde sie gleich wieder in Tränen ausbrechen. »Zeig mir doch mal, wie dieser Entsafter funktioniert«, bat Polly hastig, aber das wusste Kerensa nicht, also ließen sie es gut sein.

Als Reuben nach oben ging, um ein paar E-Mails zu beantworten, weinte Kerensa in Pollys Armen leise in ihre Kaschmirdecke.

»Alles kommt wieder in Ordnung«, versprach Polly. »Es wird alles gut. Ich bin hier und begleite dich bei jedem Schritt des Weges.«

»Gut«, schluchzte Kerensa. »Ich fürchte nämlich, dass ich dieses dunkelhäutige Riesenbaby jetzt ganz allein großziehen werde.«

Jetzt eilte Reuben die Treppe wieder herunter. »Ach du Scheiße!«, rief er. »SCHEISSE, SCHEISSE, SCHEISSE, SCHEISSE, SCHEISSE!«

Aufgeschreckt blickte Kerensa in seine Richtung. »Was ist denn?«

Reuben schnaubte. »Mist, verdammter, meine Eltern haben gerade beschlossen, über Weihnachten herzukommen. Mann, die werden meine winzige Bruchbude hassen.« Er seufzte. »Gott, das wird ätzend.«

KAPITEL 8

»Du hast was?«, fragte Huckle.

»Äh«, machte Polly.

»Also, jetzt mal im Ernst. Ist es dir denn nicht in den Sinn gekommen, das erst einmal mit mir zu besprechen?«

»Äh«, kam wieder aus Pollys Richtung.

»Ich meine, hab ich denn gar nichts zu melden?«

»Doch, aber –«

»So, so! Ich weiß ja, dass du diese Leute gar nicht kennst, ich aber nur zu gut, das lass dir gesagt sein. Und ...«

»Und was? Sind das etwa schlechte Menschen?«

»Nein, reiche Menschen«, erklärte Huckle, »für die gilt Gut und Böse gar nicht. Um solche moralischen Fragen kümmern sich nämlich ihre Anwälte, darum geht es hier also gar nicht.«

»Und worum geht es dann?«

»Es geht darum, dass die ja doch nur die ganze Zeit rumsitzen und allen erzählen, wie reich sie sind. Mein Gott, im Vergleich zu denen ist Reuben die verdammte Mutter Teresa und geistreich wie Stephen Fry. Oh, Polly, wie konntest du nur?«

Polly wusste ja, dass sie es verbockt hatte. Aber Kerensa hatte sie so traurig und sehnsüchtig angeschaut, dass es ihr nicht einmal in den Sinn gekommen war abzulehnen. Und genau betrachtet war es auch gar kein Angebot gewesen. In seiner unvergleichlichen Art hatte sich Reuben einfach zu Polly umgedreht und verkündet: »Hey, ihr beiden kommt auch.«

»Ich … ich glaube, wir haben schon Pläne«, stotterte Polly, obwohl Kerensa laut hustete.

»Was denn für Pläne? Wollt ihr etwa in eurem eisigen Turm herumsitzen und eurem Vogel dabei zugucken, wie er seine Runden dreht?«, fragte Reuben und lag damit gar nicht mal so falsch. »Das könnt ihr vergessen. Unser Koch wird hier ganz groß für euch auffahren, wir machen Truthahn oder Ente, was auch immer die Leute hier eben so essen … Und dafür müsst ihr keinen Finger krumm machen. Allerdings müsstet ihr euch schon mit meinem Pa unterhalten, damit ich das nicht machen muss. Mehr nicht, das wäre an Weihnachten eure einzige Aufgabe.«

»Hm«, machte Polly.

»Super, das wäre also geklärt. Nur du müsstest noch …«

»Was denn?«, fragte Polly.

»Ach nee, darüber reden wir besser später.«

»Ich freue mich ja so, dass ihr kommt«, seufzte Kerensa. Und beim Anblick der glücklichen, erleichterten Miene ihrer Freundin brachte Polly es nicht übers Herz, ihr eine Absage zu erteilen.

Aber jetzt sah Huckle traurig aus, was nur selten vorkam, und das fand Polly ganz schrecklich.

»Ich hab halt gedacht«, murmelte er, »dass wir beide …«

Polly ging zu ihm und streckte die Hand aus.

»Du weißt schon, dass wir mal ausschlafen könnten. Dass wir nur dieses eine Mal im Bett bleiben könnten, bis es draußen hell wird.«

»Bis es hell wird?«

»Genau, und vielleicht stehen wir selbst dann noch nicht auf. Keine Öfen, kein Teig, kein Backen.«

»Du willst also kein frisches Brot am Weihnachtsmorgen?«

»Nein, weil wir doch bestimmt noch Reste von deinem rustikalen Graubrot mit der weichen Krume haben. Stell dir das doch mit frischer gesalzener Butter und einer großen Portion Lachs vor ... Dann noch eine Flasche Champagner, du und ich im Bett ...«

»Und dann?«, fragte Polly.

»Was meinst du?«, erwiderte Huckle. »Das ist alles! Was brauchst du denn am Weihnachtsmorgen sonst noch? Dann gebe ich dir ein kleines Geschenk ...«

»Hat dieses Geschenk vielleicht irgendwas mit Bienen zu tun?«

Huckle grinste. »Na ja, es könnte durchaus ein Glas Honig sein.«

»Das ist toll«, versicherte Polly. »Honig find ich super.«

»Und von dir bekomme ich dann vielleicht ...«

»... ein Croissant?«

»Perfekt, genau das hab ich mir gewünscht.«

»Mal im Ernst, was hättest du denn gerne?«

»Ganz ehrlich, ich hab doch alles, was ich mir wünsche. Außer vielleicht ...«

Mit vielsagendem Funkeln im Blick versuchte er, sie zu packen, und Polly gab kichernd vor, sich zu wehren, was natürlich nichts brachte.

»Na ja, aber könnten wir das alles nicht machen, bevor wir zu Reuben und Kerensa rüberfahren?«

»Nein«, Huckle rieb ihr sanft über die Schultern, »danach machen wir nämlich diese riesigen Tüten mit Schokotalern auf, die hier bei euch verkauft werden, hauen uns vor den

Fernseher und gucken den ganzen Tag Filme, während wir uns mit Süßem vollstopfen.«

»Und was ist mit dem Weihnachtsessen?«

»Also, ich brauche eigentlich nur noch mehr Räucherlachs. Und dazu vielleicht etwas Käse, gefolgt von den restlichen Schokotalern.«

»O Mann, das klingt ja wirklich super«, seufzte Polly, als sie sich die Szene vorstellte. In den letzten Tagen hatte sie angefangen, widerwillig für den Weihnachtsmarkt vorzubacken. Begleitet wurde sie dabei von Selina, die solidarisch mit ihrer Schmuckwerkstatt nach unten gezogen war. Außerdem hatte sie beim Gedanken an mögliches schlechtes Wetter auch begonnen, die Kühltruhe mit Lebensmitteln zu füllen. Bei alldem hatte sie natürlich auch immer die Sorge um Kerensa im Hinterkopf, und jetzt musste sie sich auch noch auf ein Weihnachtsfest mit Reubens Familie einstellen. So langsam wurde ihr das alles zu viel.

»Und falls wir nach dem Mittagsschlaf Lust auf noch mehr Filme und Schokotaler und Champagner haben sollten, kaufen wir am besten noch eine zweite Flasche. Wenn uns dann nach ein bisschen Action zumute ist, könnten wir es vielleicht sogar wagen, ein langes, heißes Bad zu nehmen. Bevor wir uns noch mal hinlegen.«

Polly, die eigentlich gar kein Morgenmensch war, stieß einen Seufzer aus.

»Und danach könnten wir dann sowieso nicht mehr rüberfahren«, stellte Huckle klar. »Ich wäre nämlich viel zu betrunken für das Motorrad, und du wärst zu betrunken, um es auch nur aus der Wanne zu schaffen. Außerdem würden wir ja sowieso beide schlafen. Also sag Reuben bitte, dass wir an Weihnachten wirklich viel vorhaben.«

»Na, das kannst du ruhig selbst erledigen!«

»Du hast es doch verbockt!«, rief Huckle.

Polly schloss die Augen. »Du weißt doch, wie das laufen wird. Er wird einfach kein Nein akzeptieren, so hartnäckig, wie er ist.«

»Aber du kannst ja auch hartnäckig sein«, gab Huckle zu bedenken und rückte näher an sie heran.

Glücklich reckte Polly ihm das Gesicht entgegen und ließ sich jetzt einfach mal fallen. Vielleicht konnten sie diese Frage ja vertagen – alle Entscheidungen auf später verschieben …

KAPITEL 9

Polly warf einen Blick auf den Computerausdruck und stieß ein Stöhnen aus. Sie hatte hier den vollgepackten Terminplan des Weihnachtstags bei den Finkels vor sich, den ihr Reubens persönlicher Assistent geschickt hatte. Auf dem Programm standen nicht nur zwei Stunden Pantomime, eine Singrunde (was auch immer das sein mochte) und neunzig Minuten Bescherung, sondern auch ein Spaziergang zur Kirche. Das war doch absolut lächerlich, weil Reuben sein Lebtag noch keinen Fuß in eine Kirche gesetzt hatte und von einem Rabbi verheiratet worden war. Über weitere geheimnisvolle Tages-ordnungspunkte wie den »Finkel-Familien-Umzug« oder »Ochs und Esel« wollte Polly lieber gar nicht erst spekulieren.

Jedenfalls klang das alles furchtbar anstrengend. Außerdem befanden sich auf der mitgemailten Anwesenheitsliste ganze sechzehn Personen, von denen Polly genau wusste, dass sie alle stinkreich waren. Trotzdem war sie sich nicht ganz sicher, was das jetzt bedeutete: Erwarteten solche Leute auch schicke, teure Geschenke, oder waren die ihnen völlig egal, weil sie ja sowieso schon alles hatten? Wie dem auch sei, sie hatte für solche Anlässe leider nur ein winziges Budget. Tatsächlich überlegte sie ernsthaft, einfach zwei Dutzend Obstkuchen zu backen und die als Präsente zu verteilen. Obstkuchen aß doch jeder gern, oder etwa nicht? Aber in Reubens Familie war bestimmt irgendwer gegen irgendwas allergisch. Der kleine Multimillionär machte ja selbst keinen Schritt ohne seine Piritontabletten.

Jetzt schaute Polly auf, um die alte Mrs Hacket zu bedienen, die jeden Tag einen halben Laib Brot kaufte, zum Abendessen vier Scheiben davon zu ihrer Suppe aß und dann den Rest für die Vögel draußen zerkrümelte. Dabei handelte es sich bei den lokalen Exemplaren um Möwen von der Größe eines Tigers, die auch ein Kaninchen verspeisen würden, wenn es denn lange genug stillhielte. Ehrlich gesagt machte sich Polly ja Sorgen, dass sich irgendwann eins von den Biestern auf Mrs Hacket stürzen und ihr den Garaus machen würde. Die alte Dame war nämlich winzig und zerbrechlich, außerdem sah sie auch nicht mehr besonders gut. Deshalb könnte sie so eine riesige Möwe durchaus für eine zauberhafte kleine Lerche halten, die ihr nur besonders nahe gekommen war.

In diesem Moment stürzte ein fröhlich dreinblickender Reuben zur Tür hinein. »Hey!«, rief er. »Also, ich hab da diese Liste.«

»Was denn noch für eine Liste?«

»Na ja, die mit den Sachen, die wir an Weihnachten essen wollen.«

Polly griff nach dem Zettel und überflog ihn: warmes Baguette ... Lebkuchenmänner ... ein großes Lebkuchenhaus ... sechzehn Laib Roggenbrot ... vierzehn Laib Vollkornbrot ... sechzig Kartoffelküchlein ...

Sie schaute auf. »Ich dachte, wir wären an Weihnachten deine Gäste.«

»Ja, natürlich!«, erwiderte Reuben ungerührt. »Das wird einfach toll.«

»Aber ich will mich doch an Weihnachten nicht ums Catering kümmern! An den Feiertagen will ich überhaupt nicht arbeiten, sondern mir ein paar Tage freinehmen, morgens schön ausschlafen und keinen Finger krumm machen!«

»Aber, Polly!«, Reuben legte verständnislos die Stirn in Falten. »Wir brauchen doch Gebäck, und deins ist einfach das beste. Ich weiß wirklich nicht, wie deutlicher ich da noch werden soll.«

Dann erhellte sich seine Miene. »Hey, ich frage mich wirklich, was du mir dafür in Rechnung stellen wirst, dass du an so ungünstigen Tagen für mich backen musst.«

»Nein, Reuben!«, sagte Polly.

»Das wird doch sicher eine unanständig hohe Summe sein, oder? Ich meine, sonst müsste ich die Sachen schließlich mit dem Hubschrauber von Poilâne in Paris einfliegen lassen. Und deshalb musst du mir wirklich eine unverschämt hohe Rechnung stellen. Eine, die ein echtes Loch in meine Geldbörse reißen wird, sodass ich sagen werde: ›Autsch, das tat weh, denn das ist selbst für mich viel Geld.‹«

»Lass es gut sein, Reuben!«, schimpfte Polly.

»Tja, aber wenn du es nicht nötig hast ...«

»Hör jetzt auf damit! Ich wollte doch einfach nur ein ruhiges Weihnachten, an dem ich nicht bis zu den Ellbogen im Teig stecke!«

»Ich dachte, du backst gerne.«

»Und das tu ich ja auch. Aber bei der Arbeit! Als Beruf gefällt mir das gut.«

Reuben zog die Augenbrauen hoch, während er rückwärts aus dem Laden wich.

»Weißt du!«, rief er noch. »Es heißt doch immer, dass Leute, die ihren Beruf lieben, keinen einzigen Tag im Leben arbeiten!«

»Ruhe jetzt!«, rief Polly. »Verschwinde, und das mein ich ernst!«

»Weißt du was, wegen der sechsundneunzig Bagels würde ich mir keinen Kopf machen«, fügte Reuben noch hinzu. »Die kaufe ich wohl besser einfach bei Katz. Nimm's mir nicht übel, Polly, aber deine Bagels sind echt nicht der Hit.«

»RAUS!«

Die alten Damen in der Schlange starrten Polly missbilligend an.

»Ist das nicht der junge Mann, der die Schule wiedereröffnen will?«, fragte eine von ihnen.

»Ja, ja ...«, murmelte Polly wütend, aber auch hin- und hergerissen.

»Und der wird ja bald Vater«, schniefte Mrs Hacket. »Da hat er doch sicher eine freundlichere Behandlung verdient.«

Ganz so viele Doughnuts wie sonst packte Polly jetzt nicht in die Tüten.

Wie um alles in der Welt sollte sie das nur Huckle beibringen? Leider bestand an einem kein Zweifel: Sie waren echt klamm, weil ihr Verlobter mit seinem Honig einfach kaum Geld nach Hause brachte. Viel brauchten sie ja auch nicht, aber da waren noch die Hypothek des Leuchtturms und ...

Frustriert seufzte die junge Bäckerin. Sie wusste natürlich, dass ihre Probleme im Vergleich zu denen anderer Menschen – wie zum Beispiel Kerensa – kaum der Rede wert waren. Aber sie hatte sich dieses Jahr so sehr auf ein paar ruhige Tage an Weihnachten gefreut. Dafür, dass die Feiertage letztes Jahr nicht so richtig entspannt gewesen waren, konnte ihre Mutter ja nichts. Im Jahr davor war Huckle in den USA gewesen, ihre ganze Zukunft hatte in den Sternen gestanden, und Polly hatte ein furchtbares Weihnachten allein verlebt. Jetzt wünschte sie sich doch nur eine kleine Verschnaufpause, etwas Zeit für sich und Huckle. Schließlich hatten sie den nächsten großen Schritt, den sie zusammen gehen wollten, noch gar nicht gebührend gefeiert.

Polly wusste ja, dass sie froh und dankbar sein sollte. Es war egoistisch, sich noch mehr zu wünschen, wenn sie doch schon so viel hatte. Aber sie hatte sich eigentlich vorgestellt, dass in ihrer Beziehung jetzt erst einmal eine Zeit lang alles ganz ruhig und entspannt seinen Gang nahm. Und wenn dann das ganze Drumherum nicht mehr so hektisch und verrückt sein würde, dann wollte sich Polly auch über jeden neuen Schritt freuen, über Babys und so weiter, aber doch jetzt noch nicht.

Sie wusste ja selbst, wie albern das war, immerhin waren sie verlobt, und Huckle hängte sich in die Beziehung voll rein. Außerdem war er doch die Liebe ihres Lebens, sie liebte ihn über alle Maßen. Deshalb war es lächerlich, dass es sie so sehr störte, was sie sich doch so sehr wünschte. Aber sie hatte sich selbst nie wirklich als Braut gesehen, das gehörte nicht zu den Dingen, von denen sie träumte. Der Stoff, aus dem ihre Träume waren, befand sich hier in der kleinen Bäckerei am Strandweg: das Läuten der Türklingel beim Eintreffen neuer Kunden, der Duft frischen Brotes, dessen sie niemals überdrüssig wurde, die Zufriedenheit desjenigen, der backte und damit Menschen satt machte. Das war ihr Traum.

Na ja, das alles war jetzt nicht das dringendste Problem. Nun musste sie erst einmal Huckle eröffnen, dass sie entweder seine Traumweihnacht ruinieren würde oder Reubens Kohle ausschlagen musste. Und sie wusste, dass er ihr wirklich viel, viel Geld bezahlen würde. Genug, um noch vor den Januarstürmen die Fenster abdichten zu lassen, oder ... Nein, sie wollte es immer noch nicht machen.

Auf der anderen Seite stellte sie sich nun ein Weihnachten ohne ihre Backwaren im Kreise von Reubens Familie vor. Würden sich womöglich alle Unterhaltungen nur darum drehen, dass sie so selbstsüchtig gewesen war, das Catering nicht zu übernehmen?

Huckle würde auf diese Frage vermutlich entgegnen, dass sie damit nur noch einen Grund mehr hätten, da überhaupt nicht aufzutauchen. Aber dann dachte Polly an Kerensas tragisches, erschöpftes Seufzen und ihren Blick eines waidwunden Rehs. Außerdem würde dann weiter der Wind durch ihr Schlafzimmer pfeifen.

Als Polly alle Seniorinnen abgefertigt hatte, steckte Selina vorsichtig den Kopf zur Hintertür herein.

»Sind die alten Plappermäuler weg? Die nerven nämlich ganz schön und fragen mich ständig, ob ich denn schon einen netten jungen Mann kennengelernt habe.«

Selina hatte mal eine kurze, heftige Affäre mit Huckles Bruder Dubose gehabt, das erwähnten die beiden Frauen aber nach Möglichkeit lieber nicht.

»Sie wollen doch nur, dass alle glücklich sind«, verteidigte Polly die alten Damen, aber nicht sehr glühend, weil sie sich gerade selbst so einiges von ihnen hatte anhören müssen.

»Von wegen«, widersprach Selina finster. »Die wollen, dass schlimme Sachen passieren, damit sie was zum Tratschen haben und darüber klagen können, wie furchtbar doch alles ist.«

»Das auch«, gab Polly zu. »Was soll ich denn nur tun?«

Dann erklärte sie Selina ihr Weihnachtsdilemma, sparte dabei aber den Kerensa-Aspekt aus.

Für Selina war jedoch alles ganz klar: »Geh da bloß nicht hin! Warum solltest du das auch nur in Erwägung ziehen, bist du denn wahnsinnig? Du nagst doch schließlich nicht am Hungertuch. Gut, du hast diesen blöden Leuchtturm gekauft, aber daran bist du selbst schuld. Vermiete ihn oder so. Aber mein Gott, wir reden hier von Weihnachten, das solltest du einfach nur genießen. Wenn ich es schon nicht kann!«

In diesem Moment bimmelte die Türklingel, und ein Mann stürzte herein, breit gebaut, mit hellem Haar und leuchtend blauen Augen. Selina schob sich augenblicklich hinter den Tresen.

»Oh, hab ich mir etwa gerade was gewünscht und es selbst nicht mitbekommen?« Sie setzte ein Lächeln auf. »Hallo, was darf's denn sein?«

»Selina«, zischte Polly ihr zu, »zurzeit arbeitest du ja nicht einmal hier.«

»Aber das ist doch mein Haus, mehr oder weniger«, protestierte Selina.

»Eher weniger«, entgegnete Polly mit Nachdruck.

Der Mann wirkte aufgewühlt.

»Ich bin auf der Suche nach ... nach der Dame mit dem Papageientaucher.«

»Ha!«, machte Polly. »Äh, Entschuldigung.« Sie wischte sich die mehligen Hände an der Schürze ab. »Hallo, das bin ich, Polly Waterford.«

Der Mann schüttelte ihr die Hand. Er war etwa fünfunddreißig und hatte ein wettergegerbtes, aber attraktives Gesicht. Die Haut um seine Augen legte sich in Falten, wenn er lächelte, und er sprach mit australischem Akzent.

»Hi!«, sagte er. »Ich bin hier, weil die Vogelstation dringend Geld braucht.«

Polly starrte ihn lange an. »Tja«, meinte sie schließlich, »da bist du hier leider an der völlig falschen Adresse.«

KAPITEL 10

Während Polly ihm erst einmal eine Tasse Kaffee kochte, beruhigte sich der Mann ein bisschen. Er stellte sich als Bernard vor und erklärte ihr, dass er der Chef der Papageientaucherkolonie oben an der Nordküste, in der Nähe von Reubens Villa, war. Polly hatte schon zweimal versucht, Neil dort auszuwildern, was aber zu ihrer großen Erleichterung jedes Mal in die Hose gegangen war.

Es hatte sich herausgestellt, dass Neil einfach kein großer Fan des Lebens in der freien Wildbahn war, obwohl er beim letzten Mal wenigstens mit Celeste zurückgekehrt war.

»Wir haben es gerade erfahren«, sagte Bernard nun und schüttelte verzweifelt den Kopf. »Kara hat es mir gesagt.«

Polly erinnerte sich noch gut an die patente junge Neuseeländerin, die ihr bei beiden Auswilderungsversuchen mit Neil geholfen hatte. »Was denn?«, fragte sie nun.

»Die kürzen uns die Mittel«, erklärte der Australier, »weil die Regierung sparen muss. Offenbar haben Papageientaucher in unserer Kultur der Knappheit einfach keine Priorität.«

»Was?« Polly war zutiefst schockiert.

»Ich weiß«, seufzte Bernard. »Und wusstest du, dass es sich bei Papageientauchern um eine gefährdete Art handelt?«

»Wie jetzt, gefährdet?«, mischte sich Selina ins Gespräch

105

ein. »Ich dachte, ihr hättet da oben zwei Millionen oder so von denen.«

»Schon«, nickte Bernard, »aber es werden immer weniger. Das liegt an der Erwärmung des Ozeans.«

»So kam mir das heute Morgen aber nicht vor«, murmelte Selina und schaute nach draußen, wo der Wind immer noch heftig blies.

»Ja, aber das hat doch mit dem Wetter hier in der Gegend überhaupt nichts zu tun!«, entgegnete der Australier plötzlich aufbrausend.

»Oh«, säuselte Selina, »du hast Kampfgeist, das mag ich.«

»Aber was ist denn mit den Schulausflügen?«, fragte Polly. »Ihr habt doch ständig Schülergruppen da, oder?«

»Nein. Im Bereich Erziehung wird das Geld auch knapp, deshalb ist es damit jetzt vorbei. Außerdem interessiert so etwas die Kinder heutzutage auch gar nicht mehr. Die kann man höchstens noch mit Laser Quest locken, oder ...« Plötzlich sah er aus, als würde er gleich in Tränen ausbrechen. »Ganz in der Nähe gibt es eine Falknerei«, fügte er tief getroffen hinzu, »mit einer Raubvogelshow. Da kann man Habichte streicheln und Falken fliegen lassen.«

»Oh«, entfuhr es Polly, »das hört sich ja ... Ich meine, das klingt nun wirklich nicht so interessant wie das, was Papageientaucher so machen.«

»Aber Papageientaucher machen ja nichts«, entgegnete Bernard bitter. »Denen kann man keine Tricks beibringen. Na ja, mal abgesehen davon, dass sie mit vierzig Stundenkilometer schwimmen und sogar noch doppelt so schnell fliegen können. Außerdem haben sie das beste Schub-Gewicht-Verhältnis unter fast allen Lebewesen und suchen sich einen Partner fürs Leben und –«

»Du weißt aber viel über Papageientaucher«, staunte Selina. »Pass lieber auf, das mag Polly nämlich bei Männern.«

Aber Bernard schien sie gar nicht zu hören.

»Ich meine, nur weil ich keine … Stunt-Papageientaucher habe.«

Jetzt erklang wieder die Glocke an der Tür, und Huckle kam herein. Eigentlich hatte er ja auf ein gemeinsames Mittagessen mit Polly gehofft, diese Hoffnung schwand aber, als er ihren Gesichtsausdruck sah. Huckle hatte Neil im Schlepptau. Weil im Leuchtturm das Feuer im Ofen ausgegangen war, hatte der sich nämlich überlegt, dass er genauso gut mal eine Runde drehen konnte. Als der kleine Vogel Polly sah, fiepte er laut und tapste zur Theke. Dann flatterte er nach und nach bis zu ihrer Schulter hoch, für richtiges Fliegen war er nämlich zu faul und langsam auch zu fett. Schließlich schmiegte er sich liebevoll an Pollys Haar, bis die junge Bäckerin irgendwann nachgab und ihm geistesabwesend den Kopf kraulte.

»Ja!«, rief Bernard. »Genau! So was in der Art brauche ich! Wie hast du ihm das bloß beigebracht?«

»Hab ich gar nicht«, antwortete Polly überrascht. »Das tut er einfach von sich aus.«

Ohne darüber nachzudenken, reichte sie Neil einen Briochekrümel aus ihrer Schürzentasche, den er fröhlich verspeiste, bevor er sich wieder gegen ihr Haar lehnte.

»Da haben wir's ja! Aber wie trainieren wir jetzt die ganze Kolonie?«

»Was willst du denn damit sagen?«

Er schaute sie aus blauen Augen an. »Du willst doch auch nicht, dass die Vogelstation zumacht, oder?«, fragte er.

»Natürlich nicht.«

»Ich meine, das würde vermutlich das Ende für die Papageientaucher in Cornwall bedeuten.«

»Aber ... das wäre ja schrecklich«, stammelte Polly, und diese Worte kamen von Herzen.

»Und deshalb brauchen wir eben eine Attraktion, einen Star.«

»AUF KEINEN FALL!«, platzte es da aus Polly heraus.

»Super!«, jubelte Huckle. »Das musst du von jetzt an öfter sagen. Probier es doch gleich noch einmal!«

Polly würdigte ihn kaum eines Blickes.

»Ich meine, dein Vogel könnte für uns das Ruder noch einmal herumreißen«, verteidigte sich Bernard matt.

Neil fiepte und rückte noch näher an Polly heran.

»Hey, Polly, sollen wir Neil besser mal in Sicherheit bringen?«, fragte Huckle.

»Ja«, sagte Selina. »Ich kann so lange hierbleiben und auf Bernard aufpassen. Das macht wirklich keine Umstände.«

»Jayden kommt auch gleich zurück«, erklärte Polly und warf Bernard im Vorbeigehen einen finsteren Blick zu. »Neil kriegt ihr nicht«, bekräftigte sie noch einmal.

Irgendwie wurde dieser Tag nicht besser, sondern nur noch schlimmer, als Jayden in diesem Moment hereinkam. Eigentlich wollte Polly ja gerade gehen, ihr Angestellter nahm sie jedoch mit tiefroten Wangen einen Moment zur Seite.

»Äh, kann ich vielleicht kurz mit dir reden?«

Polly schaute ihn an. »Na klar.«

Er rieb sich den Nacken. »Hm, ich wollte dich fragen ... ob ich vielleicht eine Gehaltserhöhung bekommen könnte.«

Polly blinzelte. Sie verdienten hier in der Bäckerei beide das absolute Minimum. Allerdings plante Polly, im Sommer die

Preise ein wenig zu erhöhen. Die Touristen, die vom Festland herüberkamen, hatten schließlich genug Geld und Lust, es auszugeben. Außerdem versicherten ihr viele, die ihre köstlichen, frischen Produkte probiert hatten, dass sie ihre Backwaren in London, Brighton oder Cardiff viel teurer verkaufen könnte.

Das Problem war vielmehr das Einkommen oder die Pension, mit der die Leute hier aus der Gegend klarkommen mussten. Die Fischer arbeiteten für ihren winzigen Lohn zum Beispiel härter als alle, die Polly sonst so kannte, und fanden trotzdem noch irgendwie Zeit, Schichten für die Royal National Lifeboat Institution zu übernehmen. Und Polly konnte ihren Kunden leider nicht je nach Herkunft etwas anderes berechnen, das war illegal. Aber sie weigerte sich auch, etwas anderes als das qualitativ hochwertigste Mehl zu verwenden. Auch für ihre Croissants und Kuchen nahm die junge Bäckerin nur die Butter hier aus der Gegend. Man bekam wieder raus, was man reinsteckte, deshalb benutzte Polly eben nur die besten Zutaten. Aber dies hieß leider auch, dass am Ende nur wenig für sie übrig blieb.

»Oh, Jayden«, murmelte sie deshalb mutlos.

Jayden nickte. »Ich weiß, ich weiß.« Sein Gehalt hier in der Bäckerei war höher als das, was er einst beim Fischen bekommen hatte, und die Umstände waren natürlich viel angenehmer.

»Was ist denn los?«, fragte Polly.

Jayden errötete sogar noch heftiger, falls das überhaupt möglich war. »Äh, es ist nur ... Flora ist ja bald mit dem College fertig. Und ich hab mir überlegt ... dass ich ihr vielleicht einen Antrag mache.«

Die letzten Worte hatte er ganz leise gemurmelt, als sei es ihm selbst Polly gegenüber peinlich, es laut auszusprechen.

»O mein Gott! Jayden! Aber sie ist doch erst einundzwanzig und du dreiundzwanzig!«

Jetzt schaute Jayden sie verwirrt an. »Ja, schon, aber damit sind wir älter als meine Eltern bei ihrer Hochzeit. Älter als Archie bei seiner.«

Polly dachte an den stets so müde aussehenden Kapitän der Trochilus, der schon allein durch seine drei kleinen Kinder älter wirkte, als er wirklich war.

»Ja, okay. Aber, Jayden ... Du siehst doch selbst, was wir hier jeden Tag einnehmen.«

Ihr Mitarbeiter nickte.

»Schon klar. Ich ... Es war ja nur so eine Idee. Weißt du, Flora wird natürlich arbeiten, und ich hab mir überlegt ... dass es jetzt an der Zeit ist, endlich ernst zu machen.«

»Wollt ihr denn hierbleiben?«, fragte Polly.

»Ja, das würde ich schon gerne«, sagte Jayden. »Aber wir werden sehen. Erst einmal müssten wir uns nach einem Haus umsehen ...«

Polly nickte, das verstand sie. Jayden wohnte noch bei seiner Mutter, aber eines Tages würde er natürlich etwas Eigenes wollen.

Irgendwie kam es der jungen Bäckerin vor, als würden alle anderen im Leben fröhlich nach vorne sehen, während sie selbst lieber gar nichts ändern wollte und gegen ihren Willen mitgerissen wurde. Einen der Gründe für diesen Eindruck kannte sie durchaus, aber dadurch ging es ihr auch nicht besser.

»Es geht einfach nicht, zumindest im Moment nicht. Lass uns doch mal gucken, wie es läuft, wenn sich Flora wieder um den anderen Laden kümmert und wir vielleicht vom Bulli aus Eis verkaufen.«

Jayden zuckte mit den Achseln und ging dann nach hinten in die Backstube, um energisch Krümel zusammenzufegen und den Raum wieder in einen tadellosen Zustand zu versetzen. Er war wirklich ein toller Mitarbeiter, und Polly hätte sein Gehalt ja nur zu gerne ordentlich erhöht. Jetzt kam sie sich wie eine schlechte Chefin vor – und einfach generell wie ein schlechter Mensch. Dass Jayden sich nicht einmal beschwerte, machte alles nur noch schlimmer.

Als Huckle und sie die Bäckerei dann endlich verließen, war Polly furchtbar frustriert. Deshalb ging Huckle mit ihr direkt in den Red Lion und bestellte ihr erst einmal einen heißen Grog. In der Kneipe flackerte ein Feuerchen im Kamin, und daneben spielten ein paar schläfrige Fischer Domino, die erst in der Nacht wieder rausfahren würden.

Es gab im Pub keine Jukebox, da die meisten Leute aus der Gegend bei einem Bierchen gern selbst mal ein oder zwei Lieder zum Besten gaben.

Deshalb erklang jetzt nur das Ticken der großen, mit Stechpalmen verzierten Schiffsuhr auf dem Kaminsims, und von Zeit zu Zeit hörte man Garbo schnaufen, den riesigen zotteligen Lurcher der Kneipe. Erstaunlicherweise schien er mit seiner Ernährung aus Fish and Chips und dem gelegentlichen Auflecken von verschüttetem Bier prächtig zu gedeihen. Polly erinnerte er ja mehr an ein Pony als an einen Hund. Heute lag er vor dem Feuer ausgestreckt da und zuckte mit den Pfoten, als würde er Kaninchen – oder bei seiner Größe vielleicht eher Gazellen – durch eine Traumlandschaft jagen.

»Was ist denn eigentlich los?«, wollte Huckle jetzt wissen.

Polly stöhnte auf. »Es tut mir ja so leid. Irgendwie ist plötzlich alles … so ein absoluter Mist.«

Dann schielte sie zu ihm hoch und begann, ihm von ihrem Tag zu erzählen.

Huckle versuchte, sich an eine Zeit zu erinnern, als für ihn nur wichtig gewesen war, ob die Stockmutter auch genug Nachkommen für das Bienenvolk produzierte und ob er eigentlich genug ausgekochte Gläser für den Honig hatte.

»Das ist ja schrecklich, mein Schatz«, sagte er, als Polly fertig war.

»Glaubst du, dass Reuben vielleicht die Papageientaucherstation finanziell unterstützen würde?«

»Was?«

»Glaubst du, dass Reuben vielleicht die Papageientaucherstation finanziell unterstützen würde?«, wiederholte Polly. »Ich meine, die Leute da verlieren jetzt ihre Arbeit, und dann kümmert sich niemand mehr um die Vögel, und das Meer erhitzt sich, und dann STERBEN ALLE PAPAGEIENTAUCHER!«

Sie sah ziemlich aufgewühlt aus, als würde sie gleich zu heulen anfangen. Insgeheim schwor sich Huckle, ihr nie wieder einen Grog auszugeben. »Hör mal, du bürdest dir da wirklich zu viel auf, das sag ich doch schon seit Langem. Jetzt beruhig dich bitte erst mal. Und Weihnachten nehmen wir uns frei, damit hat es sich!«

KAPITEL 11

An diesem Wochenende bestand Huckle darauf, einen Spaziergang mit Polly zu machen, die schon seit vier Wochen nicht mehr bei Tageslicht draußen gewesen war. Außerdem war so ein Fußmarsch das Beste, um einen klaren Kopf zu kriegen.

»Und Neil kann ein bisschen Bewegung wirklich gebrauchen«, fügte Huckle hinzu.

»Ich ja auch«, sagte Polly. Sie ging gerne mit raus, vor allem, weil am Ende des Wegs bestimmt eine Teestube auf sie wartete. Oder vielleicht ein Pub.

»Nein, du bist schon genau richtig, nur dieser Papageientaucher ist viel zu fett.« Mit einem verlegenen Hüsteln warf Huckle einen Blick auf sein Handy. »Kann Reuben auch mitkommen?«

»O nein!«, protestierte Polly. »Ich hab nämlich vor, kilometerlang über ihn und seine ganze Verwandtschaft herzuziehen.«

Es herrschte Schweigen, während Huckle etwas in sein Telefon eintippte. Dann guckte er hoch. »Ah, na ja, er kommt dann wohl doch.«

»Wir müssen ihm ja nicht sagen, wo wir hinwollen!«

»Ah«, machte Huckle wieder.

»HUCKLE!« Sie sah an sich hinunter.

»Wir haben uns doch schon die Pullis angezogen«, meinte Huckle.

»Hm«, knurrte Polly.

Feiner Dunst lag über dem Land, aber die Sonne war so gerade eben noch zu sehen. Über den Feldern verdichtete sich der Nebel, und Vögel flatterten auf der Suche nach Samen über der braunen Erde herum, während Schafe an frostbedecktem Gras herumknabberten. Der Himmel zeigte sich in einem diesigen Rosa. Weil die Tage jetzt am kürzesten waren und sich nicht mehr besonders anstrengten, musste man losziehen und das schöne Wetter nutzen, solange es anhielt. Sonst kamen schnell wieder Wind und Regen auf, und man saß zu Hause fest.

Huckle und Polly nahmen den Tintagel-Pfad im Norden, der sie hinaus auf die Landzunge führen würde. Hier in Cornwall konnte man eigentlich nie irgendwas machen, ohne dabei das Meer im Hintergrund zu haben. Sie würden ganz in der Nähe der Papageientaucherkolonie herauskommen, und Polly wollte dort nur mal kurz Hallo sagen, um zu sehen, wie die Dinge so standen. Für alle Fälle hatten sie Neil ein blaues Bändchen um den Fuß gebunden, falls er losziehen und mit alten Freunden spielen wollte. Nach Aktionen dieser Art schien ihm jedoch nicht der Sinn zu stehen, er lag nämlich äußerst zufrieden in seiner Papiertüte in Pollys Rucksack. Allerdings widersprach das dem ursprünglichen Anlass dieses Spaziergangs, schließlich hatten sie ja ihrem fetten Papageientaucher ein wenig Bewegung verschaffen wollen.

Aber das störte Polly nicht. Tief sog sie die kalte, erfrischende Winterluft in die Lungen, während sie versuchte, mit Huckles langen Schritten mitzuhalten. Jetzt musste sie sich eingestehen, dass doch mehr für den Winter sprach, als sie in letzter Zeit gedacht hatte. Oder zumindest für diesen Teil des Winters. Für den Februar hatte sie meistens nicht viel übrig. Und nach Weihnachten verbrachte man den Rest der Jahreszeit doch eigentlich nur damit, darauf zu warten, dass sie endlich vorbei war.

Aber mit Huckle an ihrer Seite, der seinen aschgrauen Schopf unter einer Wollmütze verbarg, war es hier draußen an der frischen Luft doch echt schön. Und angesichts der glitzernden Sonne auf den gefrorenen Feldern und der unter ihnen an den Klippen brechenden Wellen konnte Polly jetzt durchaus verstehen, warum manche Menschen den Winter als ihre liebste Jahreszeit bezeichneten.

»Ich find es toll, wenn auf deinen Wangen Rosen blühen«, lächelte Huckle. »Ehrlich gesagt hatte ich ganz vergessen, wie du im Freien aussiehst.«

»Ich auch«, sagte Polly. »Dabei ist es hier wirklich schön. Ich sollte öfter mal mit rauskommen.«

Wieder lächelte Huckle.

»Mir fehlt der Sommer auch. Wenn die Bienen wieder durch die Gegend summen, statt nur zu schlafen. Im Moment fühle ich mich wie ein Ersatzteil, das nutzlos herumliegt.«

»Aber ein sehr sexy Ersatzteil«, grinste Polly.

»Ich muss einfach mehr Geld verdienen. Deshalb sollte ich mich wirklich auf das Geschäft mit den Kosmetikerinnen konzentrieren. Im Ernst, in der Branche kann man gut Kohle machen.«

»Aber wer kümmert sich dann um Neil?«, fragte Polly. »Und um mich?«

Hand in Hand liefen sie weiter, bis ein brauner Terrier fröhlich auf sie zuhopste.

Huckle strich ihm über das raue Fell. »Hallo, mein Junge! Wie geht's denn so?«

Als der Hund begeistert mit dem Schwanz wedelte, schielte der Amerikaner zu Polly.

»Nein!«, rief Polly. »Nein, wir legen uns keinen Hund zu, auf keinen Fall! Neil würde einen Herzinfarkt kriegen.«

»Woher willst du das wissen?«

»Ich will es lieber nicht herausfinden.«

Nun erklang etwas, was ganz stark wie das Schnarchen eines kleinen Vogels klang. Der Terrier schnüffelte interessiert an Pollys Rucksack.

»Hey, weg da!«, rief sie. »Du scheinst ja ein wirklich netter Hund zu sein, aber Neil ist schon in genug Prügeleien geraten und kommt dabei meistens nicht sehr gut weg. Außerdem könnte ich mir durchaus vorstellen, dass du ihn vielleicht aus Versehen zum Mittagessen verspeist.«

Jetzt rannte der Hund mit seinen Besitzern weiter, ein paar Kindern, die in die entgegengesetzte Richtung unterwegs waren. Sie lachten und hüpften mit ihrem Haustier herum, dann kletterte der ältere Junge auf einen Baum und ließ sich kopfüber von einem Ast baumeln.

Huckle wurde wieder ganz still, und Polly schaute ihn bang an. Er spürte ihren Blick und guckte schnell in eine andere Richtung. Huckle wusste wirklich nicht, wo Pollys Problem lag, wollte sie zu einem klärenden Gespräch aber auch nicht zwingen. Für Drama hatte er generell nicht viel übrig. Aber manche Dinge waren eben schon wichtig.

Polly blinzelte, als das Lachen und Rufen der Kinder an ihr Ohr drang.

»Wir wohnen wirklich an dem perfekten Ort, um eine Familie zu gründen«, bemerkte Huckle sanft.

»Ja, vermutlich«, sagte sie ein wenig steif und war erleichtert, als sie am anderen Ende des Pfades jetzt Reuben und Kerensa entdeckte.

»HEY!«, rief ihr lauter Freund. »Wir wollten mal ausprobieren, ob ein Spaziergang meine schwangere, aber trotzdem superscharfe Frau vielleicht ein bisschen aufmuntert.«

Polly fühlte sich ganz furchtbar, als Kerensa sie mit zusammengepressten Lippen anlächelte. Sie selbst spürte ja schon eine erdrückende Last auf ihren Schultern, wie furchtbar musste das Geheimnis dann erst für Kerensa sein?

»Hey, Leute!«, rief die junge Bäckerin deshalb fröhlicher, als ihr eigentlich zumute war, und hakte sich bei Kerensa unter. »Na los, es sind nur noch drei Kilometer bis zum Pub mit dem besten Käse-Schinken-Toast in ganz Cornwall. Und ich kann das beurteilen, weil ich nämlich alle in unserer Grafschaft probiert habe.«

»Das sagst du nur, damit ich mich nicht so schlecht fühle, weil ich keinen heißen Apfelwein trinken darf«, knurrte Kerensa.

»Ich geb dir einen winzigen Schluck von meinem ab«, versprach Polly.

»O nein!«, schritt da Reuben ein. »Auf keinen Fall, du wirst meinem Kind keinen Schaden zufügen! Wir erwarten nämlich das tollste Baby aller Zeiten, und das soll nun wirklich nicht mit fetalem Alkoholsyndrom geboren werden. Käse solltest du übrigens auch nicht essen!«

»Führt der sich etwa die ganze Zeit so auf?«, erkundigte sich Polly. Das konnte sie ruhig offen vor Reuben sagen, der ein unglaublich dickes Fell hatte.

»Allerdings«, nickte Reuben. »Das tu ich alles für unser perfektes Baby!«

Heute drückte Kerensa ihm dafür keinen frechen Spruch rein, wie sie es sonst getan hätte. Stattdessen vergrub sie nur die Hände in den Taschen und stapfte weiter voran. Reuben schaute Huckle an und zog eine Augenbraue hoch.

Polly ließ die beiden auf dem nach all dem Regen und Wind matschigen, schlüpfrigen Pfad vorgehen und blieb mit Kerensa ein Stück zurück. Die zwei Männer da vor ihnen gaben ein witziges Duo ab: Huckle groß und breitschultrig mit seinem bedächtigen Nicken und Reuben, der mit wedelnden Armen wie ein Wasserfall zu reden schien.

»Und, wie läuft es?«, fragte Polly, obwohl die Körpersprache ihrer Freundin ja eigentlich alles sagte.

Kerensa schüttelte den Kopf. »Mir kommt es so vor, als hätte mir jemand eine wertvolle Glaskugel anvertraut und mir aufgetragen, gut darauf achtzugeben. Und ich hab es verbockt. Ich hab sie fallen lassen, sie ist zerbrochen und in tausend Stücke zersprungen. So etwas Dämliches, wie ich getan habe, kann man nie wiedergutmachen. Und irgendwann – es könnte an jedem erdenklichen Tag sein, vermutlich schon bald – wird Reuben zur Tür hereinspazieren, das Kind anschauen und alles begreifen. Dann werd ich alles kaputt gemacht haben. Ich werde mein tolles, perfektes Leben ruiniert haben, alles wird vorbei sein, und ich werd das Kind allein aufziehen müssen. Und dann werd ich diesen brillanten, klugen, witzigen, sexy Mann verloren haben, den ich wirklich über alles liebe ...« Sie schluchzte auf.

»Könntest du ihm ... die Geschichte nicht vielleicht erklären?«

»Und wie?«, jammerte Kerensa. »Wie sollte ich ihm das denn erklären? Mein Gott, Poll, ich wusste ja monatelang selbst nicht einmal, dass ich schwanger war. Ich hab mir ein-

fach was vorgemacht. Er war derjenige, der mich zum Frauenarzt geschleppt hat, weil sich meine Brüste irgendwie anders
angefühlt haben. Er war ja so aufgeregt ...«

Als sich die beiden Männer jetzt zu ihnen umdrehten,
bedeutete Polly ihnen mit einer Handbewegung weiterzu-
gehen. Sie legte Kerensa den Arm um die Schulter.

»Aber ganz sicher bist du doch nicht, oder?«, fragte sie.
»Könnte es vielleicht auch von ihm sein?«

Kerensa nickte. »Ja.« Sie schniefte.

»Aber warum hast du mir denn von alldem nichts erzählt?«

»Ach, sollte ich dich in deinem glücklichen, kleinen, perfekten Feenland stören, in dem sich alle ganz doll lieb haben?«

»Ich lebe doch in keinem perfekten Feenland!«, knurrte
Polly. »Stattdessen arbeite ich mir die Hände wund, bin völlig
pleite und ...« An dieser Stelle verstummte sie und musste
sich eingestehen, dass auch sie am liebsten in Tränen ausgebrochen wäre.

»Und was?«, fragte Kerensa.

»... und ich weiß nicht einmal, ob wir uns unter diesen
Umständen ein Baby leisten könnten.«

»O nein«, seufzte Kerensa, für die Geld nie ein Problem
gewesen war. »Oh, Poll, jetzt sei doch nicht albern. Ihr kommt
schon über die Runden.«

»Ja, viel mehr aber auch nicht«, stellte Polly klar. »Und
auch nur dann, wenn wir nichts kaufen und nicht ausgehen.
Und vor allem nicht versuchen, ein Kind zu bekommen, für
das ich dann meinen Job aufgeben müsste. Und wir dürfen
auf keinen Fall die Renovierung des riesigen Turms in Angriff
nehmen, den ich aus Versehen gekauft habe.«

»Deine Arbeit müsstest du doch nicht aufgeben«, fand

119

Kerensa. »Du könntest ja ein Bäckereibaby großziehen. Setz es einfach auf den Tresen und gib ihm ein Croissant zum Lutschen.«

»Meinst du wirklich, das könnte klappen?«

»Woher soll ich das wissen? Ich hab von Babys keine Ahnung.«

Sie schauten einander an und starrten dann auf Kerensas Babybauch.

»O Gott«, stöhnte Kerensa. »Wie haben wir es nur hingekriegt, alles so komplett zu versieben?«

Polly brach in Gelächter aus. »Wer weiß!«

»Wenigstens darfst du noch heißen Apfelwein trinken«, grummelte Kerensa finster.

Der kleine Pub am Wegesrand war absolut perfekt: gemütlich und warm, mit einem Kaminfeuer und leuchtenden Kupferradierungen an den Wänden. Und Polly wusste, dass für die getoasteten Sandwiches hier hausgemachtes Brot und Käse aus der Gegend benutzt wurden. Die beiden Paare belegten einen gemütlichen Vierertisch und wackelten mit den kalten Zehen. Wie Huckle ihr vorgeschlagen hatte, setzte sich Polly neben Reuben und beschloss, es endlich hinter sich zu bringen.

»Reuben«, sagte sie, »ich brauche Geld.«

»Hm, dann übernimm doch das Catering für das Finkel-Weihnachtsfest«, antwortete er ausdruckslos.

»Das will ich aber nicht«, entgegnete Polly.

»Tja, dann haben wir wohl ein Problem.«

»Hör mal, es ist ja gar nicht für mich, sondern für die Papageientaucherstation.«

»Für dieses stinkende Drecksloch?«

»Wie bitte?«

»Das liegt doch ganz bei uns in der Nähe an der Küste, und wenn der Wind in die falsche Richtung weht, treibt er den Fischgestank bis zu uns rüber. Hey, wieso denn? Steht die Kolonie etwa zum Verkauf?«

»Nein!«, antwortete Polly alarmiert. »Aber es gibt Probleme mit der Finanzierung.«

»Na, das sind ja tolle Neuigkeiten!«, fand Reuben.

»Nein, das sind ganz schreckliche Neuigkeiten, schließlich handelt es sich bei diesen Vögeln um eine gefährdete Art.«

»Das kann doch wohl nicht sein, da leben immerhin Millionen von den kleinen Mistviechern. Und die kacken mir mit Vergnügen den Strand voll.«

»Reuben, übertreib nicht so maßlos! Außerdem kann Neil dich hören.«

»Neil ist ja ganz in Ordnung, aber den Rest von der Bande soll meinetwegen die Katze holen. Hey, ich will noch eins von diesen Sandwiches mit geschmolzenem Käse. Diese Dinger sind der Wahnsinn! Bringen Sie mir noch eins!«

»Zwei sind auch nicht besser als eins«, meinte Polly, die seine Habgierigkeit ziemlich peinlich fand.

»Na, und ob!«, widersprach Reuben und rieb sich begeistert die Hände.

»Im Ernst. Könntest du nicht eventuell was spenden, um das Zentrum zu retten?«

»Nein, aber vielleicht sollte ich denen ein Kaufangebot machen. Da oben könnte ich mir eine tolle Sommerresidenz bauen.«

»Zwei Kilometer entfernt von deinem Wohnhaus?«

»Das wäre genau die richtige Distanz für meine Eltern«, fand Reuben. »Obwohl ich sie dann wahrscheinlich immer noch hören würde. Aber so hätte ich auf jeden Fall beide Strände. Mensch, ja, ich sehe das schon direkt vor mir!«

»Neeeiiin«, ächzte Polly. »Huckle, sag doch auch mal was.«

»Nach all den Jahren Freundschaft zu Reuben versuche ich nun wirklich nicht mehr, ihm irgendetwas ein- oder auszureden.«

»Du könntest auch das Gelände kaufen und die Papageientaucherkolonie mit all den Vögeln irgendwo anders unterbringen«, überlegte Polly.

»Was denn, und damit anderen Leuten den Strand versauen? Nee, lass mal, das würde uns das Leben ruinieren, weil wir dann fünfundneunzig Jahre vor Gericht stehen würden.«

Jetzt wurde Reubens zweites Sandwich gebracht, über das er sich genüsslich hermachte. »Siehst du? Eins ist gut, aber zwei sind besser.«

»Reuben!«, knurrte Polly fassungslos.

»Was denn?«, fragte der Millionär. »Ich feiere doch nur, dass ich diese stinkenden Biester bald loswerde.«

Als sie schließlich mit dem Mittagessen fertig waren, wurde es draußen schon dunkel. Nach dem Papageientauchergespräch redete eigentlich niemand mehr mit Reuben, deshalb verabschiedeten sie sich schweigend voneinander. Polly drückte Kerensa ganz lange, und dann machten sie sich über den Pfad an den Klippen auf den Rückweg. Huckle schaute Polly besorgt an. Als sie schließlich an der Papageientaucherkolonie vorbeikamen, gingen sie ohne ein Wort zum Eingang.

Die Mitarbeiter dort wollten gerade Feierabend machen. Bernie und Kara drehten ihre Runde, überprüften den Wasserstand und die Zäune, mit denen die Vögel vor der lokalen Fauna geschützt werden sollten.

»Hey«, sagte Bernard.

»Hallöchen, sehe ich da etwa Neil?«, fragte Kara. »Hallo, kleiner Mann!«

Neil war auf Pollys Schulter gehopst und schien diesen Ort wiedererkannt zu haben. Er drehte fröhlich eine Runde über dem Areal, kehrte dann aber zu seinem Aussichtspunkt zurück. Falls Polly womöglich auf die Idee kommen sollte, ihn wieder mal hierzulassen, rieb er sich liebevoll an ihrem Nacken.

»Keine Sorge«, sie tätschelte ihn beruhigend. »Du gehst nirgendwohin und bleibst jetzt schön bei mir.«

»Iep«, fiepte der kleine Papageientaucher.

»Wie läuft's denn so?«, fragte Polly nun Bernard, aber der schaute sie nur finster an. »Wir wollen es mal mit Weihnachtsfeiern versuchen«, erklärte er. »Vielleicht würden ja Firmen für ihre Events hier rauskommen.«

»Um sich hier draußen Vögel auf dem Meer anzuschauen?«

»Ja, wegen Weihnachten und so.«

»In der Dunkelheit und Kälte?«

»Wir haben doch auch ein Café.«

Sie hatten ein grauenhaftes Café, in dem unter Neonröhren fettige, kalte Fish and Chips an Schulklassen verkauft wurden. Polly schaute zu dem Gebäude.

»Hm«, machte sie. Dann guckte sie Huckle an und Huckle sie.

Das Lokal an sich war gar nicht schlecht. Es hatte klassische Proportionen und große Fenster, durch die man das Meer und die Klippen und die Vögel sah, die hier überall ihre Runden drehten.

Das laminierte Mobiliar war allerdings scheußlich. Polly fragte sich, wie das Lokal wohl mit langen Bänken und Tischen aus rustikalem Holz aussehen würde, an denen frische Backwaren verspeist wurden und ...

Sie schüttelte den Kopf. Nein, das war doch lächerlich, sie wollte ja gar nicht expandieren. Ehrlich gesagt konnte sie das auch nicht.

Aber dann dachte sie an Flora, die bald ihren Patisserie-Kurs abschließen würde, und an die vielen jungen Arbeitslosen hier in Cornwall. Sie stieß einen tiefen Seufzer aus und schüttelte sich einmal innerlich. Dabei spürte sie die ganze Zeit Huckles prüfenden Blick.

»Wie viel Geld«, fragte sie nun Bernard, »würdet ihr denn brauchen, um erst einmal weiterzumachen? Vielleicht könnten wir uns die Sache später noch einmal angucken, im Sommer.«

Bernard sah einen Moment lang fassungslos und dann erleichtert aus. Jetzt begann Polly zu befürchten, dass er sie vielleicht für reich halten könnte. Das dachten die Leute wegen der Bäckerei manchmal. Die junge Frau kaute auf ihrer Lippe herum.

Bernard nannte ihr eine Summe. »Damit würden wir bis zum Sommer klarkommen«, erklärte er zaghaft. »Und während der Urlaubssaison kommt dann hoffentlich auch wieder ein bisschen Geld rein. Vor allem, wenn wir uns einen neuen Caterer suchen ...«

Polly blinzelte. Das war wirklich, wirklich viel Geld.

Sie schaute sich auf dem leeren Gelände um, über dem inzwischen der Mond zu sehen war. Um diese Jahreszeit hing er tief am Himmel, und sein Licht glitzerte an diesem kalten, klaren Abend auf dem Wasser. Unter den Sternen, die langsam zu blinken begannen, konnte Polly Vögel über dem Wasser hin und her schwirren und tänzeln sehen. Die kleinen Kerlchen

sausten durch die Luft, stürzten sich in die Wellen und stör-
ten sich mit ihrem dicken, gut gefetteten Gefieder gar nicht
an der Kälte. Oben auf den Klippen bedeckten Nester jede
nur verfügbare Oberfläche, Tausende von Vögeln waren zu-
sammengerückt, schnatterten oder machten sich gemeinsam
auf die Jagd nach Fisch. Ihre lustig staksenden Küken erinnerten Polly immer an Kleinkinder in Gummistiefeln. Nach
einem weiteren tiefen Seufzer zog sie ihr Handy hervor.

»Was machst du denn da?«, fragte Huckle.

»Ich schicke Reuben einen Kostenvoranschlag für meine
Cateringdienste an Weihnachten«, erklärte Polly.

Huckle las über ihre Schulter hinweg mit. Als Polly die
exakte Summe eintippte, die Bernard genannt hatte, nahm er
ihr das Handy weg und rundete die Zahl auf.

»Was soll das denn?«, fragte Polly.

»So springt für uns vielleicht noch ein Urlaub mit raus.«
Huckle küsste sie. »Meine Güte, wenn du dir erst einmal
etwas in den Kopf gesetzt hast, dann bringt dich aber auch
wirklich nichts davon ab, oder?«

»Nein, aber danke für dein Verständnis«, murmelte Polly
und schmiegte sich an ihn. »Ich hab dich gar nicht verdient.«

»Da hast du recht, trotzdem bin ich hier. Und jetzt muss
ich wohl irgendwie damit klarkommen, dass meine ohnehin
schon viel zu beschäftigte Verlobte gerade noch einen riesigen
Auftrag zusätzlich angenommen hat.«

»Sieh es doch mal von der positiven Seite. Wenn du für
mich den Küchenjungen spielst, musst du nicht die ganze
Zeit mit Reubens Eltern reden.«

KAPITEL 12

Die nächsten paar Tage vergingen wie im Flug. Polly stellte vorübergehend Selina wieder ein, die zwar oft abgelenkt war, aber durchaus kompetent, wenn sie sich denn mal konzentrierte. Mit allergrößter Sorgfalt zeigte Polly ihr nun Schritt für Schritt, wie man perfekte Brötchen, Croissants und anderes Gebäck herstellte. Die Vorbereitung übernahm sie dabei weitestgehend selbst und überließ den Verkauf ganz Jayden, der sich über jede Überstunde freute.

Er hatte immer noch vor, einen Verlobungsring für Flora zu kaufen, sobald sie vom College zurück war. Polly hielt die beiden zwar weiterhin für zu jung, sagte dazu aber nichts mehr. In gewisser Weise bewunderte sie Jayden sogar für seine Entschlossenheit. Sie selbst hatte im Moment nun wirklich keinen Nerv für etwas so Aufwendiges wie Hochzeitsvorbereitungen. Jayden war mit dieser Haltung auf ganz eigene Art und Weise beeindruckend.

Polly hatte im Hinterkopf, dass sie eigentlich auch noch ein Geschenk für Huckle kaufen musste, aber sie wusste gar nicht, wann oder wie. Online-Anbieter versandten normalerweise nichts nach Mount Polbearne oder höchstens mit heftigem Aufpreis, und dann würde sie sich auch noch das Genörgel von Dawson anhören müssen. Deshalb fuhr sie am besten persönlich in eine größere Stadt.

Schließlich gelang es ihr, sich einen Nachmittag freizunehmen und zusammen mit Kerensa in Exeter einkaufen zu gehen. Dabei konnte sie auch bei ihrer Mutter vorbeischauen.

Polly war sich natürlich dessen bewusst, dass ihre Familie seltsam war.

Ihre Freundin Kerensa war von ihrer Mutter Jackie allein großgezogen geworden, und das war eigentlich ganz gut gelaufen. Kerensa wusste, warum und wie ihr Dad die Familie verlassen hatte, und hatte ihn sogar von Zeit zu Zeit gesehen. Einfach war das nicht gewesen, aber es war nun mal, wie es war.

Aber so war das bei Polly nicht, stattdessen lag über allem eine Wolke aus geheimnisvollem Schweigen. Pollys Großeltern hatten noch gelebt, als sie klein gewesen war, und waren bei der Erwähnung ihres Vaters jedes Mal erstarrt. Polly hatte deshalb schnell gelernt, lieber keine Fragen mehr zu stellen, obwohl sie wirklich neugierig gewesen war.

Jackie hatte irgendwann wieder angefangen, sich zu verabreden, und schließlich hatten Kerensa und Polly als freche, kichernde Brautjungfern bei ihrer Hochzeit mit einem netten Kerl namens Nish fungiert.

Doreen hingegen hatte nie einen Neuanfang gewagt. Sie hatte ihre Eltern gepflegt, die schließlich beide in einem Zeitraum von sechs Monaten gestorben waren. Das hatte ihr lange als Erklärung dafür gedient, dass sie nie ausging, eigentlich keine Freunde hatte und auch ungern die von Polly bei sich zu Hause sehen wollte. Bei ihnen war es immer still und ruhig gewesen.

Im Haus hatte sich in der Zwischenzeit nicht viel verändert: An der Wand hingen immer noch dasselbe Kreuz und das Schulfoto der sechsjährigen Polly mit Zahnlücke und rotblondem Haar vor leuchtend blauem Hintergrund. Im Zeitschriftenständer neben dem Blümchensofa bewahrte ihre Mutter ordentlich die Fernsehzeitschriften auf, in denen sie ankreuzte, was sie interessierte.

Gerettet hatte Polly damals die Schule. In der Gegend gab es eine, die einst vor Hunderten von Jahren als Institution für Waisenkinder gegründet worden war. Inzwischen hatte sie sich in ein schickes Privatgymnasium verwandelt, nahm jedes Jahr als Stipendiaten aber immer noch an die fünfzig Kinder alleinerziehender Eltern auf. In der Grundschule hatte man vorgeschlagen, dass sich Polly dafür bewarb, und sie hatte die Aufnahmeprüfung bestanden.

Die Schule war ein hartes Pflaster gewesen, nicht nur wegen der hohen akademischen Ansprüche, sondern auch, weil hier viele kluge Kinder um die vordersten Ränge kämpften und mit spitzer Zunge getratscht wurde. Die Kluft zwischen zahlenden Schülern und elternlosen Stipendiaten war riesig, sozial unüberbrückbar.

Das war Polly allerdings egal, wie sie schon bald feststellte. Sie lernte nämlich nicht nur schnell Kerensa kennen, sondern fand unter den Stipendiaten auch noch andere Freunde, und ihre Gruppe hielt zusammen wie Pech und Schwefel.

Gemeinsam bedauerten sie die mutterlosen jungen Prinzen und betranken sich als Teenager am Mutter- und Vatertag zusammen bei irgendwem im Keller. Generell passten sie aber einfach gut aufeinander auf, weil sie alle etwas miterlebt hatten, was man keinem Kind wünschen würde.

Und deshalb waren ihre Freunde auch so schockiert gewesen, als Polly einfach die Flucht ergriffen hatte und nach Cornwall gezogen war. Zum Glück war Kerensa ja dann schließlich nachgekommen, sodass sie sich oft sahen. Gerade wegen ihres gemeinsamen Hintergrundes fand Polly ja so schrecklich, was im Moment passierte. Wenn Reuben von Kerensas Fehltritt erfuhr und entschied, dass er nichts mit dem Baby zu tun haben wollte, dann würde dieser Kreislauf wieder von vorne losgehen, den Kerensa und Polly doch so gerne durchbrechen wollten.

Und aus all diesen Gründen konnte sich Polly auch nicht zum nächsten Schritt mit Huckle entschließen.

Bei Pollys Mutter war die kleine rote Terrasse wie immer makellos sauber. Hinter dem Schutzgitter saß auf dem Fensterbrett Frosties, die pechschwarze Katze ihrer Mum, deren weiße Pfoten aussahen, als hätte man sie in Milch getaucht. Frosties schaute aufmerksam zu ihr, war aber kein besonders verschmustes Haustier. Polly fand ja, dass sich ihre Mutter – wie die alten Damen von Mount Polbearne – lieber ein kleines Hündchen zulegen sollte. Ihrer Meinung nach würde es ihrer Mutter guttun, wenn sich jemand über ihre Rückkehr nach Hause freuen, auf und ab hopsen und kläffen würde. Ein Hund, der ihr gern die Hand leckte und kuschelte, wäre doch genau das Richtige für sie. Frosties hingegen war meistens eher kühl und behandelte ihre Mum und den Rest der Welt mit beiläufiger Herablassung.

Pollys Mum hatte sich anders als Kerensas Mutter nie wieder mit Männern verabredet, dabei sah sie für ihr Alter wirklich gut aus. (Und selbst wenn es nicht so wäre, dachte Polly, fanden trotzdem noch jede Menge Leute spät im Leben einen Partner.) Doreens ganzes Dasein spielte sich in einem engen Radius ab, sie ging zur Kirche und kaufte in den Geschäften der Hauptstraße ein. Polly war sich nicht so sicher, ob es deshalb unbedingt ein schlechtes Leben sein musste, aber es war auf jeden Fall ein kleines Leben. Ihre Mutter hatte Angst vor einfach allem: vor dem Internet, dem öffentlichen Nahverkehr oder vor Menschen mit anderer Hautfarbe, eben allem. Polly und ihre Freunde hingegen hatten sich gegenseitig herausgefordert, hatten Wert darauf gelegt, ihren Horizont zu erweitern und zu reisen. Weil sie um die Vergänglichkeit der Dinge auf dieser Welt wussten, hatten sie sich mit aller Macht ins Leben gestürzt, statt ängstlich davor zurückzuweichen. Durch all das hatte sich eine tiefe Kluft zwischen Polly und ihrer Mutter aufgetan. Tatsächlich konnte Polly sie nicht einmal fragen, wie denn ihr Vater so gewesen war, weil ihre Mutter dann jedes Mal in Tränen ausbrach.

Und deshalb tat sie es lieber nicht.

Heute hatte Polly Kerensa bei John Lewis abgesetzt und schaute kurz bei ihrer Mutter vorbei, um ihr Hallo zu sagen und sie zur Weihnachtsfeier bei Reuben und Kerensa einzuladen. Natürlich lehnte Doreen sofort ab, und dann saßen die beiden einander schweigend gegenüber. Wie immer lag es Polly schwer auf der Seele, dass sie nicht miteinander sprachen, da es doch so viel zu sagen gab. Sie wollte ihrer Mutter tausend Fragen stellen: »Soll ich wirklich heiraten? Soll ich ein Kind bekommen? Ist es das überhaupt wert? Was meinst du? Werd ich das packen? Könnten wir es schaffen?«

Aber Doreen hatte zu solchen Themen offenbar nichts zu sagen, und Polly wusste nicht, wie sie all das ansprechen sollte.

KAPITEL 13

Es gab wohl nichts Übleres als einen Telefonanruf mitten in der Nacht.

Zunächst einmal war es nämlich eiskalt. Und dann war Polly die Einzige, die von so etwas wach wurde, weil Huckle natürlich daran gewöhnt war, dass sie zu den unmöglichsten Uhrzeiten aus dem Bett musste. Deshalb würde es überhaupt nichts bringen, wenn sie jetzt versuchte, ihn wach zu rütteln. Dabei war es statistisch doch am wahrscheinlichsten, dass da seine Eltern am Apparat waren, die mal wieder die Zeitverschiebung vergessen hatten.

Zu so unchristlicher Stunde löste ein Anruf allerdings auch Panik aus, und Polly konnte spüren, wie das Herz in ihrer Brust raste. Telefone sollten nicht mitten in der Nacht schrillen. Außer natürlich, man wartete auf irgendetwas Schönes, wie zum Beispiel auf die Geburt eines Kindes bei Freunden in Australien oder so. Aber das war bei Polly nicht der Fall.

Als sie versuchsweise erst einmal einen Fuß unter der Bettdecke hervorschob, stach die kalte Luft wie ein Messer. Polly hoffte nur, dass nicht wieder von innen Eisblumen an den Fenstern wuchsen. Da hatte Neil beim letzten Mal nämlich versucht, im Ofen zu schlafen.

Die junge Frau griff nach einem von Huckles riesigen Pullovern und schob die Füße schnell in ihre Ugg-Stiefel. Vom ästhetischen Standpunkt her war sie absolut gegen Uggs, vor allem, seit sie Fotos von Promis mit den Dingern an heißen Sommertagen am Strand gesehen hatte. Aber durch das kalte Cornwall-Wetter hatten sie sich dann doch irgendwie in ihr Leben geschlichen. Kerensa hatte nämlich sechs Paar gehabt und ihr eins davon abgetreten, weil sie wohl Mitleid mit der armen Verwandtschaft gehabt hatte. Man musste allerdings sagen, dass Kerensa in diesen Stiefeln mit ihren dünnen Beinchen auch ganz annehmbar aussah, während die Teile Pollys Meinung nach weniger gut zu Frauen mit Kurven passten.

Unter den gegebenen Umständen waren sie aber wirklich praktisch, fand sie nun, als sie in den Uggs die kalte Steintreppe hinunterlief. Sie rechnete immer damit, eines Tages mal daneben zu treten und den ganzen Weg nach unten zu purzeln. Aber tatsächlich kannte sie die Stufen, auf denen Generationen von Leuchtturmwärtern in ihren Stiefeln geduldig auf und ab marschiert waren, wie ihre Westentasche, jede ausgetretene Stelle, jeden fehlenden Rand.

Das Telefon hörte nicht auf zu klingeln. Vermutlich hat sich da einfach nur jemand verwählt, dachte Polly finster. Mit ihrer Mum war doch sicher alles in Ordnung, oder? Die hatte sie ja erst vor ein paar Tagen gesehen, und es würde ihr auch nie in den Sinn kommen, später als um neun ins Bett zu gehen. Außer natürlich, wenn *Inspector Barnaby* lief, eine Sendung, die Polly für ihre nervöse Mutter gar nicht passend fand. Allerdings ließ sich Doreen da nicht reinreden.

Pollys Telefon war ein altmodisches Gerät, das schon im Leuchtturm gehangen hatte, als sie ihn gekauft hatte. Früher hatte einer der riesigen Knöpfe eine direkte Verbindung zur RNLI ermöglicht, und der Apparat sah mit seinem Sechzigerjahre-Retro-Touch supercool aus, als hätte er zur Ausrüstung eines Spions gehört. Sein sonst so angenehmes tiefes Läuten hallte jetzt in Pollys Brust wider wie die Glocke des Schicksals.

Voller Beklemmung nahm sie den Hörer ab. »Hallo?«

Die Stimme am anderen Ende klang zittrig und nervös. Polly hoffte inständig, da hätte sich jemand verwählt und wollte eigentlich ein Taxi rufen, dann könnte sie nämlich schnell wieder ins Bett. Aber so war es nicht.

»Hallo ... spreche ich mit Polly Waterford?«

»Ja«, bestätigte Polly, während es ihr kalt den Rücken runterlief. »Wer ist denn da?«

»Ich heiße Carmel.«

Die Stimme war zittrig, aber tief. Dieser Name sagte Polly nichts.

»Ich ... Ich bin ... eine Freundin Ihres Vaters.«

Ihr Vater. Mit einem Mal fühlte sich Polly wieder wie ein kleines Mädchen. Sie dachte an Zeiten zurück, in denen sie ihre Mutter noch nach ihrem Vater gefragt und in der Schule Bilder von ihm gemalt hatte. Sie hatte immer nur zu hören bekommen, dass sie beide doch auch eine Familie wären. Doreen zufolge war das alles, was zählte, oder etwa nicht?

An dieser Stelle nickte Polly immer, um ihr zu zeigen, dass alles in Ordnung war. Ihre Mutter sollte sich bloß nicht zu sehr aufregen. Dann wechselte sie so schnell wie möglich das Thema, um die Harmonie ihres Zusammenlebens nicht zu stören, damit auf keinen Fall der Haussegen schief hing.

Als sie älter wurde, ging sie in solchen Situationen in die Küche und fing zu backen an. Dann knete und knuffte sie den Brotteig so heftig, dass ihre Knöchel ganz weiß wurden.

Polly wusste, dass ihre Eltern nur ganz kurz zusammen gewesen waren und dass ihr Vater den Kontakt noch vor ihrer Geburt abgebrochen hatte. Er zahlte ihrer Mutter Unterhalt, aber nur unter der Bedingung, dass sie sich nie wiedersahen, was ganz besonders an Polly nagte. Doreen hatte oft gesagt, dass sie sein blödes Geld gar nicht wollte, aber leider darauf angewiesen war.

Und das war alles, was Polly über ihren Vater wusste. Sie hatte keine Ahnung, wo er wohnte, wie er aussah oder wie seine Beziehung zu ihrer Mutter gewesen war. Sie hatte nie einen Brief oder ein Geschenk von ihm bekommen. Deshalb hatte sie immer angenommen, dass er einfach ein Hallodri gewesen war, der in die Stadt gekommen war und seinen Spaß gehabt hatte. Dann war er weitergezogen, ohne auch nur einen Gedanken an Polly und ihre Mutter zu verschwenden.

Als Polly älter wurde, fragte sie sich oft, warum ihre Mutter eigentlich nie einen anderen kennengelernt hatte. Doreen war bei Pollys Geburt erst zwanzig gewesen, hatte also genug Zeit gehabt, um noch einmal durchzustarten. Und so etwas war doch auch ganz normal. Polly hatte nicht den Eindruck gehabt, dass ihr Vater gewalttätig gewesen war, und sie wusste, dass ihre Eltern nicht verheiratet gewesen waren. Ihr kam es einfach so vor, als hätte sich ihre Mutter von dem gebrandmarkt gefühlt, was ihr als junger Frau zugestoßen war – dass sie von einem Mann schwanger geworden war, der dann nicht bei ihr geblieben war. Aber man hatte damals doch das Jahr 1984 geschrieben und nicht 1884!

Während ihrer Schulzeit hatte Polly miterlebt, wie die Väter oder Mütter etlicher Freunde wieder geheiratet oder zumindest einen neuen Partner gefunden hatten – manche sogar mehrmals –, gelegentlich mit haarsträubenden Folgen. Aber bei ihrer Mutter war es nicht so gewesen.

Als Teenager hatte Polly manchmal online nach ihrem Vater gesucht. Sie trug den Nachnamen ihrer Mutter, wusste allerdings, dass ihr Vater Tony Stephenson hieß. Aber jedes Mal, wenn sie einen möglichen Kandidaten gefunden hatte – von denen es einige gab, da der Name nicht besonders selten war –, hatte sie Panik bekommen und nicht weiter nachgehakt.

Polly war sich einfach nicht sicher gewesen, womit sie hätte rechnen müssen, was sie womöglich hätte herausfinden können. Was war denn, wenn er da draußen eine Familie hatte? Vielleicht sahen die ja alle aus wie sie, die liebte er aber und war bei ihnen geblieben. Wie würde sie sich dann fühlen? Und würden die überhaupt irgendwas mit ihr zu tun haben wollen? Hatte Polly über den Bankauszug hinaus irgendeine Bedeutung für ihren Vater? Dachte er vielleicht manchmal an sie? Oder war sie einfach nur das Ergebnis einer wilden Nacht, an die er sich kaum noch erinnerte? Immerhin war er jetzt ja sicher schwer beschäftigt mit all seinen anderen Kindern, mit denen er fröhlich Weihnachten rund ums Kaminfeuer feierte. Polly hockte derweil zu Hause mit ihrer Mutter, ihrer Großmutter und gelegentlich ihrem unbeholfenen Onkel Brian vor dem Fernseher und guckte BBC One, weil ihre Oma keinem anderen Programm über den Weg traute.

Die Schule war Polly wirklich eine große Hilfe gewesen. Dort hatte sie ja im Prinzip so tun können, als wäre ihr Vater tot, das war allen egal gewesen. Später hatte sie sich dann mit ihrem damaligen Freund Chris in das Abenteuer einer eigenen Firma gestürzt und war schließlich zu ihrer eigenen Überraschung hier draußen weit ab vom Schuss gelandet. Noch erstaunlicher war allerdings gewesen, dass es ihr tatsächlich gelang, ihren Lebensunterhalt hier mit etwas zu verdienen, was sie wirklich gern tat. Es war doch verrückt, dass so etwas

Simples wie das Brotbacken sie so furchtbar glücklich machen konnte! Die Geschehnisse der letzten Jahre hatten sie so sehr verändert, dass sie sich selbst kaum wiedererkannte. Und in letzter Zeit war sie dann so sehr damit beschäftigt gewesen, ihr eigenes Leben zu leben und eine selbstständige Erwachsene zu sein, dass ihr die ungeklärte Geschichte mit ihrem Vater irgendwann egal gewesen war. Aber wenn sie manchmal sah, wie ein Mann liebevoll seine Tochter hochhob und sie dann stolz auf den Schultern trug, dann spürte sie doch einen kleinen Stich. Aber das alles war eine viel zu alte Geschichte, um noch wirklich wehzutun. Jeder war anders – manche Menschen hatten zwei Eltern, manche fingen mit zweien an und verloren irgendwann ein Elternteil. Aber was man nie gehabt hatte, konnte man auch nicht verlieren, und Polly würde sich durch ihre Vaterlosigkeit nicht ihr Glück verderben lassen.

Na ja, das hatte sie zumindest gedacht, bis zu diesem Telefonanruf.

»Es tut mir leid«, sagte die Stimme nun, »es ist nur ... Ich fürchte, es geht ihm nicht gut. Und er hat nach Ihnen gefragt.«

Polly schluckte. »Wo wohnt mein Vater denn?«

»In Ivybridge.«

Das war in Devon, also gar nicht weit weg, im Prinzip gleich um die Ecke. Da war er also die ganze Zeit gewesen. Vielleicht hatte er sogar ihr Foto gesehen, als letztes Jahr ein Artikel in der *South West Post* gestanden hatte. Hatte er den womöglich gelesen und an sie gedacht?

»Jetzt ist er allerdings im Krankenhaus«, erklärte die zittrige Stimme. »Er liegt in Plymouth auf der Onkologiestation.«

Polly blinzelte. Plötzlich überrollte sie eine Welle von Emotionen, die sie zunächst gar nicht einordnen konnte. Und dann wurde es ihr klar: Es lag zwar auch Sorge und Traurigkeit darin, vor allem aber war es Wut. Wie konnte er es nur wagen, jetzt in ihr Leben zu treten und von ihr Gefühle einzufordern? Wie konnte er nur?

Am anderen Ende der Leitung herrschte Schweigen. Dann ertönte wieder die Stimme, die nett klang und einen gälischen Akzent hatte.

»Ich würde ... Ich bin sicher, er ... Polly, es tut mir so leid. Ich könnte es gut verstehen, wenn Sie nicht das geringste Interesse hätten.«

Pollys Zorn wurde immer größer.

»Wer sind Sie denn?«, fragte sie unvermittelt. Da spürte sie eine Bewegung hinter sich, und es legte ihr jemand die Hand auf die Schulter. Huckle schaute sie schläfrig an und wirkte verwirrt, als er ihren wütenden Gesichtsausdruck bemerkte. Polly drückte ihm die Hand, um ihm ohne Worte zu sagen, wie sehr sie sich über seinen Beistand freute, dann scheuchte sie ihn aber mit ernstem Blick zurück ins Bett.

»Ich ... ich bin seine Frau«, erklärte die Anruferin.

»Okay«, knurrte Polly, »Sie haben ihn also einfach geheiratet, ohne ihn wirklich zu kennen? Und ihm ist es auch nie in den Sinn gekommen, Ihnen die Wahrheit zu sagen, als er endlich erwachsen geworden ist? Ihnen von seiner Tochter zu erzählen? Auf die Idee ist er wohl nicht gekommen, was?«

»Nein, so ist das nicht ...« Ein Schluchzen unterbrach ihre Worte. »Wir sind schon seit fünfunddreißig Jahren verheiratet.«

Also zwei Jahre länger, als Polly am Leben war. Nun begriff sie endlich.

KAPITEL 14

Es war halb fünf Uhr morgens, und Polly wäre kurze Zeit später sowieso aufgestanden. Sie war hin- und hergerissen. Noch hatte sie ihre Mutter nicht angerufen, und auch sonst niemanden. Sie drückte einfach nur Huckle, der an ihrer Seite geblieben war, ganz fest und wünschte sich, ewig in seinen Armen bleiben zu können und niemals hier wegzumüssen. Huckles Wärme und sein wohliger Duft hüllten sie ein, und hier war für sie jetzt der sicherste Ort der Welt, der einzige, an dem sie nun sein wollte.

Polly lehnte den Kopf gegen sein goldenes Brusthaar und seufzte. Natürlich kannte Huckle die Geschichte von ihrem Dad, er wusste so viel wie sie selbst, was ja nicht viel war.

Huckles eigene Familie war in ihrer Liebe laut und überschwänglich und wirkte, abgesehen von seinem Bruder Dubose, einfach nett und ganz normal. Deshalb war Polly nicht sicher, ob ihr Freund sie verstehen würde. Es ging bei ihr ja nicht darum, einen Vater zu verlieren, jemanden, den man liebte. Stattdessen handelte es sich um das vielleicht merkwürdigste Gefühl der Welt: Auf einmal konnte Polly sicher sein, dass es da draußen jemanden gab, dem sie nie begegnet war, der aber Dinge mit ihr gemein hatte. Pollys rotblondes Haar kam zum Beispiel nicht von der Seite ihrer Mutter. Sie stammte zur Hälfte von einer Person ab, die sie gar nicht kannte.

Meistens verschwendete sie an ihren Vater ja keinen Gedanken, an manchen Tagen kam er ihr allerdings schon in den Sinn. Aber sie hatte kein großes Interesse daran gehabt, die fehlenden Teile des Puzzles zu finden. Einige ihrer Schulfreunde hatten früher mal ernsthaft Nachforschungen zu ihrer Familie angestellt, aber das hatte meistens zu Enttäuschungen geführt und den Elternteil aufgewühlt, der sie aufgezogen hatte. Und es war ja auch nicht so, als hätte Polly schöne Erinnerungen an ihren Vater. Er hatte einfach nur ihre Mutter geschwängert, das war alles gewesen.

Aber irgendwie hatte er sie jetzt gefunden – auch Huckle nahm an, dass er vermutlich im Vorjahr den Zeitungsartikel gesehen hatte. Eine nette Journalistin war damals vorbeigekommen, hatte Polly jede Menge Fragen über ihr Brot gestellt und es allen empfohlen, sodass sich die junge Bäckerin eine Woche lang fast wie ein Star gefühlt hatte.

Wahrscheinlich hatte Tony den Artikel entdeckt, so musste es wohl gewesen sein.

Polly legte die Stirn in Falten und schaute dann zu Huckle hoch. »Und, was meinst du? Sollte ich da hinfahren und ihn besuchen?«

Huckle zuckte mit den Achseln. »Das musst du selbst wissen.«

Inzwischen war auch Neil wach geworden, er lief die Arbeitsfläche entlang und hinterließ darauf mehlige Abdrücke. Dann sprang er Polly auf die Schulter, weil er wieder einmal instinktiv zu wissen schien, dass seine Besitzerin seinen Trost gut gebrauchen konnte.

»Sag doch so was nicht!«, rief Polly. »Ich will von dir hören, was ich tun soll, du sollst mir bei meiner Entscheidung helfen!«

»Okay – dann finde ich, dass du gehen solltest.«

»Ich will aber nicht! Der kennt mich doch überhaupt nicht, und er hat sich nie um mich geschert, mir nicht einmal eine Weihnachtskarte geschickt, nichts!«

»Gut, dann fahr halt nicht hin.«

»Aber das könnte vielleicht meine letzte Chance sein, den einzigen Vater zu treffen, den ich je haben werde.«

Huckle drückte Polly ganz fest, obwohl Neil ihm dabei seinen Fischatmen ins Gesicht blies.

»Okay, dann fahr eben.«

»Andererseits bin ich dem doch wirklich nichts schuldig! Weißt du, meine Mutter ist nie umgezogen. Er hätte doch gewusst, wo sie zu finden war. Ich glaube, deshalb hat sie sich da auch nicht wegbewegt. Aber er hat sich nicht ein einziges Mal blicken lassen …«

Huckle nickte.

»Ja, da hast du wohl recht. Dann fährst du da besser nicht hin.«

Polly rückte ein wenig von ihm ab. »Du bist mir gerade überhaupt keine Hilfe.«

»Ja, ich weiß.«

Polly atmete tief durch. »Okay«, sagte sie dann. »Ich weiß, was ich mache.«

»Willst du eine Münze werfen?«

»Nein«, entgegnete sie. »Ich setze mich jetzt in den Lieferwagen und fahre da hin. Wenn ich erst draußen vor dem Krankenhaus stehe, sehe ich die Dinge vielleicht klarer.«

»Du willst die Entscheidung also vor dir herschieben? Meinst du, das bringt was?«

»Keine Ahnung. Das überlege ich mir dann unterwegs. Am besten rufe ich direkt Jayden an und wecke ihn. Der schmeißt den Laden schon, und Selina könnte ihm zur Not auch noch helfen.«

Polly griff nach ihrem riesigen Parka.

»Darf ich dazu noch etwas sagen?«, fragte Huckle vorsichtig. »Falls du am Ende doch beschließen solltest, ihn zu besuchen, solltest du vielleicht nicht im Schlafanzug fahren. Obwohl das natürlich auch okay wäre, wenn du darauf bestehst.«

»Ach.« Polly sah an sich herab. »Du könntest recht haben.«

Während sie nach oben lief, um sich umzuziehen, suchte Huckle nach einem sauberen Hemd und wusch sich im Spülbecken.

»Was hast du denn vor?«, fragte sie, als sie herunterkam und ihn komplett angezogen vorfand.

»Ich bringe dich hin.«

»Wieso? Nein, das geht schon. Was ist denn, wenn ich mich doch dagegen entscheide? Dann hättest du wegen nichts und wieder nichts einen ganzen Tag verplempert.«

»Ja, okay, manch einen würde das vielleicht stören, aber meinetwegen kannst du deine Meinung ruhig wieder ändern. Mir gefällt nur die Vorstellung nicht, wie du grübelnd am Steuer sitzt. Das ist mir gar nicht recht.«

»Aber wenn du das Motorrad nimmst ...«

»Ich weiß, ich weiß.«

Neil liebte den Seitenwagen eben.

»Also, ich könnte meine Meinung immer noch ändern.«

»Tja, falls du sie nicht jetzt sofort änderst, müssten wir langsam mal los, die Flut kommt nämlich.«

Als sie über den tückischen Fahrdamm fuhren, war nur ein winziger heller Streifen am Horizont zu sehen. Tatsächlich

war es ja streng verboten, den Damm bei Nacht zu überqueren, daran hielt sich aber niemand. Huckle passte jedoch gut
auf, als er das alte Motorrad mit dem weinroten Sidecar vorsichtig über das Kopfsteinpflaster lenkte. Selbst unter der was-
serdichten Abdeckung war es im Beiwagen eiskalt, und Polly
zog die zu Fäusten geballten Hände in die Ärmel ihres Pullo-
vers. Unter dem altmodischen Helm wehte ihr rotblondes
Haar im Wind. Neil machte die Kälte natürlich nichts aus,
und Huckle konzentrierte sich viel zu sehr auf die rutschige,
tückische Straße unter ihnen, um zu fröensteln. Polly sank tiefer
in all die warmen Lagen, die sie anhatte, und schaute hinaus
in die Dämmerung, während sie die Bewegung der Räder unter sich und die Stille der Landschaft genoss. Völlig leer war
die Straße natürlich nicht. So früh am Morgen waren Bauern
mit ihren Traktoren unterwegs, Milchmänner, Postboten und
natürlich Bäcker. Hinter dem Motorrad flackerte regelmäßig
der Leuchtturm auf – dessen Licht Polly inzwischen kaum
noch bemerkte –, bis er schließlich erlosch, als der Morgen
komplett hereinbrach und sich der Himmel rosa verfärbte.

Es war zu laut, um eine Unterhaltung zu führen. Von Zeit
zu Zeit schaute Huckle jedoch prüfend zu Polly. Dann vermit-
telte sie ihm mit einem Blinzeln, dass alles in Ordnung war,
und er fuhr beruhigt weiter.

Aber ging es ihr wirklich gut? Reglos hockte sie im Beiwagen und versuchte zu ergründen, was sie tatsächlich empfand.
Hing das vielleicht alles irgendwie miteinander zusammen?,
fragte sie sich. Mauerte sie womöglich wegen ihrer Familien-
geschichte jedes Mal, wenn Huckle mit ihr über Kinder reden
wollte? Sie schob immer vor, dass sie zu arm waren oder zu
beschäftigt … Aber stimmte das überhaupt? Oder hatte es
vielmehr damit zu tun, dass Polly gar nicht wusste, wie man

Teil einer Familie war? Zumindest nicht Teil einer kompletten Familie. Sie hatte ja keine Ahnung, wie ein Vater eigentlich sein sollte.

Plötzlich überfiel sie wie aus dem Nichts eine üble Erinnerung. Zu jenem Zeitpunkt war sie noch klein gewesen, höchstens in die erste Klasse gegangen. Sie hatte damals ganz furchtbar für den Hausmeister ihrer Schule geschwärmt, und irgendwann hatte man ihr verboten, ihm hinterherzulaufen oder ihn zu umarmen. Selbst in jenem zarten Alter war es ihr unendlich peinlich gewesen, als die Schulleiterin mit ihrer Mutter gesprochen und mit freundlichen, aber deutlichen Worten dafür gesorgt hatte, dass so etwas nicht wieder passierte.

Das war doch sicher nichts anderes gewesen als die unterschwellige Sehnsucht nach einer Vaterfigur, überlegte sie jetzt.

Dann dachte sie an all die Sackgassen in ihrem Herzen, daran, wie oft sie Dinge aus ihrem Kopf verbannt, sich den Gedanken daran verboten hatte. Und hatte das etwa irgendwas geändert? Waren diese Themen damit erledigt gewesen? Nein, natürlich nicht. Nur, weil man über gewisse Fragen nicht mehr stundenlang nachgrübelte, hieß das nicht, dass sie verschwunden waren. Polly hatte die Auseinandersetzung damit nur immer weiter vor sich hergeschoben, einen Tag und dann noch einen und noch einen.

Aber jetzt war der Moment der Entscheidung gekommen.

Ihr wurde klar, dass sich ein Teil von ihr sogar geschmeichelt fühlte, als hätte sie am Ende recht behalten. Ja, er dachte an sie. Was auch immer er gesagt oder getan hatte, sosehr er sie auch ignoriert und den Kontakt vermieden hatte, am Ende war sie ihm doch wichtig. Unterschwellig hatte er an sie gedacht, sie hatte für ihn existiert.

Aber war das wirklich so wichtig? Inzwischen raste das Herz in Pollys Brust.

Sie musste ihn einfach sehen. Aber in was für einem Zustand würde sie ihn denn antreffen? Ob er überhaupt ansprechbar sein würde?

Und was würde ihre Mutter zu alldem sagen? Wie sollten sie nur dieses schreckliche Thema überwinden, das immer unausgesprochen blieb, sich aber dick und fett zwischen sie gedrängt hatte? Vielleicht würde Polly ihrer Mum nicht einmal davon erzählen. Aber würde das nicht einfach nur ein weiteres Geheimnis zu all den bisherigen hinzufügen? All diese unausgesprochenen Dinge zogen ihre kleine Familie jetzt schon so lange runter, und ihre Mutter war selbst nach so vielen Jahren tief in ihrem Herzen immer noch todtraurig.

Zum Glück konnte Huckle es nicht hören, als Polly schwer seufzte. Inzwischen zeigte sich die Sonne und kündigte einen wunderschönen englischen Wintertag an, als sie langsam über den frostbedeckten Feldern aufstieg. Vieh zog hinaus auf die Weide, aber weitestgehend ruhte die Arbeit auf den Bauernhöfen. Die Bauern legten in der dunkelsten, ruhigsten Zeit des Jahres eine Pause bei ihrer üblichen Plackerei ein, während alle auf Weihnachten warteten. So war es zumindest gedacht, und am Ende dieser Phase würde der Frühling dann mit all seiner Pracht über sie hereinbrechen. Das war doch wirklich schön.

Vielleicht sollte Polly mit Huckle einfach irgendwo anders hinfahren, die kalten Wellen an den Klippen brechen sehen und in einem stillen Hotel absteigen, das auch außerhalb der Saison aufhatte. Dort könnten sie sich vor ein flackerndes Kaminfeuer setzen und Scones essen. Um die Bäckerei kümmerte sich ja Jayden, und Huckle konnte man immer schnell davon überzeugen, einfach mal blauzumachen. Sie würden eben zu zweit einen schönen Tag verleben.

Aber wie sollte sie das bloß genießen, wenn sie doch an nichts anderes als das Auftauchen ihres Vaters denken konnte?

Sie fuhren weiter, bis sie die ersten geschäftigen Straßen am Rande von Plymouth erreichten, die bereits mit finster dreinblickenden Pendlern verstopft waren. *Was ist wohl schlimmer*, fragte sich Polly, *sich an einem schönen oder einem fiesen Tag auf den Weg zur Arbeit zu machen?* Darüber hatte sie sich nie Gedanken gemacht, wenn sie zu der Grafikdesign-Firma gefahren war, die sie zusammen mit Chris geleitet hatte. Verkehr, Parken, das ganze Theater – das war für Pendler eben normal. Inzwischen legte sie morgens mit einem Blech warmer Brötchen dreißig Meter über Kopfsteinpflaster zurück, das war ihr Weg zur Arbeit.

Polly betrachtete die genervten Autofahrer, die sich fast alle nach dem Motorrad umdrehten – es erregte eben Aufmerksamkeit, wo auch immer es auftauchte. Die angespannt über das Lenkrad gebeugten Menschen sahen durchweg gestresst aus, auf der Rückbank lärmten Schulkinder, Radios dudelten.

Es war schon komisch, überlegte Polly inmitten des Staus. Wenn sie an ihre Arbeit als Selbstständige dachte – an die langen Arbeitszeiten, den Papierkram, die Sorgen, die sie nachts wach hielten –, dann kam ihr eigentlich nie in den Sinn, dass sie sich den Weg zur Arbeit sparte. Dafür war sie jetzt wirklich dankbar.

Nach und nach rückten sie im Berufsverkehr vor und erreichten endlich das Krankenhaus. Als sie dort keinen freien Parkplatz fanden, fuhr Huckle mit dem Bike einfach auf einen Streifen Gras. Normalerweise störte sich an Motorrädern niemand, selbst wenn dieses so breit war wie ein schmales Auto.

Als Huckle den Motor abstellte, wurde die Welt auf einen Schlag stiller.

Polly begann zu zittern, und mit einem Mal wurde ihr richtig schlecht. Sie hätte wirklich was essen sollen. Oder hätte es das nur noch schlimmer gemacht? Huckle blinzelte. Manchmal fand Polly, dass selbst sein Blinzeln gütig wirkte.

»Also?«, fragte er mit seinem trägen, lang gezogenen Akzent, den sie so toll fand. »Was meinst du?«

Polly saß da und rührte sich nicht. Für Huckle gab es keine Notwendigkeit, die Stille auszufüllen oder ihr jetzt darzulegen, was er an ihrer Stelle machen würde. Er war glücklich und zufrieden damit, entweder hier auf sie zu warten oder sie zu begleiten, was auch immer sie wollte. Wenn sie ihm von ihrer Idee erzählt hätte, sich vielleicht einfach den Tag freizunehmen, würde ihm das von allen Möglichkeiten aber sicher am besten gefallen.

Irgendwann schaute Polly dann mit bleicher, angespannter Miene zu ihm hoch. »Wir sind ... Ich meine ... Ich würde sagen, wenn wir schon mal hier sind.«

Huckle zuckte mit den Achseln. »Mir ist das ganz egal.«

»Aber ich weiß gar nicht ... Keine Ahnung, was jetzt von mir erwartet wird. Ich weiß nicht, was ich in dieser Situation fühlen soll. Vor vier Stunden wusste ich ja noch nicht einmal, dass ich einen Vater hatte, oder er hat zumindest keine Rolle gespielt. Vor drei Stunden hatte ich noch ein glückliches Leben.«

»Das hört man doch gerne.« Huckle war so freundlich, ihre Frustration wegen Weihnachten oder der Papageientaucherkolonie nicht zu erwähnen.

»Aber jetzt ... Ich meine, plötzlich ist alles durcheinandergeschüttelt worden.«

»Iep«, machte Neil.

»Danke«, sagte Polly.

Huckle versuchte, nicht mit den Augen zu rollen.

Dann stieg Polly ganz steif aus dem Beiwagen, was gar nicht so einfach war. Sie streckte die Beine aus.

»Also?«, fragte Huckle.

»Also, wer nicht wagt ...«

»Du bist wirklich mutig.«

»Ich bin eine Idiotin.«

»Soll ich vielleicht mitkommen?«, schlug er vor.

»Ja. Nein. Ja. Nein.«

»Fang bitte nicht schon wieder damit an.«

Polly seufzte tief. »Ich glaube, dem will ich mich lieber allein stellen. Falls gleich alles komplett schiefgeht.«

»Okay«, nickte Huckle. »Oh«, meinte er dann. »Hör mal, das ist jetzt vielleicht nicht der beste Zeitpunkt, aber ... Ich hab was für dich gekauft, na ja, eigentlich war ich dir den ja sowieso noch schuldig. Den hat Selina für mich gemacht, na ja, für dich. Für uns.«

Polly hob die Augenbrauen. »Was meinst du?«

Huckle reichte ihr eine kleine Schachtel.

»Eigentlich war der ja für Weihnachten gedacht, aber so lange will ich jetzt nicht mehr warten.«

»Wann hast du dir das denn überlegt?«, erkundigte sich Polly.

»Vor fünf Minuten«, erklärte Huckle. »Als du keine Entscheidung treffen konntest, hab ich eben einen Entschluss gefasst.«

Polly griff nach der Schachtel und machte sie vorsichtig auf.

Darin lag ein wunderschöner Verlobungsring aus Silber. Die

Oberfläche des Metalls war so bearbeitet worden, dass es wie Seegras aussah, so wie der Ring, mit dem Huckle Polly einst den Antrag gemacht hatte. Das Schmuckstück war ein bisschen verrückt und wunderschön und passte einfach perfekt zu ihnen. Polly liebte es jetzt schon mehr als alles andere auf dieser Welt.

»Oh«, entfuhr es ihr, als sie den Ring an ihren Finger steckte. Er passte perfekt. »Der ist absoluter Wahnsinn!«

»Und er passt gut zu ... na ja, was auch immer das ist, was du da anhast.« Polly hatte sich in aller Eile das Erstbeste angezogen.

Mit Tränen in den Augen starrte sie den Ring an. »Du bist Teil meines Lebens. Sogar der wichtigste Teil. Vielleicht solltest du ja doch mitkommen.«

»Was ich am meisten an dir liebe«, witzelte Huckle, »ist deine Entschlussfreudigkeit.«

Polly lächelte nicht, sondern starrte nur kopfschüttelnd weiter den Ring an. Dann sagte sie schließlich: »Okay, dann warte am besten hier. Pass gut auf Neil auf, und ich rufe dich an, wenn ich dich brauche.«

Huckle zog sie an sich heran, und sie vergrub ein letztes Mal das Gesicht an seiner Brust.

»Bist du sicher?«

Sie nickte und zwang sich zu einem matten Lächeln.

»Und wenn ich gleich rauskomme und ›TRITT AUFS GAS!‹ schreie, dann fliehen wir in Richtung Grenze, okay?«

»Okay!« Huckle hob grinsend den Daumen.

Er sah ihr hinterher, als sie so winzig und klein von dem riesigen Krankenhaus verschluckt wurde.

Sie sah ganz verloren aus, schritt aber hocherhobenen Hauptes voran. Bei ihrem Anblick hätte niemand geahnt, wie sehr sie sich gerade innerlich quälte. *Das ist meine Polly,* dachte er.

Neil fiepte fragend.

»Das weiß ich auch nicht«, antwortete Huckle. Dann ließ er das Motorrad auf dem Grünstreifen stehen und machte sich erst einmal auf die Suche nach einem Kaffee.

KAPITEL 15

Polly sah sich im Eingangsbereich nach Carmel um, die ihr versprochen hatte, dort auf sie zu warten. Als dann die kurzhaarige Frau mit ernster Miene auf sie zukam, fand sie es selbst absurd – ihr war nicht einmal der Gedanke gekommen, dass Carmel vielleicht schwarz sein könnte. Es lag bestimmt daran, dass Polly schon so lange draußen auf dem Land lebte. Aber eigentlich war es ja auch nicht wichtig, dachte sie.

»Entschuldigung, sorry, sind Sie ... bist du Polly?«, fragte Carmel mit warmer Stimme.

Das war Pollys letzte Chance. Sie hätte lügen und Nein sagen können: »Entschuldigung, aber da müssen Sie mich wohl verwechselt haben.« Sie hätte auch einfach umdrehen und wieder hinaus in den zauberhaften Dezembertag marschieren können.

Polly fiel auf, dass Carmels Hände zitterten, fast so sehr wie ihre eigenen, die sie in den Jeanstaschen vergraben hatte.

Sie räusperte sich. »Ja, ich bin Polly.«

Das Krankenhaus war riesig, deshalb liefen sie durch endlose Gänge mit derselben fahlen Beleuchtung. Merkwürdigerweise erinnerte die Klinik Polly an ein Schiff mit einer Besatzung aus Frauen und Männern mit grünen OP-Hosen und weißen Hemden. Wohin es wohl segelte? Na ja, vermutlich von der Geburt bis zum Tod, die Reise ging immer weiter. Schwangere Frauen marschierten auf und ab, dazwischen hier und da ältere Patienten. Die meisten von ihnen hatten eine blasse, gräuliche Gesichtsfarbe, und es wurden Leute im Rollstuhl herumgefahren, von denen manchen Gliedmaßen fehlten. Carmel schien von alldem nichts mitzukriegen. Aber sie versuchte ja auch nicht verzweifelt, vielleicht doch irgendwo stehen zu bleiben und unbemerkt zu verschwinden, bevor der Moment der Begegnung unausweichlich wurde.

»Wir haben dich in der Zeitung gesehen«, erklärte Carmel. »Ich hatte erst keine Ahnung, was mit ihm los war, als er stundenlang auf einen Artikel gestarrt hat.«

Sie schaute Polly an, betrachtete sie eingehend. Und dann fing sie zu lachen an.

»Was ist denn?«, fragte Polly verunsichert. Sie drehte ihren neuen Ring am Finger. Er stand nun als Symbol dafür, dass ihr Leben doch gar nicht so schlecht war, wie merkwürdig sie die momentane Situation auch finden mochte.

»Du ... Ich meine, es ist einfach so offensichtlich. Erinnerst du dich noch an diese Geschichte, als Boris Becker ein Kind in der Wäschekammer gezeugt hat?«

Als Polly darauf nichts erwiderte, wurde Carmel wieder ernst. »Entschuldige, Polly, ich bin einfach nur nervös.« Sie schluckte heftig. »Ich wusste schon, dass ich jetzt genau das Falsche sagen würde. Es tut mir so leid, ich ...«

Wieder musterte sie Polly und wandte dann kopfschüttelnd den Blick ab.

»Weißt du, bis zu dem Tag mit dem Zeitungsartikel ... und bis er dann krank wurde ... hatte ich ja keine Ahnung, dass es dich gibt.«

Genau das hatte Polly eben nicht hören wollen, aber jetzt

war es ausgesprochen. Sie war unsichtbar gewesen. Tony hatte sie aus seinem Leben völlig gestrichen, so wie sie immer befürchtet hatte. Mitten auf dem Flur blieb Polly wie angewurzelt stehen.

»Sie haben es nicht gewusst?«

Carmel hielt neben ihr ebenfalls an. »Nein, nicht bis vor zwei Wochen.«

»Sie hatten also keine Ahnung von meiner Existenz?«

Carmel schüttelte den Kopf. »Eigentlich hab ich ja gedacht, dass er mir alles erzählt.« Sie verstummte kurz. »Aber da lag ich wohl falsch.«

»Und was hat er dann gesagt?«

Carmel seufzte. »Oh, Polly, ich möchte jetzt wirklich nicht ... Ich meine, deine Mutter ...«

»Jetzt vergessen Sie mal meine Mutter«, knurrte Polly, die inzwischen vor Wut am ganzen Körper zitterte. »Das hat er ja schließlich auch gemacht. Sagen Sie es mir, was hat er Ihnen erzählt?«

»Dass es ein One-Night-Stand war«, sagte Carmel. »Er war damals Vertreter und hat behauptet, es sei einfach so passiert ...« Sie schielte zu Polly rüber. »Wir waren bei unserer Hochzeit noch furchtbar jung, danach ist er dann viel gereist, und seine Familie ... die wollte sowieso nicht, dass er mich heiratet. Damals waren die Dinge eben anders ...«

Polly nickte.

»Weißt du, als dann die Kinder kamen, ist er viel ruhiger geworden. Er war attraktiv und hatte einfach viel zu jung geheiratet. So einem gut aussehenden Mann bieten sich eben gewisse Gelegenheiten ...«

Es hörte sich an, als wollte sie sich vor allem vor sich selbst rechtfertigen.

»Meine Mum war aber nicht einfach irgendeine Gelegenheit«, fauchte Polly, die ihre Wut jetzt kaum noch verbergen konnte.

Die beiden standen immer noch reglos mitten auf dem Gang, sodass Patienten und Krankenhauspersonal einen Bogen um sie machen mussten.

Carmel zuckte mit den Achseln. »Nein. Nein, entschuldige bitte, jetzt hab ich schon wieder das Falsche gesagt. Du hast ja recht, es war einfach nur … Es tut mir leid. Vermutlich war es schlicht eins von diesen Dingen, die eben passieren.«

»Ich bin schlicht eins von diesen Dingen, die eben passieren?«

»O Gott«, stöhnte Carmel, »ich mache alles nur noch schlimmer. Entschuldige bitte. Ich darf wirklich nicht vergessen, dass die ganze Sache für dich genauso ein Schock war wie für mich. Als ich dich in der Zeitung gesehen habe … Da war er bereits krank und hat einfach nur tief geseufzt, als würde ihm eine Last schwer auf der Seele liegen. So oft um Verzeihung angefleht hat mich noch nie jemand.«

Polly blinzelte voller Zorn.

»Ich kann mir gut vorstellen, dass er meiner Mutter damals mit noch mehr als Entschuldigungen gekommen ist«, fauchte sie. »Vermutlich hat er ihr angeboten, die Kosten zu übernehmen, wenn sie mich loswird.«

Carmel starrte ins Leere. »Das weiß ich nicht.«

Polly rief sich das Gesicht ihrer Mutter ins Gedächtnis, das immer so müde wirkte und keinen Zweifel daran ließ, wie enttäuscht sie von dieser Welt war. Sie versuchte sich vorzustellen, was wohl passiert war, als sich Doreen über die Schwangerschaft klar geworden war. Zwar war sie bereits zwanzig gewesen, aber eine behütete junge Frau, die immer noch zu Hause gewohnt hatte. Sie musste doch fix und fertig gewesen sein.

War sie bei ihm auf der Arbeit aufgetaucht, als sie es herausgefunden hatte? Hatte sie sich vielleicht auf den Weg zu ihm nach Hause gemacht? Vielleicht hatte sie dort ja den Mut verloren, weil ihr seine umwerfende, perfekt gestylte Frau die Haustür aufgemacht hatte. War sie danach tränenüberströmt nach Hause zurückgekehrt, weil all ihre Hoffnungen und Träume für die Zukunft zunichtegemacht worden waren? War für sie durch eine einzige verrückte Nacht alles den Bach runtergegangen, durch eine Nacht, an die sich Pollys sogenannter Vater nicht einmal mehr zu erinnern schien? Diese Nacht bedeutete ihm also genau das, was sie immer befürchtet hatte, nämlich gar nichts. Überhaupt nichts. Sie hatte keinerlei Bedeutung.

»Nein«, brach es plötzlich aus Polly heraus, während sie mit einem Mal einen bitteren Geschmack im Mund hatte. »Nein, ich kann das nicht. Das geht einfach nicht.«

Damit drehte sie sich im sonnendurchfluteten Flur um und flüchtete gegen den Strom der Menschen, floh nach draußen in den zauberhaften kalten Wintertag.

Huckle hatte sich gerade einen Kaffee geholt, genoss draußen den Sonnenschein und fütterte Neil mit Stückchen von seinem Croissant. Da entdeckte er, wie die vor Tränen blinde Polly mit in der Sonne leuchtendem rotem Haar die Krankenhaustreppe herunterrannte wie ein Wirbelwind. Huckle stand auf und fing sie auf.

»Hast du ihn gesehen?«, fragte er. Schweigend schüttelte sie an seiner Schulter den Kopf und weinte in seine Jacke.

»Ist ja gut«, murmelte er immer und immer wieder. »Es ist alles in Ordnung.«

Mehr sagte er nicht, er half ihr nur in den Seitenwagen, deckte sie gut zu und schob dann Neil unter die Abdeckung zu ihr. Der kuschelte sich einfach auf Pollys Schoß und schlief dort ein, was viel mehr half als alle tröstenden Worte.

Langsam und vorsichtig legten sie ihren Weg nach Cornwall zurück, und Polly starrte hinaus in den prächtigen, frostigen Wintertag. Sie betrachtete die Blätter, die über die Straße gepustet wurden, und wünschte sich von ganzem Herzen, die letzten Stunden wären nie passiert. Am liebsten hätte sie diesen Morgen ungeschehen gemacht, sodass sie sich nicht länger an den unbehaglichen und ängstlichen Ausdruck auf Carmels freundlichem Gesicht erinnern musste.

KAPITEL 16

»Oh, die sind ja wunderschön«, rief die alte Mrs Hacket ein paar Tage später. Kritisch betrachtete Polly ihre Weihnachtsstangen: kleine Stechpalmenzweige aus einem Zimt-Rosinen-Teig mit Mincemeat-Füllung. Sie waren superlecker, wirklich köstlich, und dabei recht einfach herzustellen. Polly wollte mit einer ganzen Wagenladung davon an Weihnachten Reubens Eltern bei Laune halten und noch ein paar mehr für den blöden Weihnachtsmarkt nächsten Samstag backen. Aber jetzt hatte sie erst einmal eine kleine Schachtel davon fertig gemacht, die sie ihrer Mutter mitbringen wollte. Den Besuch bei ihr konnte sie nun wirklich nicht länger vor sich herschieben.

Aber sie würde Kerensa mitnehmen, die eine gute Ablenkung war. Okay, normalerweise war sie eine gute Ablenkung, wenn sie ohne Unterlass quasselte und alle zum Lachen brachte. In letzter Zeit war sie ja leider eher verschlossen, googelte heimlich Sachen wie »pränataler Vaterschaftstest« und weinte wegen Jeremy Kyle. Reuben war so beschäftigt und unstet wie immer und bekam davon entweder nichts mit oder bestand darauf, dass schon alles toll und super werden würde. Leider half das nicht im Geringsten. Inzwischen hatte Kerensa einen Riesenbauch, als hätte sie sich endlich getraut, ihre Schwangerschaft zuzulassen, und watschelte ziemlich plump durch die Gegend.

156

Polly parkte vor Doreens sauberem kleinem Sozialbau-häuschen, in dem sie aufgewachsen war. Einige dieser Häuser gehörten immer noch dem Staat, andere waren inzwischen von den Bewohnern erworben worden. Der Unterschied war leicht zu erkennen, weil die Besitzer die Haustür strichen.

Trotz allem hatte Polly hier eine glückliche Kindheit ver-lebt, war als Kind ständig zur Tür rein- und rausgerannt, was Doreen nie gestört hatte. Sie war drüben bei den Nachbarn stundenlang Seil gesprungen, hatte an Sommerabenden mit Freunden *Top of the Pops* geguckt, sich ein Eis vom Eiswagen ge-holt und Sandwiches gemacht. Für Polly war dieses Häuschen ein glückliches Zuhause gewesen. Deshalb hatte sie erst spät begriffen, dass es für ihre Mutter ein trauriger Ort war, weil Doreen auf ein ganz anderes Leben gehofft hatte.

Doreen war so stolz auf Polly gewesen, weil sie zur Univer-sität gegangen war – und so enttäuscht, als ihre Tochter ihren schicken Bürojob ausgerechnet für eine Arbeit in einer Bäcke-rei geschmissen hatte. Da konnte ihr Polly noch so oft erklä-ren, dass sie jetzt viel glücklicher war und als was für ein un-glaubliches Privileg sie es empfand, in so einer zauberhaften Umgebung mit so tollen Leuten arbeiten zu dürfen. Für Do-reen war das alles unbegreiflich, und sie fand die Vorstellung vom Wohnen in einem Leuchtturm einfach lächerlich.

Sie hatte Polly ganz allein aufgezogen und dabei für ihre Tochter so viele Opfer gebracht. Deshalb machte es sie furcht-bar traurig, dass diese alles für ein paar Kuchen, einen Ame-rikaner ohne geregeltes Einkommen und diesen Vogel aufge-geben hatte.

Polly seufzte. Das Zuhause ihrer Kindheit deprimierte sie nicht, aber Doreen zog sie manchmal schon ganz schön run-ter.

»Am besten füllen wir sie ab«, schlug Kerensa vor, die Pollys Ring bewundert hatte, davon aber sofort aufgewühlt gewesen war. Reuben kaufte ihr ständig jede Menge Schmuck, den sie im Moment aber nicht tragen konnte, das brachte sie einfach nicht über sich. »Im Ernst, gib ihr Alkohol, dann wird sie schon reden.«

»Du willst doch nur andere Leute zu den Lastern verführen, denen du im Moment selbst nicht frönen kannst«, sagte Polly.

Doreen trank nur selten. Sie war gegen Alkohol und hielt Pollys und Kerensas fröhliche Pinot-Grigio-Vorliebe (die natürlich durch Kerensas Schwangerschaft erst einmal auf Eis lag) für ein Zeichen von Schwäche.

»Behaupte halt, es wäre Saft oder Schorle oder so, dann klappt das schon.« Wehmütig betrachtete Kerensa die beiden Flaschen, auf deren Kauf sie bestanden hatte. »Ich wünschte, ich könnte mich auch betrinken, mich so richtig besaufen und mal an was anderes denken.«

Mitfühlend tätschelte Polly ihr die Schulter. »Hör mal, du hast doch gar keine Gewissheit, niemand kann sich da sicher sein. Deshalb zerbrich dir darüber mal nicht den Kopf. Wenn das Baby erst auf der Welt ist, werden alle es vergöttern und jede Menge Ähnlichkeiten zu Reuben entdecken. Du wirst dann von Liebe ganz überwältigt sein, alles wird wieder in Ordnung kommen, und ihr werdet eine glückliche Familie sein. Im Ernst, so musst du das sehen.«

»Und was, wenn es dicke schwarze Augenbrauen hat, die in der Mitte zusammengewachsen sind? Mein Gott, was hab ich mir dabei nur gedacht? So etwas mach ich echt nie wieder, auch wenn ich damit wirklich davonkommen sollte! So ein Glück hätte ich übrigens gar nicht verdient, das musst du mir nicht erst sagen. Ich mach mich ja schon selbst fertig genug, mehr als irgendjemand sonst, das kannst du mir glauben ... Aber falls ich mich doch je wieder auf so eine bescheuerte Nacht voll sinnloser Leidenschaft einlassen sollte ...«

»Ja?«, fragte Polly.

»Na ja, dann werd ich eben darauf achten, dass der Kerl klein und rothaarig mit Sommersprossen ist«, stieß Kerensa hervor.

»Ich werd dich gut im Auge behalten, falls wir je nach Schottland fahren«, versprach Polly, die jetzt die makellos saubere Eingangstür erreichte. »Okay, dann gehen wir mal rein.«

»Wie sieht denn dein Schlachtplan aus?«, erkundigte sich Kerensa.

»Wenn du mich so direkt fragst – keine Ahnung«, musste Polly zugeben. »Schenk immer schön weiter nach, und dann improvisieren wir einfach.«

»Dann kann ja gar nichts schiefgehen«, sagte Kerensa.

Doreen machte so zögerlich und misstrauisch auf, als erwartete sie da draußen wer weiß wen. Dabei hatte sie doch gewusst, dass die beiden jungen Frauen kommen würden.

»Hast du etwa diesen Vogel mitgebracht?«, fragte sie nervös.

Polly hatte ihrer Mutter mal Neil vorgestellt, das war aber nicht gut gelaufen. Doreen hatte als Erstes gefragt, wo Neil denn eigentlich seine Häufchen machte. Da hatte Polly ihr versichert, dass er eine Windel trug, was ihre Mum ihr zunächst auch abgekauft hatte. Aber als Doreen dann begriffen hatte, dass es nur Spaß gewesen war, hatte sie ziemlich beklommen dreingeblickt.

»Nein, Mum.« Polly drückte ihrer Mutter einen Kuss auf die trockene Wange und reichte ihr die Schachtel.

»Das sind Weihnachtsstangen, ein Experiment von mir.«

»Wir haben auch Wein dazu mitgebracht!«, rief Kerensa und wedelte mit einer der Flaschen. »Also, Doreen, wo stehen bei dir denn die Gläser?«

Doreen hatte Kerensa gern, war von ihr aber manchmal ein wenig eingeschüchtert.

»Dein Bauch ist ja riesig, Kerensa«, sagte sie nun unverblümt, als sich die junge Frau auf der Suche nach Gläsern an ihr vorbeischob.

»Äh, ja, danke«, antwortete Kerensa kurz angebunden. Solche Bemerkungen passten ihr gar nicht, die riefen ihr nämlich nur wieder in Erinnerung, dass sie vielleicht einen eins achtzig großen, behaarten Brasilianer mit sich herumschleppte. »Das meiste sind allerdings Wassereinlagerungen.«

»Was hast du denn gemacht, einen Swimmingpool verschluckt?«, fragte Doreen. Polly und Kerensa wechselten Blicke. So ein Spruch passte gar nicht zu Pollys Mutter, die ihnen heute recht unbeschwert vorkam.

»Also, Pauline, wie sieht es in der Bäckerei aus?«

Polly riss sich zusammen, um nicht die Augen zu verdrehen. Sie hasste den Namen Pauline, weil sie damit etwa dreißig Jahre älter klang, als sie tatsächlich war. Eigentlich war der Name gar nicht das Problem, er passte nur überhaupt nicht zu ihr. »Doreen und Pauline« klang für sie eher nach zwei gleichaltrigen Frauen, nicht nach Mutter und Tochter. Sie hätte lieber so einen hübschen Namen wie ihre Freundinnen gehabt: Daisy, Lily oder Rosie. Selbst Kerensa war ein alter, traditioneller Name aus der Gegend, Pauline hingegen klang einfach nur grau und pflichtbewusst. Doreens Vater, Pollys

Großvater, hatte Paul geheißen, deshalb sah es so aus, als hätte Doreen den Namen für ihre Tochter wohl mit dem geringstmöglichen Aufwand ausgesucht.

Polly wusste natürlich, dass es nicht so gewesen war, und ihr war klar, dass ihre Mum sie liebte. Der fiel es nur schwer, das zu zeigen.

Während sie die köstlichen Weihnachtsstangen verspeisten, füllte Kerensa Doreen ganz dreist immer wieder nach – jedes Mal, wenn Pollys Mutter kurz wegschaute.

Irgendwann servierte Doreen dann etwas zu essen – eine aufgetaute Tiefkühlpastete (die in der Mitte immer noch gefroren war) und einen fiesen Salat ohne Dressing: dicke Scheiben einer schon ziemlich traurig aussehenden Tomate, viel zu große Gurkenstückchen und welken Salat, der vor allem aus dem Strunk zu bestehen schien. Kerensa sah entsetzt aus, Polly war an den Fraß ihrer Mutter jedoch gewöhnt und fand ihn daher nicht so schlimm. Es gab schon gute Gründe dafür, dass sie sich selbst das Backen beigebracht hatte, sobald sie alt genug für das Bedienen des Ofens gewesen war.

Doreen, die an Alkohol nicht gewöhnt war, wurde nach dem zweiten Glas locker und nach dem dritten richtig kicherig.

Polly erstarrte, als ihre Mutter plötzlich etwas Ungewöhnliches von sich gab: »Na ja, als ich damals schwanger war ...« Über diese Zeit in ihrem Leben hatte ihre Mutter noch nie gesprochen.

Aufgeregt drückte Kerensa Polly das Knie, als wollte sie sagen: Siehst du?

»Ja?«, sagte Polly.

Doreen schürzte die Lippen und schien sich damit davon

abhalten zu wollen, noch mehr herauszulassen. »Tja, damals waren die Dinge natürlich anders.«

»Nein, nein, erzähl ruhig«, bat Kerensa und schwenkte die Weinflasche. »Schieß los, ich will alles wissen! Hast du auch jeden Tag geweint und kamst dir wie ein Heffalump vor?«

»Na ja, so riesig wie du war ich nie«, entgegnete Doreen.

»Äh, hm, vielen Dank auch.«

»Aber ja«, fuhr Doreen da fort. »Ich hab jeden Tag geweint. Zum Glück ist für dich ja alles anders. Du hast eine tolle Familie und jede Menge Geld, und ihr werdet bis an euer Lebensende zusammen glücklich und zufrieden sein. Aber bei uns gab es nur mich und meine Pauline, nicht wahr, mein Schatz?«

»Und Oma und Opa«, fügte Polly verlegen hinzu.

»Ja, ja. Aber weißt du«, seufzte Doreen, »damals musste man nach der Geburt ja noch tagelang in der Klinik bleiben. Und da lag ich dann ganz alleine, meine Freunde haben mich nämlich nicht besucht, nur meine Eltern. Also, ehrlich gesagt hatte ich auch nicht viele Freunde. Nur ein paar alte Schulkameraden und die Kolleginnen von Dinnogs, aber die haben natürlich missbilligend die Nase gerümpft. Dabei waren das schließlich die Achtziger, da hätte man doch meinen können, dass sich die Ansichten etwas gelockert hätten ... Aber nein, nicht bei Dinnogs. Ich glaube, die sind da heute noch in den Fünfzigerjahren gefangen. Nicht, dass ich da noch einkaufen würde, o nein, da kriegen mich keine zehn Pferde mehr hin.« Mit roten Wangen nahm sie einen weiteren Schluck Wein.

Polly sah sich im tadellos sauberen Raum um, ließ den Blick über die Tüllgardine und die geblümte dreiteilige Couchgarnitur wandern. Auf dem Kaminsims stand das Schulfoto aus Pollys erstem Schuljahr, mit Zahnlücke und intensiv rot leuchtenden Haaren, deren Farbe später zum jetzigen sanften Rotblond geworden war. Mit all den fröhlichen Sommersprossen sah sie darauf ein bisschen aus wie Pippi Langstrumpf. Und da hing an der Wand auch Pollys Abschlusszeugnis von der University of Southampton. Polly selbst hatte kein großes Interesse daran gehabt, deshalb wurde es nun hier zur Schau gestellt, obwohl ihre Mutter doch so selten Besuch bekam. Auch Pollys Kinderzimmer oben sah immer noch genauso aus wie früher, und das Bett darin war stets gemacht, falls sie je nach Hause zurückkehren würde.

Eigentlich war es doch egal, dass ihre Mutter und sie manchmal Probleme mit der Kommunikation zu haben schienen, dass Doreen nicht so warm und herzlich gewesen war, wie Polly sich andere Familien vorstellte.

Das hier war immer noch ihr Zuhause, jetzt genau wie einst.

Plötzlich war ihr jede Lust vergangen, die große Bombe platzen zu lassen. Polly wollte das behütete, so sorgfältig eingerichtete Leben ihrer Mutter ungern in den Grundfesten erschüttern. Aber irgendwas musste sie wohl sagen. Seit Carmels Anruf konnte sie schließlich an nichts anderes mehr denken als an den Mann, der da in einem Krankenhausbett nicht weit von hier im Sterben lag. An den Mann, der ihr leiblicher Vater war. Kein Vater, der in ihrem Leben irgendeine Rolle gespielt hatte, aber dennoch ein Teil von ihr. Und es gab nur einen einzigen Menschen auf dieser Welt, der ihr sagen konnte, was jetzt das Richtige war.

Kerensa goss Doreen noch mehr Wein ein. So angesäuselt war Pollys Mutter wohl schon seit Jahren nicht gewesen, sie kicherte ständig und war ganz rot im Gesicht.

»Erzähl mir doch bitte von deiner Schwangerschaft«, sagte Kerensa jetzt noch einmal. »Du weißt doch, dass ich niemanden habe. Meine Mum behauptet, dass sie sich an nichts erinnert, und Polly ist mir überhaupt keine Hilfe.«

»Oh, das ist doch schon so lange her«, winkte Doreen ab.

»So lange nun auch wieder nicht«, protestierte Polly.

»Na, jetzt red schon!«, drängte Kerensa.

»Hm ...«, begann Doreen.

Vorsichtig und ziemlich unelegant erhob sich Kerensa vom Sofa. »Ich geh mal das Geschirr spülen.« Sie zwinkerte Polly zu. »Aber ich höre immer noch mit!«

»Nein, nein, das mach ich gleich«, rief Doreen, machte aber keine Anstalten, auch wirklich aufzustehen.

Kerensa bedachte Polly mit einem strengen Blick und zwinkerte erneut bedeutungsvoll.

»Jetzt!«, zischte sie.

Polly schenkte sich selbst noch einmal ein und lehnte sich vor. »Mum«, sagte sie.

»Sieht Kerensa nicht toll aus, wie das blühende Leben!«, lallte Doreen gerade. »Oh, ihre Mutter hat ja so ein Glück. Ich hätte auch gerne einen Enkel. Kerensa hat es wirklich gut getroffen, was? Dabei hätte ich ja nie gedacht, dass dieser kleine Kerl Manns genug wäre!«

Sie kicherte und bekam dann einen Schluckauf. Polly wurde klar, dass sie schnell machen musste, bevor ihre Mutter hier noch auf der Tischplatte einschlief.

»Mum, ich muss dich jetzt was fragen. Es geht um meinen Vater.«

Natürlich hatte sie früher schon mal mit dem Thema angefangen, aber dieses Mal würde sie sich nicht so leicht abwimmeln lassen.

Doreen rollte mit den Augen und goss sich selbst noch ein Glas ein. Dann herrschte lange Schweigen.

»Dieser miese Bastard!«, schnaubte sie schließlich.

In ihrem ganzen Leben hatte Polly ihre Mutter noch nie fluchen hören. »Also? Könntest du mir nicht ein bisschen mehr über ihn erzählen? Bitte? Es ist wichtig!«

»Warum?«, fragte ihre Mutter. »Wieso ist das jetzt auf einmal wichtig?«

Polly überlegte einen Moment. »Na ja, wenn Huckle und ich heiraten … Und vielleicht ein Kind bekommen …«

»O ja, bitte«, bettelte ihre Mutter. »Ihr seid jetzt schon seit Monaten verlobt und habt noch nicht einmal Einladungen losgeschickt oder auch nur ein Datum festgelegt. Der scheint es ja nicht eilig zu haben. Meinst du wirklich, dass der sich festnageln lässt?«

Das war jetzt nicht der richtige Zeitpunkt, um ihrer Mutter zu sagen, dass in Wirklichkeit sie selbst kalte Füße bekommen hatte. Und dass es eben an der Sache mit ihrem Vater lag.

»Erzähl mir doch bitte einfach von Tony«, bat sie stattdessen. »Wie war er denn so?«

Ihre Mutter seufzte und schaute tief ins Glas.

»Mir geht es im Moment gar nicht gut«, verkündete sie. Das war eine ihrer üblichen Taktiken. Damit wollte sie Polly dazu bewegen, das Thema fallen zu lassen und sich lieber nach ihrem Befinden zu erkundigen. Über ihre gesundheitlichen Probleme konnte Doreen nämlich stundenlang reden.

Einmal war Polly mit ihr die Hauptstraße entlanggegangen und meinte gesehen zu haben, wie sich der Hausarzt ihrer Mutter in einem Schuhladen vor ihnen versteckte.

»In Wirklichkeit fehlt dir überhaupt nichts«, versetzte Polly. »Und du kannst ja auch gleich ins Bett gehen. Aber vorher ... Bitte, Mum, das bist du mir einfach schuldig. Ich kann sonst nicht ... Ich glaube nicht, dass ich im Leben nach vorne sehen kann, wenn du mich so im Dunkeln lässt.«

Sie fand es gar nicht schön, ihre Mutter so anzulügen, aber das musste jetzt einfach sein.

Ihre Mum blinzelte. »Na ja«, murmelte sie. Dann seufzte sie noch einmal. »Deine Haare, die sind genau wie seine. Also, weißt du, viele Frauen mögen ja keine Männer mit roten Haaren. Ich weiß gar nicht, warum, ich fand die einfach toll, wirklich wunderschön. Die haben so in der Sonne geleuchtet. Und seine Sommersprossen ... waren wie Flecken aus Gold. Am liebsten hätte ich jede einzelne geküsst.« Plötzlich lachte sie laut auf. »Sieh mich doch nur an«, sagte sie kopfschüttelnd. »Das ist doch lächerlich!«

»Nein, ist es nicht«, entgegnete Polly sanft. »Wirklich nicht.«

»Die Leute denken, dass die Achtzigerjahre gar nicht so lange her sind«, fuhr Doreen fort. »Dass die Dinge damals nicht viel anders waren. Aber das waren sie, das lass mich dir sagen. Wusstest du, dass bei der königlichen Hochzeit vorher ein Arzt die Jungfräulichkeit von Lady Diana Spencer festgestellt hat? Das wussten alle, es wurde offen so gesagt, ganz offiziell. Sie ist zum Hofarzt gegangen und hat ihm gegenüber ihre Jungfräulichkeit bezeugt. In den Achtzigern. Also.«

Polly schwieg, obwohl sie ihre Mutter innerlich geradezu anflehte, doch bitte weiterzusprechen.

»Ich hab bei Dinnogs Hüte verkauft«, erzählte Doreen. »Na ja, Hüte und Handschuhe, aber überwiegend Hüte. Vor allem für Hochzeiten und im Winter dann überwiegend Filzhüte. Damals haben Männer noch öfter Hüte getragen, das war dann mit der Zentralheizung irgendwann auch vorbei.«

Polly sah darüber hinweg, dass ihre Mutter nicht direkt zum Punkt kam, und schenkte ihr noch einmal nach.

»Also, Tony hat regelmäßig im Laden vorbeigeschaut ... und ist dabei nie unbemerkt geblieben. Er war groß, so wie du, allerdings dünner.« Sie lächelte. »Wenn er reinkam, hat er sich die Hüte angeguckt und mit mir geplaudert ... Er war Vertreter und hatte beruflich oft mit den Leuten im Haus zu tun. Gardinenstoffe oder so was in der Art. Aber er ist eben oft bei uns am Eingang hängen geblieben. Die hübschesten Verkäuferinnen wurden immer an der Tür postiert, um Männer anzulocken.« Sie wurde rot. »Na ja, zumindest die jungen Mädchen.«

»Du warst doch wunderschön, Mum«, behauptete Polly loyal. Auf den wenigen Fotos aus der Zeit trug ihre Mutter einen Haarschnitt wie die Mitglieder von Human League und seltsam eckige Schulterpolster.

»Er ging also nach oben, und wenn er wieder runterkam, sprach er mit mir über die Hüte, und einmal ...« Jetzt errötete sie noch heftiger. »Einmal hat er mich gebeten, ihm beim Anprobieren von einem Paar Lederhandschuhen zu helfen. Er hatte ... wirklich tolle Hände.« Doreen biss sich auf die Lippe. »So was Romantisches war mir noch nie passiert. All die jungen Kerle, die ich kannte, lauter Bauernsöhne ... Tja, an denen hatte ich kein Interesse, wirklich nicht. Aber Tony war ja schon dreiundzwanzig und kam mir so weltmännisch vor. Ja, und dann hat er mich gefragt, ob ich mal mit ihm ausgehe. Wenn man zusammen in den Pub ging, musste man damals noch in ein spezielles Nebenzimmer, in das auch Frauen durften.«

»Das klingt, als wäre es eine Million Jahre her.«

»Ja, allerdings. Damals durfte man drinnen noch rauchen!«

Polly lächelte. »Wow!«

»Ja, wir haben also Regal King Sizes gepafft, und ich hatte ein halbes Pint Cider mit Johannisbeersirup. Er hat ein paar Pint getrunken und mit mir über sein Leben als Vertreter gesprochen und über sein Auto – er hatte einen Ford Escort, von dem er total geschwärmt hat.«

Polly nickte.

»Das war einfach ... der beste Abend meines Lebens. Und er hat auch gar nichts versucht, wirklich nicht, sondern hat mich danach bloß nach Hause gebracht. Und dann kam er in der Woche darauf wieder und in der nächsten auch.«

Plötzlich verschwand das Lächeln von Doreens Gesicht, und sie sah furchtbar traurig aus.

»Ich war zwanzig und fand ihn einfach so nett, und ich dachte natürlich, das wäre es jetzt. Du triffst einen Typen, den du magst, er mag dich auch, damit ist dann alles klar, und man heiratet. So war das damals eben. Da hat man sich nicht bis Anfang dreißig ausprobiert, weil man dachte, dass man alle Zeit der Welt hat, nur um dann plötzlich in Panik zu geraten.«

Diesen Satz ignorierte Polly jetzt einfach mal.

»Ich hab ihn sogar Mum und Dad vorgestellt, weißt du, das war ja alles ganz offiziell. Sie fanden ihn charmant und so attraktiv mit diesen tollen Haaren. Natürlich hat man auch damals oft Sprüche über Handelsreisende gehört, aber ich hätte doch nie gedacht, dass so etwas auf Tony zutreffen würde. Tja, selber schuld!«

Sie verstummte kurz.

»Eines Morgens kam ich bei Dinnogs zur Tür herein, und irgendetwas war seltsam, da lag was in der Luft. Lydia von der Parfümtheke hat kaum hochgeguckt, dabei konnte man sich ihr normalerweise nicht auf fünf Meter nähern, ohne mit irgendwas besprüht zu werden. Und Mrs Bradley stand mit versteinerter Miene da. Die hat vermutlich ein Korsett getragen, sie hatte nämlich einen von diesen Schiffsbug-Busen … Die gibt's heute gar nicht mehr, oder? Das ist wohl eine aussterbende Art …«

Polly hielt den Atem an, weil das alles für sie ganz neu war. Sie lehnte sich vor, aber nur ein kleines bisschen, um ihre Mutter nicht zu verschrecken.

»Und da war sie also!« Doreen schüttelte den Kopf. »Weißt du«, fügte sie in verwundertem Tonfall hinzu, »sie war farbig. Entschuldige, schwarz. Sorry, ich weiß wirklich nicht mehr, was man heutzutage noch sagen darf.« Wieder verstummte sie kurz. »Inzwischen … also, mittlerweile würde es mich wohl nicht mehr so überraschen. Aber damals waren die Dinge wirklich anders. Ich meine, das war ja nicht London oder Birmingham, sondern Südwestengland, und damals noch eine wirklich weiße Gegend … Ach, jetzt suche ich ja doch nur nach Ausreden.«

Sie stieß die Luft aus.

»Und sie hatte einen dicken Bauch, da hatte ich also ganz schön viel auf einmal zu schlucken. Ich war damals auch schon schwanger, obwohl ich es in dem Moment noch nicht wusste. Dieser verdammte Ford Escort. Na ja. Ich hab sie am Anfang gar nicht ernst genommen, als sie mir erklärt hat, dass sie Tonys Frau war, wirklich nicht. Sie hat mir gesagt, dass ich ihn in Ruhe lassen soll, hat rumgebrüllt und gekreischt. Irgendwann hab ich sie einfach vom Sicherheitsdienst nach draußen bringen lassen.«

Mit brennenden Wangen starrte Doreen zu Boden.

»O Gott, Polly. Himmel! Das hab ich noch nie irgendwem erzählt, niemals. Damals war eben alles anders … Oh, Polly.«

Polly legte den Arm um ihre Mutter, der jetzt Tränen über die Wangen rannen.

»Es lief einfach alles falsch, falsch, falsch. Er hat mir unrecht angetan und ich ihr, und, na ja, dann kamst du zur Welt, und dir haben wir wohl auch unrecht angetan.«

Polly schüttelte den Kopf.

»Hast du nicht. Wirklich nicht, versprochen.«

»Ich hab ihn angerufen, aber da hatte ich kein Glück. Keine Chance. Damals gab es ja noch keine Handys, und ich konnte ihm auch keine E-Mail schicken oder ihn über Facebook kontaktieren. Irgendwann hab ich seine Eltern ausfindig gemacht, die standen nämlich im Telefonbuch.«

Sie schüttelte den Kopf.

»Die haben sich sogar gefreut, mich zu sehen. Es war für die Familie nämlich ein ziemlicher Skandal gewesen, also, seine Beziehung zu ... wie hieß sie denn noch gleich ...«

Auch Polly weinte inzwischen. Sie fühlte sich ganz schrecklich und wollte ihre Mutter doch nur trösten. Außerdem war sie selbst auch ein bisschen betrunken, sonst hätte sie wohl besser aufgepasst.

»Carmel«, sagte sie, ohne nachzudenken.

Kerensa hatte sich zwar diskret in die Küche zurückgezogen, aber jedes einzelne Wort mit angehört. Deshalb hopste sie nun eilig wie ein Gummiball in den Raum.

»Kaffee!«, rief sie. »Ich glaube, wir können jetzt alle ein Tässchen gebrauchen! Doreen, du brauchst wirklich eine Kaffeemaschine, dieses Fertigpulver ist doch nichts! Vor allem, wenn man schwanger ist und nur eine Tasse am Tag trinken darf. Dann will man doch was Vernünftiges.«

Aber Doreen starrte entsetzt ihre Tochter an. »Du hast sie getroffen.«

Polly schluckte und suchte verzweifelt nach einem Ausweg, wusste aber genau, dass sie aus dieser Nummer jetzt nicht mehr rauskam.

»Sie hat ... Sie hat mich angerufen«, erklärte sie. »Es tut mir so leid. Das ging nicht von mir aus, aber ... dann wollte ich einfach ein bisschen mehr wissen.«

»Ach, und jetzt seid ihr beste Freundinnen, oder was?« Fassungslos riss Doreen die Augen auf.

»Nein, sie ... sie hat gesagt ...«

Polly biss sich auf die Lippe, weil sie diese Worte lieber nicht ausgesprochen hätte. »Er ist schwer krank und will mich sehen.«

Mit einem Mal war Doreen nicht nur kreidebleich, sondern auch stocknüchtern. »Und, hast du dich mit ihm getroffen?«

»Nein«, versicherte Polly. »Zuerst wollte ich mit dir darüber reden.«

»Das war doch eine sehr vernünftige Idee, oder?«, warf Kerensa ein. »Denn so macht man das ja in einer Familie, nicht wahr? Man redet über alles.«

Polly warf ihr einen finsteren Blick zu, während Doreen sich die Hand vor den Mund schlug.

»Aus genau diesen Gründen«, erklärte sie, »wollte ich dir das alles nicht erzählen. Diese schrecklichen, üblen Sachen! Ich wollte dich nur beschützen.«

»Aber er hat doch all die Jahre Unterhalt gezahlt!«, protestierte Polly.

»Nein, das hab ich nur behauptet, damit du das Gefühl hattest, dass er sich um dich kümmert. In Wirklichkeit waren das seine Eltern. Die wollten nämlich lieber mich als sie, das war alles. Und mit dem Geld haben sie ihr schlechtes Gewissen beruhigt.« Diese Worte spie Doreen geradezu aus.

Mit Tränen in den Augen blinzelte Polly.

»Und jetzt kommst du hier einfach hereinspaziert und lässt die Bombe platzen, dass du dich mit deinem Vater versöhnen wirst!«

»Das sage ich doch überhaupt nicht! Ich habe nichts dergleichen vor!«

»Ich hab ihn nicht wiedergesehen, seit er gekriegt hat, was er wollte«, knurrte Doreen. »Und die Konsequenzen waren ihm völlig egal, die haben ihn nicht im Geringsten geschert. Er wusste schließlich, wo ich wohne, aber wir haben ihn nicht mehr interessiert.«

Sie stand auf.

»Vielen Dank auch dafür, dass du alles wieder aufgewühlt hast. Dass du mich daran erinnert hast, was für eine Versagerin ich bin und wie ich mein Leben ruiniert habe.«

Polly sprang auf und machte einen Schritt auf ihre Mutter zu.

»Äh, vielleicht sollten wir jetzt besser gehen«, schlug Kerensa vor.

»Ja, das solltet ihr«, nickte Doreen.

»Kommst du denn klar?«, fragte Polly und streckte die Hand aus.

Ihre Mutter wandte sich jedoch ab und wollte sie nicht einmal ansehen. »Das hat mich damals auch niemand gefragt. Deshalb weiß ich wirklich nicht, warum du dir jetzt die Mühe machst.«

KAPITEL 17

»Also«, sagte Kerensa, nachdem sie eine Weile schweigend gefahren waren. Die Luft wurde kälter, und es schien Nebel aufzuziehen. »Das ist ja super gelaufen.«

Die schluchzende Polly verzog das Gesicht.

»O Gott«, stöhnte sie. »Sag mir doch bitte, dass es nicht so schrecklich war, wie ich es empfunden habe.«

»Na ja, es hätte schlimmer sein können.«

»Wie denn? Wie hätte es noch schlimmer sein können, Kerensa?«

»Äh, ein riesiges Monster hätte durchs Fenster hereinstürzen und ein Blutbad anrichten können. Eine andere Möglichkeit wäre die Zombieapokalypse. Oder vielleicht eine Atombombe?«

Dann herrschte wieder Schweigen.

»O Gott.« Polly warf einen Blick auf ihr Handy. Natürlich hatte sie ihrer Mutter sofort eine Nachricht geschrieben und sich entschuldigt. Eine Antwort hatte sie aber nicht erwartet und auch keine bekommen.

»Hör mal, sieh es doch so, zur Weihnachtsfeier wollte Doreen ja ohnehin nicht kommen.«

»Kerensa! Soll mich das etwa trösten?«

»Was soll ich denn sonst sagen?«

»Ich hab keine Ahnung.«

Mit tränenüberströmtem Gesicht lehnte sich Polly an das kühle Glas des Fensters.

»Sie dachte also wirklich, dass ich mich heimlich mit meinem Vater treffe und mit ihm und Carmel heile Welt spiele.«

Schweigend fuhren sie weiter.

»Darf ich vielleicht was sagen?«, fragte Kerensa irgendwann.

»Noch was? Mehr als du normalerweise einfach so sagen würdest?«

»Ja.«

»Ich kann mir wirklich nicht vorstellen, was das sein soll.«

»Wenn du zuhörst, erfährst du's. Also, ich will ja nicht über deine Mutter herziehen oder so. Aber du überlegst doch immer noch, deinen Vater zu sehen. Und sie will einfach nicht mehr über ihn reden, jammert stattdessen nur rum und zieht dich wegen der ganzen Sache runter ... Übrigens hatte ich ja gefragt, ob ich das sagen darf.«

»Ja, klar, schon kapiert.«

»Okay, ich finde wirklich, dass es allein deine Angelegenheit ist. Er ist schließlich dein Dad. Ja, gut, er war ein furchtbarer Vater und hat seiner Frau offenbar deine Existenz verschwiegen. Obwohl sie ja gewusst zu haben schien, dass da was lief ...«

»Ich wette, es war nicht das erste Mal«, warf nun Polly ein.

»Oder das letzte«, sagte Kerensa. »Diese verdammten Handelsvertreter! Ha, daher haben die also ihren schlechten Ruf!«

Polly seufzte.

»Aber du verstehst schon, was ich sagen will, oder?«, fragte Kerensa, während sie durch die eisige Winternacht fuhren. »Jetzt weißt du ja bereits ein bisschen mehr. Und wenn du ihn jetzt immer noch sehen willst, wenn du etwas mit ihm zu tun haben willst, dann ist das allein deine Sache. Da brauchst du niemanden um Erlaubnis zu fragen. Und deine Mutter ... sollte langsam wirklich mal darüber hinwegkommen.«

»Aber das Ganze wühlt sie doch so auf.«

»Ich kenne dich jetzt schon ziemlich lange. Und weißt du was? In dieser ganzen Zeit war deine Mutter eigentlich immer wegen irgendwas aufgewühlt. Und ich glaube sogar, dass du genau deshalb immer so fröhlich bist.«

Inzwischen hörte Polly ihr nur noch mit halbem Ohr zu. Sie musste nämlich die ganze Zeit daran denken, wie sich ihre Mutter darüber gefreut haben musste, als sie die Stelle bei Dinnogs bekommen hatte. Ihre Mum hatte die Schule ohne besondere Qualifikation verlassen, und ihre Familie musste bestimmt unglaublich stolz auf sie gewesen sein, als sie in so einem schicken Laden zu arbeiten angefangen hatte.

Aber da hatte man sie wegen der Schwangerschaft natürlich rausgeworfen, das wusste Polly wohl. Man hatte es auf Kürzungen geschoben und darauf, dass die Leute immer weniger Hüte kauften. Doreen war die Wahrheit aber nicht verborgen geblieben: Selbst in den Achtzigern hatte man es noch als Schande angesehen, wenn eine unverheiratete Frau ein Kind bekam. Und deshalb war Doreen mit eingezogenem Schwanz nach Hause zurückgekrochen, bevor ihr Leben überhaupt richtig angefangen hatte. Und Polly zahlte seitdem den Preis dafür.

»Erinnerst du dich noch an Loraine Armstrong?«, fragte Kerensa ein wenig aus dem Blauen heraus.

Polly nickte. Auch Loraines Mum war eine junge Single-Mutter gewesen. Sie war oft in den Pub mitgekommen und hatte nach ein paar Drinks Wildfremden gegenüber lautstark verkündet, dass ihre Tochter und sie doch eher wie Schwestern aussahen. Das hatte zu fiesen Bemerkungen und schiefen Blicken geführt, und Doreen hatte die beiden immer ganz schrecklich gefunden.

»Ich glaube, die zwei hatten zusammen viel mehr Spaß als ihr.«

Das ließ sich Polly erst einmal durch den Kopf gehen. »Ja, das denke ich auch«, sagte sie schließlich. »Himmel, fahr mich jetzt bitte nur schnell nach Hause.«

Als sie sich Mount Polbearne näherten, wurde Kerensa ganz still, deshalb verdrängte Polly erst einmal ihre eigenen Sorgen und blickte ihre Freundin an. »Woran denkst du gerade?«

Kerensa schluckte. »Glaubst du, so wird sich Reuben auch aufführen? Wenn ... du weißt schon. Wenn er es je herausfindet.«

»Du bist doch selbst nicht einmal sicher«, erwiderte Polly.

Mit traurigem Blick strich sich Kerensa über den riesigen Bauch, durch den sie Mühe hatte, das Lenkrad zu erreichen. Dann schaute sie Polly an.

»Mal ganz im Ernst, du hast ja keine Ahnung ... Das muss mitten im Eisprung gewesen sein, es war nämlich einer von diesen Tagen, an denen man selbst einen Obdachlosen flachlegen würde.«

Polly nickte, und dann saßen sie wieder schweigend da.

»Wenn er es herausfindet ... Dann hab ich wirklich keine Ahnung, was er tun wird.«

»Willst du damit sagen, dass dieses Baby vielleicht wie ich aufwachsen muss?«, fragte Polly. »Himmel!«

»Nein!«, rief Kerensa aus. »Das meinte ich gar nicht.

Außerdem«, fügte sie dann noch hinzu, »wäre das doch gar nicht so schlimm.«

»Doch, es wäre ganz furchtbar. Du musst das irgendwie verhindern, wie auch immer.«

Kerensa starrte sie an. »Und wenn es mit einem fetten schwarzen Schnurrbart zur Welt kommt?«

»Wie gesagt, dann erfinden wir eben einen italienischen Großvater oder sonst was. Im Ernst, das wird schon. Irgendwie ...«

»Du musst mir noch einmal versprechen, es Huckle nicht zu erzählen, auf gar keinen Fall!«

Was das anging, war Polly nach wie vor hin- und hergerissen. Es war so ein furchtbares Dilemma. Einerseits wollte sie ihm gerne alles erzählen. Aber er war immerhin Reubens bester Freund und hatte für ihn sogar als Trauzeuge fungiert. Durch Huckle hatten sich Reuben und Kerensa ja überhaupt kennengelernt.

Aber er war auch Pollys bessere Hälfte, ihr Verlobter, deshalb war die Situation so verzwickt. Sie hatte keine Ahnung, wie er reagieren würde – und wahrscheinlich hätte er das selbst nicht gewusst. Konnte sie es also riskieren? Manchmal wollte sie glauben, dass es sicher kein Problem sein würde und sie ihm deshalb bald alles anvertrauen könnte. Aber es bestand natürlich immer die Möglichkeit, dass es schieflief. Und wie würde die Sache dann ausgehen?

Tief in ihrem Inneren vermutete sie auch, dass einen Fehler von dieser Tragweite, der womöglich das ganze Leben veränderte, ohnehin nur eine andere Frau verstehen konnte.

Huckle war ein toller Typ und hatte eigentlich immer für alles Verständnis. Aber konnte denn überhaupt jemand begreifen, was da gerade mit ihrer besten Freundin passierte?

»Ich hab nichts gesagt«, versicherte Polly.

»Und das darfst du auch nicht, Polly, wirklich nicht. Wenn ich bei dieser Sache auch nur die geringste Chance haben soll, dann musst du dichthalten.«

Polly biss sich auf die Lippe und dachte an das leere Leben ihrer Mutter. Sie teilte ja Kerensas Meinung, trotzdem fühlte sie sich innerlich zerrissen, fand diese Situation einfach furchtbar. Alles daran.

Als sie über den Fahrdamm rumpelten, waren die Straßenlampen des Hafens mit schlichten weißen Lichterketten dekoriert. Mount Polbearne hatte nicht genug Geld, um mit der schicken Weihnachtsbeleuchtung größerer Städte mitzuhalten. Deshalb baumelten zwischen den altmodischen, an Wind und Gischt gewöhnten Laternenpfählen auch nur einfache Lichterketten, die jedoch gut zum Kopfsteinpflaster passten. Die Lampen waren auch noch mit roten Schleifen verziert, außerdem leuchteten die Bäume, und es flackerten Kerzen in allen Fenstern. Das Örtchen sah einfach wunderschön aus, von tiefem Frieden erfüllt. Alles war auf einen angenehmen Übergang in die ruhigste Jahreszeit eingestellt, in der dauernd Nacht herrschte, aber die Sterne am Himmel glänzten und ein warmes Bett wartete.

Als Kerensa vor dem Leuchtturm parkte, waren dort alle Fenster dunkel, daher schlief Huckle wohl schon. Polly küsste ihre Freundin sanft auf die Wange, bevor sie aus dem Wagen stieg und angesichts der beißenden Kälte das Gesicht verzog. Dann sauste der Range Rover davon.

Im Leuchtturm war es bitterkalt, deshalb warf Polly nur einen kurzen Blick unter den Küchentisch, um nach Neil zu sehen, blieb aber nicht einmal lange genug, um sich eine Tasse Tee zu machen. Huckle grunzte schläfrig, als Pollys durchgefrorene Füße seinen wunderbar warmen Körper berührten. Sie drehte sich auf die Seite und betrachtete durch das Fenster, vor dem immer noch keine Gardine hing, die Sterne am Himmel, die in der kalten Luft weiß und blass wirkten. Hier drinnen war es so eisig, dass Polly beim Atmen weiße Wölkchen ausstieß, und heute wurde ihr nicht einmal mit Huckle an ihrer Seite richtig warm. Also lag sie durchgefroren da, zappelte verzweifelt mit den Zehen und suchte nach einem Ausweg.

Ihr fiel leider nur eine Lösung ein: so weiterzumachen wie bisher.

Wenn man so tat, als wäre alles ganz normal, dann wurde es das manchmal auch. Sie musste eben durchhalten, etwas anderes fiel ihr einfach nicht ein. Sicher würde ihre Mum sich irgendwann beruhigen und sich wieder mit ihr versöhnen. Schließlich hatten sie doch außer einander niemanden.

Und Polly würde sich in die Arbeit stürzen, die löste doch immer alle Probleme.

Kapitel 18

Am nächsten Morgen nahm Huckle überrascht und erfreut zur Kenntnis, dass Polly bereits auf war und ziemlich fröhlich herumwerkelte. Sie hatte nur leichte Kopfschmerzen.

»Hey?«, sprach Huckle sie vorsichtig an.

Mit ihrem vertrauten Lächeln drehte sich Polly zu ihm um. »Hey.«

»Alles in Ordnung?«

»Mir geht's gut«, sagte sie. »Käsescone?«

»JA! Gott, ich wohne so gerne mit dir zusammen.«

Polly schob ihm ein warmes Stück Scone mit gesalzener Butter in den Mund.

»Oh, himmlisch! Also ...«

Sie schüttelte den Kopf, um ihm zu bedeuten, dass sie über die Sache eigentlich nicht reden wollte.

»Meine Familie ist völlig bekloppt. Und am Samstag ist doch der Weihnachtsmarkt. Das heißt ...«

»Alle Familien sind bekloppt«, verkündete Huckle.

»Genau. Völlig bekloppt. Und behämmert.«

»Das reinste Nagelbrett.«

»Absolut! Und deshalb hab ich beschlossen, mich jetzt nicht mehr jahrelang mit dieser Geschichte herumzuquälen. Es ist doch nicht meine Schuld, dass die so verkorkst sind. Darum schau ich jetzt einfach nach vorne und mache mich nicht länger fertig. Die haben diesen ganzen Mist verbrochen, nicht ich, und darum will ich damit nichts mehr zu tun haben. Stattdessen werd ich mit Reubens Weihnachten einen Haufen Geld verdienen und es der Papageientaucherkolonie spenden, damit die Existenz der Vögel gesichert ist. Und damit werd ich einen größeren Beitrag zur Rettung der Welt leisten, als ich je gedacht hätte. Dann nehmen wir das restliche Geld und machen irgendwo Urlaub, wo die Cocktails größer sind als mein Kopf … größer als deiner geht nämlich gar nicht …«

»Na, vielen Dank auch.«

»Und dann liegen wir einfach nur am Strand rum und lieben uns und gehen schwimmen und betrinken uns und machen weitestgehend gar nichts. Na, wie hört sich das an?«

»Das klingt einfach unglaublich.« Er rückte näher an sie heran. »Bist du dir da wirklich sicher?«

»Absolut. Jetzt selbstlos zu sein bringt mich weder bei Mum weiter noch bei … bei Tony. Also bin ich jetzt einfach mal so richtig selbstsüchtig.«

»Die Papageientaucherkolonie zu retten, an Weihnachten für andere zu backen und quasi den Weihnachtsmarkt der ganzen Stadt zu leiten – selbstsüchtiger geht es ja kaum noch.«

»Ja«, nickte Polly. »Weil mich das glücklich macht. Dieser ganze andere Kram aber nicht. Also bleibe ich doch am besten bei Sachen, die erwiesenermaßen funktionieren.«

»Okay, das klingt echt super. Und ich werd versuchen, so viel Honig wie möglich an diese blöden Kosmetikerinnen zu verkaufen, um meinen Beitrag zu diesem Urlaub zu leisten. Dein Vorbild ist inspirierend!«

»Gut«, nickte Polly. »Und vielleicht spornen dich ja ein paar Mini-Käsescones noch mehr an.«

»Das probiere ich gerne aus.« Beidhändig griff Huckle zu.

»Willst du die etwa alle essen, bevor du deine erste Kundin heute besuchst?«

Aber was Huckle auch immer antworten wollte, ging in einem Meer aus Krümeln unter.

KAPITEL 19

Polly stellte das Tablett hin.

»Probierhäppchen!«, rief sie fröhlich, und die alten Damen scharten sich mit zufriedenen Gurrlauten um sie. Zu Pollys momentanen Experimenten gehörten Würstchen im Schlafrock in einem Honigteig – es half, dass sie einen guten Honiglieferanten hatte – und noch mehr Miniscones.

»Nicht du, Jayden!«, pfiff sie ihren Mitarbeiter zurück, der abrupt innehielt und sich über den Schnurrbart strich.

»Aber ich muss doch probieren, was ich verkaufe«, protestierte er.

»Ich dachte, du wolltest ein bisschen abnehmen. Für Du-weißt-schon-was.«

Jayden errötete augenblicklich.

»Na gut, aber nur ein Stück«, lenkte sie ein.

Jayden zog eine Grimasse. »Das füllt ja kaum einen hohlen Zahn. Du wirst auf deine alten Tage ganz schön geizig, finde ich.«

»Ach, findest du?«, erwiderte Polly. Jayden war dreiundzwanzig, da hielt er sie mit über dreißig offensichtlich für steinalt.

»So langsam verwandelst du dich noch in Mrs Manse.«

»Noch so ein frecher Spruch«, knurrte Polly und schlug spielerisch mit dem Trockentuch nach ihm, »und du kannst die nächsten zwei Wochen unter den Öfen schrubben. Erzähl mir lieber, wie es mit Flora läuft.«

»Ich bereite mich immer noch mental darauf vor«, erklärte Jayden feierlich. »Bei so etwas muss doch alles stimmen.«

»Da hast du wohl recht«, nickte Polly.

In diesem Moment kam Tierarzt Patrick rein, der wie immer ein wenig gehetzt wirkte. Er mochte Polly, obwohl er kategorisch dagegen war, dass sie einen Seevogel als Haustier hielt. Aber er hatte schon vor langer Zeit begriffen, dass er da wie bei so vielen Dingen im Leben nichts ausrichten konnte, und verkniff sich deshalb weitere Belehrungen.

»Na, wie geht's Neil so?«

»Total super!«, sagte Polly schnell. »Und er hat auch bestimmt den perfekten Body-Mass-Index für einen Papageientaucher. Probierhäppchen?«

»Danke, aber deshalb bin ich nicht gekommen.«

»Ach, nicht?«, fragte Polly.

Draußen war es bitterkalt. Der Wind blies seitlich gegen die Häuser und pfiff die kleinen Gässchen am Fuße von Mount Polbearne entlang. Weiter oben wurden die Straßen steiler und die Häuser weniger, bis man dann die uralte, aber prachtvolle Kirche am Gipfel erreichte.

Ja, heute war wirklich ein Tag, an dem man am besten im Haus vor dem Kaminfeuer sitzen blieb und sich die Wellen mit ihren weißen Schaumkronen von dort ansah. Bei so einem Wetter musste man sich einfach im Warmen in eine Decke mummeln, und die Leute holten sich die nötige Verpflegung dafür in der Bäckerei, in der deshalb heute viel los war.

Polly dachte an Neil. »Es geht ihm wirklich gut. Ehrlich ge-

sagt war ich sogar sauer auf ihn, weil er den Verlust seines un-
ausgebrüteten Nachkommen so problemlos verkraftet hat.«

Patrick lächelte.»Ein Chauvinisten-Papageientauchermänn-
chen, hm?«

»Wenn er raus aufs Meer schaut, stelle ich mir gern vor,
dass er an sein kleines Ei denkt«, erklärte Polly.

Patrick setzte eine strenge Miene auf. »Und nicht an leckeren Fisch?«

»Und nicht an leckeren Fisch.«

»Du solltest Tiere wirklich nicht so vermenschlichen«,
mahnte Patrick nun doch. »Das ist wirklich nicht gut für ihn.
Neil erinnert sich an das Ei nicht einmal mehr, und Celeste
auch nicht. Das sind schließlich instinktgesteuerte Wesen.«

Noch während des Tadels griff er automatisch nach einem
weiteren Würstchen, ohne es überhaupt zu merken, aber Polly
verkniff sich eine Bemerkung dazu.

»Meinst du, er wird vielleicht … eines Tages eine andere
Freundin finden?«

»Das weiß ich nicht«, sagte Patrick. »Eigentlich suchen
sich Papageientaucher ja einen Partner fürs Leben. Die beiden
hatten eben einfach Pech. Wenn du ihn allerdings in die
Vogelstation zurückbringen würdest …«

Dieses Mal setzte Polly die finstere Miene auf. »Wir wissen
doch beide, dass es dazu nicht kommen wird.«

»Ja, ja. Dann würde ich wohl sagen, dass du eben mit
einem Papageientaucherjunggesellen vorliebnehmen musst.«

»Gut«, antwortete Polly.

»Du weißt aber schon, dass diese Vögel zwanzig Jahre alt
werden können?«

»Auch gut«, bekräftigte Polly. »Hast du gehört, dass sie die
Kolonie vielleicht zumachen?«

»Echt? Das wäre wirklich schlecht.« Er musterte Polly aus zusammengekniffenen Augen. »Und dass du die nicht alle adoptieren kannst, ist aber klar, oder?«

»Ja, ja, aber ich kann was gegen die Schließung unternehmen.«

Patrick betrachtete die Auswahl an Probierhäppchen, die sie aufgebaut hatte. »Wofür ist das eigentlich alles?«

»Na ja, zum Teil bereite ich mich auf den Weihnachtsmarkt vor ... zum Teil werde ich damit Reubens Eltern willkommen heißen.«

»Oh«, machte Patrick. »Was für eine Aufgabe! Ich frage mich, wie die wohl so sind.«

»Genau, wie du sie dir vorstellen würdest«, erklärte Polly. »Nur noch zehnmal schlimmer.«

KAPITEL 20

Am Tag des Weihnachtsmarktes brach der Morgen knackig kalt an, und im Gemeindesaal drängten sich die Besucher, von denen viele aus einem Umkreis von vielen Meilen angereist waren. Polly war tagelang damit beschäftigt gewesen, zauberhafte Geschenkkörbe mit Lebkuchen, Sahnekaramell und einem Dutzend kleinen Christmas Cakes vorzubereiten, die sie schon seit Wochen mit Brandy tränkte. Ihr Stand ächzte geradezu unter der Masse der Waren und war nach dem Öffnen der Türen auch schnell belagert. Links von Polly bot Selina ihren filigranen Schmuck an, den sie in stundenlanger Kleinarbeit angefertigt hatte.

»Absolut brillant!«, befand Samantha, die zwischen den Tischen herumwuselte. »Damit werden wir so viel Geld zusammenbekommen!«

»Und ich kann endlich meine letzten Weihnachtseinkäufe tätigen!«, rief Mrs Corning. »Hier kriege ich bestimmt alles.«

Polly und Selina wollten lieber nicht darüber nachdenken, wie viel Geld sie hätten einnehmen können, wenn die Leute ihre Weihnachtseinkäufe direkt bei ihnen erledigt hätten.

Flora half am Bäckereistand aus und hatte ein Blech ihrer köstlichen Religieuses mitgebracht. Polly bezahlte sie sogar für ihre Arbeit, schließlich war Flora noch Studentin, und es war ja auch bald Weihnachten. Doch so langsam sollte Polly wohl selbst mal in richtige Weihnachtsstimmung kommen.

»Wie geht's Jayden?«, fragte sie nun fröhlich.

Wie gewöhnlich zuckte Flora nur mit den Achseln. »Ganz gut.«

»Hey, Polly, zeig dem Herrn mal deinen Ring!«, rief da Selina vom Nebentisch.

Brav lehnte sich die Bäckerin vor und zeigte ihren außergewöhnlichen Seegras-Verlobungsring.

»O ja«, sagte der Mann. »So was in der Art wäre toll.«

Selina strahlte. »Hm, vielleicht funktioniert das mit der Werbung ja doch!«

Polly sah skeptisch zu ihr hinüber.

»Der ist wirklich hübsch«, meldete sich nun Flora zu Wort, während auch sie den Ring betrachtete.

»Als Nächstes bist du an der Reihe«, meinte sie zu Flora und dachte an ihre Gespräche mit Jayden.

»Ha, von wegen!«, rief Flora. »Ganz bestimmt nicht.«

Mit gequältem Gesichtsausdruck zog Polly die Hand zurück. Vielleicht sprach sie besser noch mal mit Jayden über das Thema.

»Hast du in letzter Zeit mit Kerensa geredet?«, fragte Selina. »Die benimmt sich mir gegenüber wirklich komisch, ich hab sie schon seit Monaten nicht mehr gesehen. Und neulich ging sie glatt an mir vorbei.«

»Hm«, machte Polly, die sich diesbezüglich selbst nicht über den Weg traute. »Wahrscheinlich ist sie einfach nur total k. o. wegen der Schwangerschaft und so. Ich kriege sie auch kaum zu Gesicht.«

Selina starrte sie prüfend an. »Wann ist der Geburtstermin noch mal?«

Polly betrachtete Selina und beschloss, dass unter den gegebenen Umständen eine dicke, fette Lüge wohl das Beste wäre.

»Ende Februar«, behauptete sie deshalb.

In Wirklichkeit war Mitte Januar viel wahrscheinlicher, aber Polly konnte geradezu mit ansehen, wie Selina im Kopf zurückrechnete.

»Ah, klar«, sagte Selina. »Dafür ist ihr Bauch aber wirklich riesig.«

In diesem Moment ertönte ein nerviges Geräusch, als Samantha vorne im Saal gegen ein Mikrofon klopfte.

»Hallo, alle zusammen!«, rief sie heiter, und da scharten sich die Marktbesucher auch schon um sie. »Also, ich möchte gerne allen danken, die dazu beigetragen haben, dass dieser Markt so ein Riesenerfolg ist ...«

Selina und Polly tauschten müde Blicke.

»Und jetzt möchte ich bitte unsere ortseigene Bäckerin nach vorne bitten, die Frau, die uns mit all den süßen Sünden versorgt, von denen wir nicht mehr loskommen ...«

Polly erstarrte. Es passte ihr gar nicht, hier wie die örtliche Drogendealerin vorgestellt zu werden.

»Komm doch bitte nach vorne, um die Gewinnerin unseres Backwettbewerbs zu küren! Jayden hat gesagt, dass du dich gerne als Preisrichterin zur Verfügung stellst.«

Ihrem breiten Grinsen zufolge schien Samantha zu glauben, dass Polly nichts lieber täte. Polly warf Jayden einen bösen Blick zu. Sie konnte sich auch nicht daran erinnern, von Samantha darum gebeten worden zu sein. Es konnte aber durchaus sein, dass dieses Thema in einer von ihren tausend E-Mails zur Sprache gekommen war, die sie nie gelesen hatte.

»Hm?«, machte sie nun.

»Na, unser Backwettbewerb!«, wiederholte Samantha aufmunternd.

Widerwillig machte sich Polly auf den Weg nach vorne. Dort waren auf einem langen Tisch hinter dem Mikrofon jede Menge hausgemachte Backwaren aufgereiht, und hinter jedem Teller stand eine beklommen dreinblickende Ortsbewohnerin.

Polly kannte jede einzelne Teilnehmerin, jede von ihnen war eine Kundin der Bäckerei. Oder Exkundin, wenn das hier schiefläuft, dachte sie.

Sie begann an einem Ende des Tisches und arbeitete sich langsam durch verschiedene Kuchen, Pasteten, Brote und Torten vor, obwohl sie der Aufregung wegen kaum etwas schmeckte. Die alte Mrs Corning hatte ihr Früchtebrot gebacken und Muriel einen Dattelkuchen ... und die neunjährige Sally Stephens, die Enkelin des Tierarztes, stand stolz hinter einer beeindruckenden Zitronenbaisertorte. Alle Augen waren auf Polly gerichtet, als sie von Teller zu Teller wanderte.

»Das ist einfach alles köstlich«, stammelte sie. »Da kann ich mich wirklich nicht entscheiden.«

Samanthas Miene war streng. »Du musst aber eine Siegerin bestimmen«, versetzte sie. »Ich hab nämlich ein Wochenende in einem Spa als ersten Preis gespendet.«

Polly stöhnte innerlich auf. Darauf wäre jetzt, mitten im kalten Winter, wohl jeder in Mount Polbearne scharf.

Sie blickte in die erwartungsvollen Gesichter und griff dann nach einem der langweiligen, trockenen Kekse der alten Florrie.

»Äh, die hier«, sagte sie.

Die alte Dame schaute sie mit wässrigen Augen an. »Was?«, fragte sie mit zittriger Stimme.

»Sie haben gewonnen, Liebes!«, rief Samantha voller Elan.

»Was?«

Polly hatte sich eigentlich überlegt, dass sie den Preis der Teilnehmerin geben wollte, die ihn am nötigsten hatte. Jetzt war sie sich aber plötzlich nicht mehr so sicher, ob das eine gute Idee gewesen war.

»Sie haben den Wettbewerb gewonnen. Herzlichen Glückwunsch, Florrie!«

Florrie blinzelte, als jemand von der Lokalpresse ein Foto schoss. Polly hörte hinter sich das Gemurmel der anderen Inselbewohner und fürchtete, auf einen Schlag dreißig Prozent des allgemeinen Wohlwollens für ihr Geschäft verloren zu haben. Das lief hier gerade gar nicht gut.

»IN EINEM SPA!«, brüllte an ihrer Seite Samantha Florrie ins Ohr.

»Einem was, Liebes?«

Erleichtert nahm Polly das Auftauchen von Bernard aus der Papageientaucherkolonie zum Anlass, sich vom Tisch mit den Backwaren davonzustehlen.

»Hallo!«, rief sie und lief zu ihm. »Selina ist übrigens auch hier, da drüben!«

Die Schmuckdesignerin starrte sie an, während Bernard so gequält aussah wie immer.

»Und, was machen die Papageientaucher so?«, fragte Polly.

»Lärm«, antwortete Bernard. Er schaute sich um. »Das ist hier eine Benefizveranstaltung, oder?«

»Ja, für den Ort«, antwortete Polly.

»Das sollten wir für die Papageientaucherkolonie auch machen.«

»Hm«, murmelte Polly widerwillig.

»Könnte ich da mit dir rechnen?«

»Vermutlich. Aber mach dir mal keine Sorgen, ich übernehme ja den Auftrag an Weihnachten, um das Geld für euch zusammenzukriegen. Und ich hab nachgedacht.« Sie winkte Flora zu ihnen heran. »Könntest du Bernie im Sommer vielleicht beim Catering zur Hand gehen?«, wandte sie sich an die junge Bäckerin.

»Auf einer Vogelstation?«, fragte Flora und scharrte mit den Füßen.

»Es ist auf jeden Fall Arbeit«, sagte Polly.

»Ich kann doch überall eine Stelle finden«, entgegnete Flora. Und trotz ihrer mürrischen Art, ihrer eher laxen Auslegung von Pünktlichkeit und ihrem völligen Mangel an Initiative hatte sie damit wohl recht. Wer Zweifel daran hatte, musste nur mal in eins von ihren Gebäckstücken beißen.

Das Beste an ihrem Stand auf dem Weihnachtsmarkt, fand Polly, war wohl, dass sie bald alles verkauft hatte und gehen konnte. Als sie die Geldkassette Samantha überreichte, musste sie sich ganz schön zusammenreißen, um ein Lächeln auf ihre Züge zu zwingen, aber am Ende bekam sie es hin.

Samantha, die nicht nur das Haus hier in Mount Polbearne besaß, sondern die meiste Zeit des Jahres in einer riesigen Villa in London wohnte, hatte einfach keinen Sinn für Geld, und das war ja nicht ihr Fehler.

Also lächelte Polly strahlend und verabschiedete sich von allen.

»Kommst du nicht mit in den Pub?«, fragte Selina. »Alle anderen gehen noch was trinken. Du bist doch auch dabei, oder?«, wandte sie sich dann an Bernard, der zuerst verwirrt und dann erfreut wirkte.

»Ich kann nicht«, seufzte Polly. »Reubens Eltern kommen

nämlich schon bald, und ich muss für das Catering noch die blöden Weihnachtskanapees üben, die ich nicht so richtig hinkriege.«

»Na, dann grüß mal Kerensa schön von mir«, sagte Selina, und Polly schwor sich, dieser Aufforderung auf keinen Fall nachzukommen.

KAPITEL 21

Heiligabend rückte näher, und Polly hatte immer noch alle Hände voll zu tun. Inzwischen lief auch bei ihr in der Bäckerei im Hintergrund die Weihnachtsmusik, der sie sich bisher verweigert hatte. Zum einen hatte sie damit so lange gewartet, weil der Laden sonst etwas von einem Café an sich hatte und deshalb alle ewig dort rumhingen. Zum anderen konnte sie *Mary's Boy Child* auch nicht öfter als etwa vierhundertmal pro Advent ertragen.

Von Kerensa hatte sie nichts mehr gehört und sich nur einmal gemeldet, um zu fragen, ob alles in Ordnung wäre, was ihre Freundin bejaht hatte.

Dann hatte sich Polly wieder in die Arbeit gestürzt und neue Rezepte für Lebkuchen und Mincemeat-Häppchen ausprobiert. Außerdem hatte sie die Bäckerei mit einem kleinen Dorf aus Holzfiguren dekoriert. Sie hatte es so aufgebaut, dass es Mount Polbearne so weit wie möglich ähnelte, und mit kleinen Lichtern versehen. Die Kinder aus dem Ort waren hellauf begeistert, scharten sich darum und konnten von ihren Eltern nur weitergezogen werden, wenn sie ihnen eine Zimtschnecke oder ein Rosinenbrötchen spendiert hatten.

Erst viel später wurde Polly klar, wie sehr sie mit ihrem Modelldorf die Kinder auf der kargen Gezeiteninsel inspirierte. Die kamen Jahr für Jahr vorbei, um es sich anzuschauen, und obwohl sie älter wurden und irgendwann erkannten, wie klein und simpel das Dörfchen aus Holz war, gab es wütenden Protest, wenn die Bäckerin auch nur eine Kleinigkeit veränderte oder umstellte. Irgendwann brachten sie dann ihre eigenen Kinder mit, und die Kleinen von ihnen starrten und stießen Begeisterungsrufe aus, während die Größeren nur den Kopf schüttelten und nicht fassen konnten, dass ihre Eltern in so einem Umfeld aufgewachsen waren, in dem es absolut keine Unterhaltung gab.

Aber all das lag nun noch in der Zukunft. Jetzt stürzte sich Polly erst einmal in einen Dekorationsrausch, als wollte sie die ganze Welt gemütlich und gastfreundlich gestalten.

Im Leuchtturm wickelte sie Kilometer von Lametta um das Geländer, plante einen riesigen Christbaum und warf quasi mit Lichterketten um sich. Außerdem hatte sie sich eine ganze Sammlung von Kissen und Decken mit isländischen Mustern für das Sofa zugelegt. Sie hatte nämlich vor, sich dort an Huckle zu kuscheln und mit ihm komplette DVD-Boxen skandinavischer Serien zu gucken, während sie mehr oder weniger authentische Islandpullis trugen.

Huckle ließ Polly einfach machen und beobachtete sie dabei amüsiert. Er wusste, dass sie diese Zerstreuung im Moment brauchte, dass sie sich von gewissen Dingen ablenken wollte, es damit irgendwann aber auch wieder vorbei sein würde.

»Süße«, sagte er eines Abends, als sie ineinander verschlungen im Bett lagen und von den achtzig winzigen Leuchtpunkten einer Lichterkette angestrahlt wurden, die Polly auf dem Weg nach oben auszuschalten vergessen hatte.

»Sag mal, du hast ja offenbar jede Menge überschüssige Energie, die du loswerden musst ... Und es sieht auch alles toll aus, aber ich hab mich gerade gefragt, ob wir deinen Feuereifer nicht für etwas anderes nutzen sollten. Ich meine, vielleicht sollten wir ... Was würdest du davon halten, die Sache mit dem Baby in Angriff zu nehmen? Oder wir könnten vielleicht mit Hochzeitsvorbereitungen anfangen. Meine Eltern haben mich schon danach gefragt ... Ich meine, die müssen natürlich von weit her anreisen, und ...«

Als Polly an seiner Seite erstarrte, wusste Huckle augenblicklich, dass er wieder das Falsche gesagt hatte.

»Ich stelle mir das einfach so schön vor«, flüsterte er ihr sanft ins Ohr. »Und mein Dad hat gesagt ... Ich meine, damit will er jetzt wirklich nicht deine Mutter vor den Kopf stoßen oder so. Und uns natürlich auch nicht, vor allem dich nicht, denn du arbeitest dir hier ja die Finger wund ...«

Huckle hatte es mal damit probiert, sich die Finger wund zu arbeiten, und es gehasst. Erstaunlicherweise war er seit seinem Wechsel in ein ziemlich stressfreies Dasein durch seinen lässigen Charme und seine natürliche Attraktivität genauso gefragt wie früher mal in der Geschäftswelt. Und dafür musste er nicht einmal wie Polly im Morgengrauen aus den Federn.

Aber leider war die Branche des hausgemachten Honigs auch bei größtem Erfolg finanziell nicht besonders lukrativ. Zum Glück brauchte Huckle ja nicht viel. In seinem Schrank hing eine Garderobe aus wenigen, aber qualitativ hochwertigen Stücken, die mit jedem Tragen nur ausgeblichener und weicher wurden und damit letztlich von Jahr zu Jahr angenehmer. Sein Motorrad reparierte er selbst, wenn es sein musste, und was er sonst gern tat – spazieren gehen, es sich zu Hause gemütlich machen, absolut grauenhafte amerikanische MOR-Rockmusik hören, im Red Lion Bier trinken, mit Polly ins Bett gehen –, war ja eher günstig.

»Also, jedenfalls haben die beiden jede Menge Kohle…
Gott weiß, warum, verdient haben sie's nämlich nicht. Hör
mal, Polly, sie haben uns angeboten, die Hochzeit zu bezahlen. Offenbar würden all ihre Freunde so gerne nach England
rüberkommen, weil sie es hier total urig finden. Aber natürlich würden meine Eltern uns freie Hand lassen, alles so zu
gestalten, wie du gern möchtest.«

Nun herrschte lange Schweigen.

»Du bist doch nicht beleidigt, oder? Ich meine, ich hab
ihnen noch nicht definitiv gesagt, dass wir das Geld anneh-
men oder so…«

Polly schüttelte den Kopf.

»Ach, Huckle, um das Geld geht es doch gar nicht. Wirklich nicht – und das ist echt lieb von ihnen, total nett. Es hat
auch nichts mit Stolz zu tun…«

»Aber?«

»Es ist nur… Ich komme einfach mit diesem ganzen
Familienkram nicht klar. Du weißt doch, wie viel ich zu tun
habe, und… ich bin dafür einfach noch nicht bereit…«

Natürlich wollte sie damit nur sagen, dass sie für die Ehe
noch nicht bereit war, was ja mit Huckle nichts zu tun hatte.

Aber er hörte nur eins: dass sie ihn nicht heiraten wollte.

»Okay«, sagte er. Huckle war wirklich ein verträglicher,
gutmütiger Mensch und regte sich nur selten über irgendetwas auf. Es war gar nicht so einfach, seine Gefühle zu ver-
letzen. Aber möglich war es schon.

»Es tut mir leid«, beteuerte Polly. »Aber du weißt schon…
Ich hab hier wirklich viel zu tun…«

»Ja, ja, schon klar.«

Polly kam Carmel in den Sinn, die sich jahrelang gefragt
haben musste, ob ihr Mann sie wohl wieder betrügen würde.

Dann dachte sie an ihre Mutter, die während des einzigen Lebens, das sie je haben würde, Abend für Abend allein in ihrer Küche hockte und Suppe löffelte.

Und dann flackerte – ganz kurz, nur flüchtig – hinter ihrer Stirn der unbegreifliche Gedanke auf, dass sie da draußen Halbgeschwister hatte. Natürlich hatte diese Möglichkeit auch bisher immer bestanden, Polly hatte sich darüber aber nie groß den Kopf zerbrochen. Jetzt hatte sie allerdings Gewissheit und wusste sogar, dass zumindest eines dieser Geschwister etwa in demselben Alter wie sie war.

Tja, in diesem Moment konnte sie über das Thema Familie aber wirklich nicht weiter nachdenken. Und sie wollte sich auch der Frage nicht stellen, ob Huckle und sie nun selbst eine gründen würden oder nicht. Das verstand er doch sicher, oder? Das ging jetzt einfach nicht, und damit hatte es sich.

Der Wind pfiff draußen um den Leuchtturm, sein mit Lichterketten erhelltes Inneres war jedoch warm und gemütlich. So langsam brannte das Feuer zwar runter, der Turm war heute jedoch endlich einmal richtig warm geworden.

Ja, dachte Polly, die versuchte, in Gedanken endlich keine weiteren Listen mehr zu schreiben, und schmiegte sich noch enger an Huckle. Das konnte er doch sicher nachvollziehen, auf jeden Fall. Schließlich hatte er Verständnis für alles.

Aber eins lehrt uns das Leben eindeutig: Gerade bei den Menschen, die wir wirklich lieben, kann so vieles falsch verstanden oder übersehen werden. Manchmal denken wir, dass unser Schweigen so viel sagt, es wird vom anderen aber gar nicht wahrgenommen. Und bei anderer Gelegenheit glauben wir – oder würden gern glauben –, dass unsere Absichten für die uns am nächsten Stehenden so eindeutig sind wie der

Plätzchenklau früher für unsere Mutter, der natürlich die Schokolade rund um unseren Mund nicht entgangen war.

Dabei kann leider niemand Gedanken lesen. Und dieses eine Mal schlief nun Polly beim Geräusch der dröhnenden Wellen draußen als Erste ein, während Huckle wach lag und in die Dunkelheit starrte – ungewöhnlich gedankenverloren, ungewöhnlich schlaflos, ungewöhnlich einsam.

KAPITEL 22

Huckle hätte die Dinge vielleicht besser verstanden, wenn er am nächsten Tag bei der Ankunft von Reubens Eltern mit dabei gewesen wäre, aber das war er nicht.

Als sie an der schicken Villa des Millionärs ankam, entfuhr Polly unwillkürlich ein Seufzen, weil das Gebäude von oben bis unten perfekt durchdekoriert war.

Eigentlich war es ja albern, so viel Geld zu haben, schließlich konnte man am Tag doch nur eine gewisse Anzahl von Brötchen essen. Und dass sie den Unterschied zwischen einer billigen und einer teuren Flasche Wein bemerkte, stimmte bei Polly auch nur bis zu einem gewissen Grad. Auch in sündhaft teuren Handtaschen sah sie nun wirklich keinen Sinn. (In ihrer eigenen sammelten sich auf Dauer ja doch wieder Fetzen von alten Tempotüchern, Bleistifte, angebrochene Lippenstifte und Reste von Trockenhefe an. Der Gedanke, so etwas einer Tasche anzutun, die mehr kostete als ein Kleinwagen, erfüllte sie mit Entsetzen.)

Aber der Unterschied zwischen ihren kleinen Lichterketten und Reubens professioneller Weihnachtsdekoration war einfach zu offensichtlich. In der Einfahrt vor der Haustür stand mitten auf dem runden Wendeplatz ein drei Stockwerke hoher Christbaum. Dass man beim Schmücken »Karokönig« und »Eisskulpturen« als Thematik gewählt hatte, hätte doch eigentlich zu einem unfassbar kitschigen Resultat führen müssen. Tatsächlich sah der Baum vor dem Metall und glänzenden Glas des prächtigen, modernen Hauses jedoch umwerfend aus. Frost bedeckte draußen den Boden und den hübsch erleuchteten Pfad zu Reubens Privatstrand, als Polly ihre Bleche mit den Probierportionen in die riesige Küche schleppte. Reuben konnte zwar selbst gut kochen, hatte dafür aber auch Personal. Kerensa war nirgendwo zu sehen und hatte allen erzählt, dass sie sich im Moment so richtig verwöhnen ließ und außerdem alles über Babymassagen lernte. Polly wusste aber genau, dass solche Sachen sie überhaupt nicht interessierten. Deshalb hielt sie wahrscheinlich einfach den Ball flach.

Die Bäckerin seufzte. Gab es denn für niemanden ein Happy End? Funktionierte das so einfach nicht? Das sollte doch gerade die tollste Zeit im Leben ihrer Freundin sein – sie war mit einem Typen verheiratet, den man auf den ersten Blick vielleicht nicht gerade als »nett« bezeichnen würde, der aber witzig war und sie vergötterte, was ja auf Gegenseitigkeit beruhte. Die beiden passten doch wirklich gut zueinander und erwarteten jetzt in ihrer prächtigen Villa am Meer ihr erstes Baby. Kerensa kam Polly vor wie diese junge Frau, die den Fürsten von Monaco geheiratet und Zwillinge bekommen hatte, aber immer so furchtbar trübsinnig aussah. Wenn selbst Kerensa nicht glücklich werden konnte, wer dann? Und dennoch hatte sie sich in die Arme eines brasilianischen Strippers geflüchtet. Zwar nur kurz, aber immerhin …

Polly seufzte und stellte ihre beiden großen Bleche ab, bevor sie den Ofen anstellte, um alles noch einmal aufzubacken. Offiziell war sie zwar nur für die Weihnachtsparty, den ersten und zweiten Weihnachtsfeiertag als Caterin engagiert, sie hatte sich jedoch zu einer kleinen Verkostung an dem Tag bereit erklärt, an dem Reubens Eltern durchgefroren und hungrig eintreffen würden. Nun schaute sie sich erst einmal um.

Hausmädchen Marta lächelte sie zwar höflich an, sagte jedoch wie üblich kein Wort. Polly machte sich als Erstes einen Kaffee mit Reubens lachhaft lauter und komplizierter Kaffeemaschine, die über genug Technologie für eine Marsmission zu verfügen schien, dann schlenderte sie durch den riesigen Raum. Er war viel größer als ihre Backstube, mit der sie doch eine ganze Stadt durchfütterte. Mal abgesehen von den Öfen mit Fabrikausmaßen gab es einen Grillwok und einen Pizzaofen ... Von hier aus hätte man auch problemlos ein ganzes Hotel versorgen können, und im Prinzip war die Villa ja wohl auch eins.

Die Sonne fiel durchs Fenster herein und lieferte zusätzlich zur Fußbodenheizung noch mehr Wärme. Als typischer Amerikaner hatte Reuben es im Winter zu Hause gern bullig warm und im Sommer eiskalt, deshalb war es jetzt in der Sonne fast schon zu warm. Am liebsten hätte sich Polly wie eine Katze auf dem Fußboden ausgestreckt und ein Nickerchen gehalten.

Da hörte sie plötzlich ein wirklich seltsames Geräusch, so eine Art lautes Flattern, bei dem Marta allerdings nicht einmal mit der Wimper zuckte. Polly ging raus auf den Flur. Mal abgesehen vom enormen Baum im Eingangsbereich konnte sie von hier aus einen weiteren im Wohnzimmer entdecken, der von hölzernen Nussknackersoldaten umgeben war. Obwohl der Raum völlig leer war, prasselte dort im Kamin ein Feuer.

Als Polly nun die Haustür öffnete und über die glitzernde Einfahrt hinwegblickte, ging zu ihrer Verblüffung vor ihr ein schwarzer Hubschrauber in den Sinkflug. Natürlich hatte sie das Geräusch erkannt, aber sie hatte jetzt schon länger keinen Helikopter mehr aus der Nähe gesehen … nicht seit jenem schlimmen Sturm vor gut einem Jahr. Diese Erinnerung vertrieb sie jetzt lieber aus ihrem Kopf und setzte ein nervöses Lächeln auf. Damit fühlte sie sich allerdings nur noch mehr wie jemand vom Personal.

Der Hubschrauber war unglaublich laut, als er auf dem riesigen H in der Einfahrt landete, das Polly nicht einmal bemerkt hatte. Mal im Ernst, wie konnte jemand nur so viel Geld anhäufen? Sie wusste ja, dass Reuben irgendwelche Algorithmen entwickelte, um die sich große Computerfirmen geradezu rissen, aber sie hätte ja nicht einmal sagen können, was ein Algorithmus überhaupt war. Abgesehen davon, dass er einem offensichtlich ermöglichte, sich einen Privathubschrauber zuzulegen.

Irgendwann kamen die Propellerflügel dann endlich zum Stillstand, und es erschien das stets vergnügte Gesicht von Reuben, der seine Kopfhörer abnahm und zu Boden sprang. Als er eifrig winkte, winkte Polly brav zurück, wieder mit dem Gefühl, irgendwie abhängig zu sein, wie eine Angestellte.

Marta kam heraus und brachte die zahlreichen schweren Koffer ins Haus, während Reuben erst seinem Vater, dann seiner Mutter aus dem Helikopter half.

Sein Vater war so offensichtlich eine ältere Version von Reuben, dass es fast schon witzig war, sie zusammen zu sehen. Auf seinem kahlen Schädel sprossen nur noch über den Ohren ein paar Büschel Haare in derselben roten Farbe wie bei seinem Sohn, und seine Platte war über und über mit Sommersprossen gesprenkelt. Sein Körper war eine fast perfekte Kugel, und er trug einen offenbar sündhaft teuren Kaschmirmantel über einem maßgeschneiderten – und vielleicht etwas zu betont britischen –Tweedanzug mit einem Einstecktuch in der Brusttasche. Die perfekte Kleidung änderte jedoch nichts dran, dass er im Prinzip aussah wie ein Schneemann mit winzigen fetten Ärmchen und Beinchen oder vielleicht wie ein fröhliches Baby.

Rhonda, Reubens Mutter, bestand eigentlich nur aus ihrer langen Mähne. Die war für eine Frau aus ihrer Generation ungewöhnlich tiefschwarz, andererseits konnte man ihr Alter ja auch nur schwer bestimmen. Reubens Mutter trug – nein, das war jetzt nicht ihr Ernst, oder? – doch, doch, sie hatte sich ohne jede Scham in einen bodenlangen Nerzmantel gehüllt. Auch Rhonda war klein, und ihr Auftritt erinnerte ein wenig an eine Szene aus *The Revenant*.

Polly konnte Pelzmäntel nicht ausstehen, so sah es nun mal aus. Aber sie konnte sich auch denken, dass sich Rhonda keinen Deut darum scheren würde, was Polly nun mochte oder nicht.

Selbst nach einem achtstündigen Flug und Hubschraubertransfer sahen Rhondas falsche Wimpern immer noch perfekt aus, was Polly ziemlich beeindruckend fand. Mit ihren riesigen geschminkten Augen über dem breiten Lippenstiftlächeln erinnerte sie Polly ein wenig an Liza Minnelli. Allerdings klebte ihr vom Lippenstift auch ein wenig an den Zähnen. »Hey!«, rief sie.

Polly trat einen Schritt vor, als Rhonda ihr zuwinkte und sie dann schmatzend auf beide Wangen küsste. »An dich erinnere ich mich noch gut! Du hast dich doch auf Reubens Hochzeit davongeschlichen, um mit dem feschen Trauzeugen rumzumachen, oder?«

Polly lächelte verlegen. »Äh, ja.«

»Ist der immer noch aktuell? Vermutlich nicht, oder? Tja, so läuft das einfach nicht. Ihr jungen Dinger müsst denen ja auch immer gleich –«

»Wir sind inzwischen verlobt«, unterbrach Polly sie rasch. Rhonda runzelte die Stirn oder hätte es zumindest getan, wenn ihre Haut es denn erlaubt hätte.

»Tja, hab ich's nicht gesagt?«, erwiderte sie nun, als hätte sie genau das die ganze Zeit gedacht. »Also, wo steckt denn nun meine Schwiegertochter?«

Wenn es auf der ganzen Welt auch nur eine einzige Frau gab, die es mit Rhonda als Schwiegermutter aufnehmen konnte, dann war es vermutlich Kerensa.

»Sie ist ... unterwegs«, antwortete Polly betreten.

Rhonda schniefte laut. »Hast du das gehört, Merv? Sie ist unterwegs ... und offenbar zu beschäftigt, um ihre Schwiegereltern willkommen zu heißen. Und warum treibt sie sich überhaupt in der Gegend herum, wenn sie doch unseren Enkel in sich trägt? Hm? Hm?«

»Aber, Ma«, wandte nun Reuben in versöhnlichem Tonfall ein. »Sie ist ja nicht weit weg, und das ist schließlich nicht euer einziger Enkel. Valence hat doch auch zwei Kinder.«

»Ja, schon, Valence«, sagte Rhonda in einem Tonfall, der keinen Zweifel daran ließ, welches ihrer Kinder für sie an erster Stelle stand. »Ich meine doch Finkel-Kinder, die den Namen der Familie weitergeben werden. Die Babys von meinem süßen kleinen Ruby-Woobie.«

Man musste Reuben zugutehalten, dass er keinerlei Abwehrversuche startete, als seine Mutter ihm nun die prallen Wangen tätschelte. Er schien einfach zu akzeptieren, dass sie so etwas in der Öffentlichkeit mit ihm anstellte.

Marta verschwand mit dem Gepäck, und Rhonda hinterließ

eine schwere Parfümwolke, als sie dramatisch ins Haus schwebte.

»Oh, Reuben«, sagte sie dann bedauernd. »Ich meine ... du weißt schon.« Sie schaute sich im prachtvollen Eingangsbereich mit der modernen Balustrade und dem riesigen Christbaum um. »Das ist alles einfach ... so karg! Hättest du das nicht etwas schicker gestalten können? Also, bei uns zu Hause«, wandte sie sich nun an Polly, »haben wir alles von oben bis unten vertäfeln lassen. Du weißt schon, das verleiht dem Ganzen so etwas Klassisches, so macht man es richtig. Und die haben dafür Holz genommen, das man heute gar nicht mehr kriegt, wirklich was ganz Seltenes. Ich glaube, wir waren die Letzten, die dafür noch eine Abholzgenehmigung bekommen haben.«

»Ja, das glaubst aber auch nur du«, warf nun Merv ein. »Eine Genehmigung? Ha, die süße Unschuld!«

Er schmunzelte gutmütig und wanderte dann in die Küche hinüber. »Also, was gibt es in dieser Bruchbude denn so zu essen?«

Mit einem Ausdruck zufriedenen Entsetzens folgte Reuben seinen Eltern.

»Ich meine, wäre ein bisschen Gold hier und da denn wirklich so schlimm, hm? Um der Welt zu zeigen, dass du auf dem besten Weg dazu bist, es zu etwas zu bringen.«

»Hier drüben würden die meisten Leute wohl finden, dass ich es längst zu etwas gebracht habe.«

»Tja, hier drüben.«

Geschickt holte Polly die Bleche mit dem heißen Gebäck aus dem Ofen: Es gab Rugelach und Schokoladenmatzen, genau wie Reuben bestellt hatte, und ihre Spezialität: Knishes aus dem alten Land, also aus einem Europa von vor etwa drei

Generationen. Die hatte Polly etwa neunmal abwandeln müssen, bis Reuben sich endlich zufriedengegeben hatte.

Merv griff gleich zu, obwohl das Gebackene noch nicht kalt genug war, und starrte seine Finger dann wie ein verwirrter Bär an. »Da-ad«, stöhnte Reuben, während Rhonda mit der Zunge schnalzte, bevor sie sich umzusehen begann.

»Wo ist denn das eisgekühlte Wasser?«

Mitten im Dezember hatte Polly eisgekühltes Wasser eigentlich nicht für nötig gehalten, jetzt eilte sie jedoch zu Reubens albernem Kühlschrank mit Gastronomieausmaßen und füllte für Rhonda am Wasserspender in der Tür ein Glas.

»Die sind ja super«, murmelte Merv, während er sich im Affenzahn Pollys Backwaren in den Mund stopfte. »Auch wenn ich dich wegen der verbrannten Finger natürlich verklagen werde ... Ha, ha, Spaß! Aber was soll das überhaupt sein?«

Polly drehte sich zu Reuben um. Das waren die speziellen Knishes, an denen sie so lange gesessen hatte. Sie hatte das für sie exotische Rezept immer weiter verfeinert und dafür Zutaten aufgetrieben, die man im ländlichen Cornwall nur schwer fand. Und jetzt wusste sein Vater nicht einmal, was er sich da gerade in den Mund schob?

Reuben wirkte nicht im Geringsten zerknirscht.

»Hey, so mag ich die eben!«, verkündete er. »Und ich zahle hier immerhin!«

Rhonda warf einen Blick auf das Gebäck. »Nein, danke, nicht für mich. Ich muss schließlich auf meine Figur achten.«

Dann dackelte sie fröhlich zum Fenster hinüber und schnalzte beim Anblick von Reubens Spülstein missbilligend mit der Zunge. »Oje, das ist alles so altmodisch! Hättest du dir nicht was mit hübscheren Kränen zulegen können? Die hier sehen ja aus, als wären sie nur fürs Personal.«

Reuben lächelte milde und trat dann an Polly heran. »Wo steckt Kerensa?«, zischte er durch zusammengebissene Zähne. »Ohne sie ertrage ich das hier einfach nicht. Und sie geht partout nicht ans Handy. Was ist denn nur los mit ihr?«

Polly zuckte mit den Achseln. »Ich weiß auch nicht ... irgendwelche Schwangerschaftsgeschichten?«, murmelte sie und hoffte nur, dass Reuben solche Sachen genauso befremdlich fand, wie sie ja auch oft waren.

»Brr«, machte Reuben tatsächlich und schüttelte sich. »Igitt. Ich hab einmal den Begriff ›Schleimpfropf‹ gehört, das hat mir gereicht, vielen Dank.«

»Willst du denn bei der Geburt nicht dabei sein?«

»Auf keinen Fall! Das ist doch, als würde man seine Lieblingskneipe abbrennen sehen, wie mal jemand so schön gesagt hat.«

»Aber, Reuben, du musst ihr da einfach beistehen.«

»Ich bezahle die besten Frauenärzte im ganzen Land dafür, dass sie auf Abruf stehen. Außerdem haben wir eine Doula und eine Kinderkrankenschwester engagiert, und später legen wir uns dann eins von diesen Norland-Kindermädchen zu, das Uniform trägt und sich weigert, mit mir Sex zu haben.«

Polly ignorierte den typischen Reuben-Witz.

»Will Kerensa das denn?«

»Es ist das Beste!«, verkündete Reuben voller Überzeugung. »Das weiß doch jeder.«

»Okay«, murmelte Polly.

Na, das wird ja ein tolles Weihnachtsfest, dachte sie. *Erledige am besten einfach deine Arbeit und konzentrier dich aufs Geld, dann kommt schon alles in Ordnung.*

»Es ist wirklich eine Schande, dass du nicht vernünftig dekoriert hast«, sagte Rhonda, die immer noch alles unter die Lupe nahm. »Ich bin schon ein bisschen enttäuscht, weil du dir da überhaupt keine Mühe gegeben hast.«

»Okay, Ma.« Reuben sah zum ersten Mal schuldbewusst drein, wie der freche Lümmel, der er als kleiner Junge wohl mal gewesen sein musste. »Möchtet ihr euch vielleicht erst einmal ein bisschen hinlegen?«

»Schlafen wir etwa im selben Zimmer wie letztes Mal?«, fragte Rhonda. »Da ist es doch so laut.«

»Das sind die Wellen, Mum.«

»Ich sage ja nur, dass die unglaublichen Lärm machen. Kannst du denn nichts dagegen unternehmen?«

»Doch, natürlich, Mum. Ich könnte rausgehen und das Meer anhalten.«

Polly fühlte sich hier immer unwohler. Merv und Reuben hatten alles allein verputzt, weil Rhonda nichts essen wollte. Jetzt standen die vier unbehaglich herum und schauten sich in der riesigen Küche um.

Wo zum Teufel steckte bloß Kerensa?

Wenn sie jetzt da wäre, würde sie mit Sicherheit irgendwas Witziges sagen und so das Eis brechen. Stattdessen tat sie etwas, was Polly wirklich gefährlich fand: Sie ließ ihren Ehemann schlecht dastehen. Reuben war doch daran gewöhnt, dass sich stets alles um ihn drehte und er immer bekam, was er wollte. Ihn jetzt in der Anwesenheit seiner Eltern zu versetzen war im besten Fall furchtbar unhöflich, im schlimmsten Fall eine absolute Katastrophe.

Polly schielte zu Merv rüber, der Krümel von seinem unglaublich teuren Mantel fegte. Als er wieder aufschaute, bemerkte er ihren Blick.

»Ja, komm schon, Rhonda«, sagte er nun. »Lassen wir die jungen Leute mal in Ruhe und legen uns ein Stündchen hin.«

Rhonda schniefte. »Ich werd da bestimmt kein Auge zumachen.«

»Das sagst du immer, wenn du müde bist. Und dann bist du sofort weg und schnarchst wie ein Holzfäller.«

»Und aus genau diesem Grund richten wir uns auch bald separate Schlafzimmer ein. Nein, am besten einen eigenen Gebäudeflügel für jeden«, erwiderte Rhonda und verschränkte die Arme vor der Brust.

In diesem Moment war von draußen das Dröhnen eines Motorrads zu hören. Huckle kam vorbei, um Hallo zu sagen. So sehr hatte sich Polly wohl noch nie gefreut, ihn zu sehen.

»Huck!«, rief sie strahlend, als er hereinschlurfte.

»Äh, hey?« Langsam ließ Huckle den Raum auf sich wirken. »Hi, Mrs Finkel. Mr Finkel.«

»Sag doch bitte Merv. Ich erinnere mich an dich, du bist Huckle, oder?«

Der Neuankömmling nickte.

»Weißt du, irgendwie stellt mir Reuben nie richtig seine Freunde vor.«

»Was daran liegt, dass er keine Freunde hat«, entgegnete Huckle grinsend, um zu zeigen, dass es bloß ein Witz sein sollte.

»Und ob! Ich hab Millionen von Freunden! Das sind die besten Freunde der Welt, und die meisten von ihnen sind sogar berühmt!«, hielt Reuben dagegen.

»Alles klar, Supermann, das weiß doch die ganze Welt. Schön, dich zu sehen. Wie war Pollys umwerfendes Gebäck?«

»Einfach köstlich.« Merv klopfte sich auf den Bauch. »Du hast wirklich ein Händchen fürs Personal, Reuben.«

»Eigentlich bin ich ja …« Aber Polly beschloss, es gut sein zu lassen. »Danke«, sagte sie daher einfach nur.

Huckle strahlte und legte ihr den Arm um die Schulter, während Rhonda wieder schniefte.

»Also, wo steckt denn —«, begann Huckle, fing sich dafür jedoch von Polly einen Tritt gegen das Schienbein ein.

»Was denn?«

»Nichts«, murmelte Polly.

Huckle sah verwirrt aus — und Rhonda inzwischen stinksauer. »Sie wollte dir mitteilen, dass du nicht nach Reubens Frau fragen sollst. Die hat es nämlich nicht für nötig gehalten, uns persönlich zu begrüßen«, erklärte sie.

»Oh«, machte Huckle und starrte Polly an.

»Hallo!«, ertönte da eine Stimme im riesigen Eingangsbereich des Hauses. Dann trat Kerensa in die Küche — oder wankte vielmehr herein, inzwischen war ihr Bauch noch riesiger. Der herausgewachsene Haaransatz war klar zu erkennen, ihr Gesicht wirkte aufgedunsen, und die Haut war rau und fleckig, dabei sah Kerensa sonst doch nie anders als absolut makellos aus. Selbst Polly war entsetzt.

»Hey, Rhonda … Merv.«

Ihr Schwiegervater tätschelte sie ein wenig zerstreut, Rhonda verbarg ihren Schock jedoch nicht.

»OH! MEIN! GOTT!«, rief sie dramatisch aus. »Reuben, die ist ja der reinste Walfisch! Sieh dich nur mal an, so fett ist noch nie eine Finkel-Frau geworden. Was du da mit dir rumträgst, ist ja größer als Reuben!«

Kerensa versuchte sich an einem Lächeln, machte aber eher den Eindruck, als würde sie gleich in Tränen ausbrechen.

Reuben setzte eine finstere Miene auf. »Sie sieht toll aus.«

Bei diesem Spruch hätte Rhonda wohl eine Augenbraue

hochgezogen, wenn ihre Brauen nicht bereits so nachgezogen worden wären, dass sie die halbe Stirn einnahmen.

Kerensa starrte alle einfach nur ausdruckslos an, als wüsste sie gar nicht, dass sie da waren. Ihr Gesichtsausdruck wirkte müde, und in ihren Augen stand Angst geschrieben. Polly hätte sie in ihrer Nähe so gerade eben noch ertragen können, aber all die Finkels auf einmal waren einfach zu viel für sie.

»Es war anstrengend draußen, ich geh mal nach oben«, sagte sie deshalb dumpf und legte ihre teure Handtasche auf den Küchentisch. Das Geräusch der goldenen Verschlüsse auf dem gebürsteten Beton hallte unangenehm im Raum wider.

KAPITEL 23

»Okay«, sagte Huckle noch in dem Moment, in dem sie nach Hause kamen. Sonst stets so ungerührt, sah er mit einem Mal verblüffend wütend aus. Er marschierte in die Küche und stützte sich mit beiden Händen schwer auf den sauber geschrubbten alten Holztisch. Neil war nirgendwo zu sehen.

»Was zum Teufel war das denn?«

»Was meinst du?«, fragte Polly nervös.

»Das mit dir und Kerensa, die ganzen vielsagenden Blicke. Irgendwas ist da doch los, aber was, verdammt noch mal?«

»Äh«, machte Polly. »Ich glaube, sie war nur wegen Merv und Rhonda ein wenig durcheinander ... Und, äh, wegen des Babys. Das kommt ja schon in einem Monat.«

Huckle schüttelte den Kopf. »Ich hab doch selbst schon gesehen, dass Kerensa mit Rhonda und Merv wunderbar umgehen kann. So leicht macht dieser Frau nichts Angst. O nein, da ist noch irgendwas anderes.« Prüfend schaute er sie an. »Und guck dich doch nur mal an, du wirst ja knallrot!«

Polly verfluchte ihre helle Haut, durch die man es ihr sofort ansah, wenn sie errötete. Aber sie verfluchte auch die Tatsache, dass Huckle sie einfach viel zu gut kannte.

Als er sie jetzt anstarrte, waren seine blauen Augen nicht träge und freundlich, sondern hart. »Was zum Henker ist hier los?«

»Nichts!«

»Kerensa lässt sich in letzter Zeit kaum blicken, und du bist so verschlossen. Nun sag schon, was ist denn nur, Polly?«

Während Huckle ihnen erst einmal eine Tasse Tee machte, sprach Polly kein Wort, jedoch hinter ihrer Stirn rasten die Gedanken. Sie konnte nun wirklich nicht … andererseits war das hier doch Huckle, ihr Geliebter, ihre bessere Hälfte … Vor dem durfte sie doch keine Geheimnisse haben, ihn nicht anlügen, nicht unehrlich sein. Derart lief das bei ihnen nicht, so war ihre Beziehung nie gewesen.

Solche Dinge kannte sie eher aus ihrer Zeit mit Chris, der sie angelogen und vorgegeben hatte, mit ihrer Firma sei alles in Ordnung. Er hatte immer behauptet, alles sei super und sie müsse sich keine Sorgen machen. Und dann waren sie plötzlich pleite gewesen und hatten alles verloren.

Polly konnte es nicht ertragen, in Huckles wundervolles, offenes, verwirrtes Gesicht zu blicken. Ihr Verlobter war so freimütig und sagte ihr immer die Wahrheit, immer. Er hatte ihr erzählt, wie fertig er nach der Trennung von seiner Ex-freundin gewesen war, dass er ein gutes Jahr gebraucht hatte, um über sie hinwegzukommen. Polly hatte ihm damals Freiraum gegeben und ihn all das machen lassen, was er für nötig gehalten hatte, bis er schließlich bereit gewesen war. Und sie waren in all dieser Zeit doch immer ehrlich zueinander gewesen.

Aber hier, hier stand jetzt alles auf dem Spiel, nicht nur ihre Freundschaft zu Reuben und Kerensa, sondern die ganze Welt, die sich Polly und Huckle zusammen aufgebaut hatten, ihr gemeinsames Glück.

Vielleicht würde Huckle jedoch Verständnis zeigen, schließlich war er ein vernünftiger Typ, oder nicht? Wahrscheinlich begriff er sofort, dass es bloß ein alberner Fehler gewesen war, ein Missverständnis.

Konnte Polly das Thema vielleicht einfach aussitzen? Aber Huckle starrte sie unverwandt an, bis ihr irgendwann klar wurde, dass sie schon viel zu lange geschwiegen hatte. Es gab hier kein Entrinnen.

»Polly?« Huckles üblicher lockerer Tonfall war jetzt völlig verschwunden. Er meinte es todernst. »Du musst es mir sagen.«

Polly schloss die Augen. Grübelte. Wünschte sich, irgendwo anders zu sein. Rief sich in Erinnerung, was sie ihrer besten Freundin alles zu verdanken hatte. Und sie dachte an die Wahrheit, die sie ihrem Verlobten schuldig war. Sie ließ ihr eigenes Leben Revue passieren.

Und dann erzählte sie ihm doch die ganze Sache mit Kerensa.

KAPITEL 24

So hatte Polly Huckle noch nie zuvor gesehen. Natürlich hatten auch sie gelegentlich mal Streit, das war nur menschlich. Und als Huckle im Jahr zuvor eine Zeit lang in den Staaten gearbeitet hatte, war es für sie beide schwierig gewesen.

Aber früher war es bei solchen Streitigkeiten um etwas Konkretes gegangen – um Klempnerarbeiten im Bad oder um die Frage, warum sie den langen Weg (fünfzig Kilometer!) bis zum nächsten Kino auf sich nehmen sollten, wenn Polly ja doch jedes Mal den ganzen Film durchschlief.

Das waren Meinungsverschiedenheiten gewesen, aber um so etwas handelte es sich dieses Mal nicht, überhaupt nicht. Unter anderen Umständen wäre es beinahe witzig gewesen, sich anzuschauen, wie Huckles sonst so freundliches und attraktives Gesicht die gesamte Bandbreite von Emotionen durchlief – Entsetzen, Fassungslosigkeit, Wut und schließlich tiefste Kränkung. Lange sagte er nichts. Dann machte er irgendwann den Mund auf, bekam aber kein Wort heraus, begann zu stammeln und verstummte schließlich wieder. Er wandte sich ab. Polly rutschte das Herz in die Hose, als er sich wieder zu ihr umdrehte.

»Wie ... wie lange?«, brachte er letztlich mit rauer Stimme hervor. »Wie lange weißt du es schon?«

Polly schluckte heftig. »Seit ... na ja, ein paar Wochen.«

216

»Seit ein paar Wochen?« Huckle blinzelte. Er sah aus, als würde er gleich in Tränen ausbrechen. »Du hast das gewusst und wolltest mir nichts davon sagen? Ist dir das denn nie in den Sinn gekommen, nicht ein einziges Mal?«

Polly schüttelte den Kopf. »Das geht uns doch nichts an.«

»Aber, Polly«, entgegnete Huckle. »Polly, ich … Ich sollte doch … Ich bin doch deine bessere Hälfte … dein Seelenverwandter, wenn du es so nennen willst.«

Polly konnte seinen Gesichtsausdruck kaum ertragen. Sein Blick schien ihr zu sagen, dass irgendetwas, was er an ihr geliebt oder über sie gedacht hatte, plötzlich verschwunden war. Als wäre sie von einem Moment auf den anderen nicht mehr der Mensch, für den er sie gehalten hatte. Als wäre etwas Zauberhaftes und Perfektes, was sie miteinander verbunden hatte, mit einem Mal nicht mehr da. Tränen schossen ihr in die Augen.

»Ich meine … wir sollen uns doch alles anvertrauen«, sagte er.

»Kerensa hat mich ja schwören lassen!«

»Was für den Rest der Welt gilt, aber doch nicht mir gegenüber!«

»Es ging einfach nicht«, protestierte Polly. »Und was, wenn du es Reuben erzählt hättest?«

»Tja, ich denke tatsächlich, dass er ein Recht auf die Wahrheit hat, findest du nicht? Er sollte es wissen, wenn er da ein Baby aufziehen wird, das mit ihm überhaupt nichts zu tun hat. Oder meinst du etwa, dass es ihn auch nichts angeht?«

»Aber wegen des Babys können wir doch nicht einmal sicher sein! Das kann keiner, und wir werden erst dann Gewissheit haben, wenn dieses Kind auf der Welt ist.«

Huckle schüttelte den Kopf.

»Reuben ist mein bester Freund, Polly. Mein bester Freund!«

»Und Kerensa meine beste Freundin!«, wandte Polly ein.

»Nein, das ist einfach ... So etwas ist unmoralisch, unethisch. Dabei kann ich nicht mitmachen, Polly. Ich kann nicht ... damit will ich nichts zu tun haben.«

»Huckle, du weißt doch, wie Reuben ist, wie gemein und fies er sein kann. Er war nie zu Hause und hat Kerensa wie eine Angestellte behandelt. Darum hat sie eben nach ein bisschen Ablenkung gesucht ...«

»Und deshalb hältst du diese Sache für gerechtfertigt?«

»Nein, natürlich nicht! Ich glaube, sie ist einfach losgezogen, um ein bisschen Dampf abzulassen, und dann sind die Dinge aus dem Ruder gelaufen. Solche Sachen kommen doch vor.«

Huckle nickte langsam. »Tatsächlich? Ich meine ... würdest du so was auch machen?«

»Nein!«, stammelte Polly entsetzt. »Nicht in einer Million Jahren!«

»Trotzdem hältst du es für in Ordnung?«

»Nein!«, rief Polly wieder. »Wie kannst du so was nur denken?«

»Weil eine Freundin von dir es getan hat und du ihr beim Vertuschen hilfst.«

»Sie hat einen Fehler gemacht und hält ihn selbst nicht eine Sekunde lang für gerechtfertigt! Keiner hält so ein Verhalten für entschuldbar, Huckle. Aber es war eben ein furchtbarer, schrecklicher Fehler.«

»Morgens zwei verschiedene Socken anzuziehen ist ein Fehler«, stieß Huckle bitter hervor. »Oder den falschen Kandidaten zu wählen. Aber das hier ...«

Polly nickte. »Glaub mir, deshalb macht sie sich ja selbst furchtbare Vorwürfe. Sie liebt Reuben, wirklich. Es war ein Fehltritt, ein alberner Fehltritt, den sie sich niemals, niemals vergeben wird.«

»Wie kann sie damit nur leben?«, fragte Huckle.

Er funkelte Polly an, als bräuchte er darauf einfach eine Antwort. Oder als wollte er in Wirklichkeit sie fragen, wie sie mit so einem dunklen Geheimnis leben konnte.

»Gibt es da … etwa noch mehr, was du mir nicht erzählt hast?«, fragte er gequält.

»Nein«, entgegnete Polly. »Nein! Und ich hab dir das ja auch nur aus einem einzigen Grund verschwiegen – weil es nämlich nichts mit mir zu tun hatte. Ich wollte mit dir ja darüber reden, aber es war nicht mein Geheimnis. Und Kerensa hat es mir verboten, sie hat mich angefleht, Huckle. Und zwar aus genau diesem Grund, weil es sonst niemanden angeht.«

Auf einmal wurde Polly klar, dass sie Angst hatte. Hier schien plötzlich alles in Scherben zu gehen.

»Wirst du es ihm sagen?«, fragte sie leise.

Frustriert hieb Huckle mit der Faust auf den Küchentisch.

»Verdammt noch mal!«, knurrte er. »VERDAMMT, Polly!«

»Ich weiß«, murmelte sie. »Ich weiß.«

»Und was, wenn er es später irgendwann rausfindet? Wenn das Kind ganz offensichtlich nicht seins ist und er in dieser Situation uns um Rat bittet? Was machen wir dann?«

»Das weiß ich doch auch nicht.«

Huckle schüttelte den Kopf. »Und ich hab dir vertraut. Ich dachte, dass zwischen uns etwas Tolles und Echtes und … einfach etwas Wunderbares entstanden ist. Hier, an diesem schönen Ort. Zwischen dir und mir, aber auch mit allem anderen und zusammen mit den beiden … Alles war so schön:

Hier hatte ich Freunde, eher schon eine Familie und, na ja, eben all diese Dinge, die ich im Leben sonst nirgendwo gefunden habe ... « Er biss sich auf die Lippe. »Und jetzt ist das alles ruiniert. Einfach dahin.« Er sprang auf und ging zur Tür.

»Nein!«, rief Polly und schob sich zwischen ihn und die Tür. »Nein, ist es überhaupt nicht. Jetzt übertreibst du völlig, das alles hat mit uns doch gar nichts zu tun.«

»Aber wir vier, wir haben auch ein ›Wir‹ gebildet. Wir waren Freunde, waren auf diese Weise doch auch verbunden. Wir haben gemeinsam Sachen unternommen und einander vertraut. Und jetzt ... jetzt müssen drei von uns diesem seltsamen Kind beim Aufwachsen zusehen und dürfen darüber kein Wort verlieren? Das ist doch eine Verschwörung.«

Polly seufzte.

»Es wird nie mehr sein wie vorher, das kann man nicht kitten«, behauptete Huckle finster. »Wir können doch nicht einfach so tun, als wäre das nicht passiert. An den Punkt, an dem wir von nichts gewusst haben, können wir nicht mehr zurückkehren.«

»Wo willst du denn hin?«, fragte Polly, deren Herz panisch in ihrer Brust schlug. »Was hast du vor? Willst du zu Reuben und es ihm erzählen?«

»Nein. Vielleicht. Ich weiß es nicht«, antwortete Huckle. »Lass mich einfach nur in Ruhe.«

Er lief nach draußen, wo Polly den Motor seines Bikes hörte. Auch wenn sie ihn inzwischen so gut wie auswendig kannte, warf sie einen raschen Blick auf den Gezeitenkalender. Um diese Uhrzeit würde der Fahrdamm überflutet sein, Huckle war also der Weg zum Festland abgeschnitten – und vor allem der Weg zu Reuben. Vermutlich war er zum Red Lion rübergefahren, um dort ein Bier zu trinken und erst einmal runterzukommen. Na ja, etwas anderes blieb ihm wohl nicht übrig, draußen war es nämlich eiskalt, und er konnte sonst nirgendwohin. Außer natürlich, er überlegte es sich noch einmal und kehrte zurück ...

Lange stand Polly da, starrte die Tür an und wartete auf Huckle. Inzwischen war ihr Tee ganz kalt, und fürs Abendessen hatte sie auch noch nichts gekocht. Sie griff nach ihrem Handy, aber der Empfang war wie üblich schlecht. Trotzdem stierte Polly lange aufs Display, als würde vielleicht gleich doch noch eine Nachricht eingehen. Sie selbst wollte Huckle lieber keine schreiben, falls sie womöglich genau das Falsche sagte. Sie fühlte sich einfach grauenhaft.

Irgendwann ging Polly nach oben, im Rest des Leuchtturms war es jedoch eiskalt, und die ganze Weihnachtsdekoration machte sie jetzt traurig, deshalb drehte sie sofort wieder um und ging zurück in die Küche, wo sie sich neben den Ofen hockte.

Da kam Neil angehüpft und setzte sich auf ihre Schulter. Sie rieb ihm den Nacken, während sie im Kopf noch einmal den Streit durchging. Selbst in ihrer Verzweiflung konnte sie ein Muster in ihrem Verhalten erkennen. Ein Leben lang hatte sie versucht, ihrer Mutter wegen die Wogen zu glätten, immer alles in Ordnung zu bringen. Jetzt hatte sie dasselbe für Kerensa tun wollen, und es hatte nicht funktioniert. Diese Sache konnte man nicht einfach so unter den Teppich kehren. Und wenn sie jetzt so darüber nachdachte, hatte es bei ihrer Mutter eigentlich auch nie geklappt.

Polly hatte sich angewöhnt, den Dingen nicht ins Auge zu sehen und stattdessen aufs Beste zu hoffen ... Aber das Leben war nun mal keine Buttercremetorte. Man konnte die Creme nicht über die Risse im Kuchen streichen und hoffen, dass sie unbemerkt blieben. So lief das nicht. Stattdessen wurden sie unter der Oberfläche nur immer tiefer, bis man sie irgendwann nicht mehr kitten konnte.

Polly brach in Tränen aus, und es war kein hübsches Weinen, sondern ein verzweifeltes Schluchzen. Hier schüttelte sie diese Art von Weinen durch, bei der einem Rotz übers Gesicht läuft, der Hals kratzt, man eine ganz rote Nase kriegt und nicht mehr aufhören zu können scheint. Aber es fühlte sich überhaupt nicht so an, als würde es Polly danach wenigstens besser gehen, stattdessen heulte sie einfach immer weiter und weiter.

Und jedes Mal, wenn sie durchs Fenster draußen den Strahl des Leuchtturms sah, dann hoffte sie, dass es vielleicht der Scheinwerfer von Huckles Motorrad war, dass er jetzt nach Hause kam. Aber es war nicht das Bike, und Huckle kehrte auch nicht heim.

Und die ganze Zeit quälte Polly die furchtbarste Frage von allen: Sollte sie Kerensa erzählen, dass sie ihr Vertrauen missbraucht hatte, und ihre Freundin damit in Angst und Schrecken versetzen? Dann musste Kerensa doch fürchten, dass Huckle ihr von einem Moment auf den anderen das Leben ruinieren würde. Das war möglich und sogar durchaus wahrscheinlich. Und damit wäre dann ja nicht nur Kerensas Leben ruiniert, sondern das von Reuben auch und vermutlich auch die Zukunft des winzigen Babys, welches noch nicht einmal auf der Welt war.

Und wieder wurde Polly bewusst, dass sie diese Situation ja nur zu gut kannte.

KAPITEL 25

Gegen zwei Uhr morgens schlief Polly unter Tränen ein, schreckte aber irgendwann wieder aus dem Schlaf hoch. Das Feuer war heruntergebrannt, und in der Küche war es furchtbar kalt. Entsetzt schaute sie sich um. Sie war völlig allein. Wo steckte Huckle? Was war hier nur los?

Sie warf einen Blick auf ihr Handy. Es hatte sich beim üblichen Kommen und Gehen der Verbindung irgendwann ans Netz angeschlossen und ihre Nachrichten runtergeladen. Jetzt hatte es aber schon wieder keinen Empfang mehr. Seufzend ging Polly die Nachrichten durch, und da war sie, eine kurze SMS von Huckle: *Ich schlafe bei einem Freund.*

Oh, na ja, wenigstens war ihm nichts passiert. Einen kurzen Moment hatte sie nämlich schon befürchtet, dass er womöglich versucht hatte, trotz aller Risiken den von Wasser bedeckten Fahrdamm zu überqueren – das hätte sie ihm durchaus zugetraut. Bei Reuben war er allerdings nicht, sonst hätte Polly mit Sicherheit eine Nachricht oder einen Anruf in Abwesenheit von Reuben oder Kerensa. Außer natürlich, die drei waren gerade immer noch damit beschäftigt, sich gegenseitig anzuschreien.

Sie schüttelte den Kopf, schnappte sich dann eine Decke vom Sofa, wickelte sich hinein und ging nach oben ins Bett.

Das Schlafzimmer war eisig, und Pollys Füße wollten einfach nicht warm werden, was auch immer sie versuchte. Irgendwann lag sie dann einfach nur noch auf dem Rücken und starrte an die Decke, weil längst keine Tränen mehr übrig blieben. Was würde jetzt nur passieren? Weihnachten stand vor der Tür, und im Moment sah es so aus, als würden die Feiertage ein komplettes Desaster werden. Würde Huckle überhaupt kommen? Und wenn er dabei war, würde er dann den Mund halten können? Was würde passieren, wenn alle ein paar Glas Champagner intus hatten und die Unterhaltungen hitziger werden würden? Passierte das an Weihnachten nicht immer?

Polly konnte nicht schlafen, und so langsam musste sie ja sowieso raus aus den Federn und alles für die Bäckerei fertig machen. Das war eben zugleich der Vor- und Nachteil von Arbeit: Sie war unerbittlich, fiel immer an, wie es einem auch gehen mochte, ob man dafür bereit war oder nicht. Obwohl Polly erschöpft war und sich große Sorgen um Huckle machte, hatte sie keine Wahl – sie musste aufstehen und weitermachen.

Polly dröhnte sich mit Kaffee zu und knetete dann Brotteig am Küchentisch. Dazu hatte sie extralaut das Radio angestellt, um sich aufzuheitern und ihre dumpfe Erstarrung abzuschütteln. Sie hatte doch so hart gearbeitet, um sich dieses Leben aufzubauen und Erfolg zu haben. Aber jetzt fühlte es sich an, als würden die Balken ächzen und bald alles über ihr zusammenstürzen.

Neil kam in die Küche, weil er die Musik aus dem Radio mochte, aber selbst sein kleines Gesichtchen munterte Polly heute nicht auf wie sonst. Es fühlte sich alles so leer und nutzlos an, dennoch konnte sie wohl nichts anderes tun, als einfach weiterzumachen.

Jetzt fuhr draußen Huckle mit seinem Motorrad vor, der nach einer Nacht auf Andys Sofa leicht verkatert war. Er hatte über alles geredet und erkannt, dass ihn die ganze Geschichte ja tatsächlich nichts anging. Er hatte kein Recht dazu, irgendwem irgendwas zu erzählen. Natürlich würde es furchtbar, ganz schrecklich werden, diesem Kuckuckskind beim Aufwachsen im Haus seines besten Freundes zuzusehen. Aber so war es nun einmal. Er durfte deshalb nicht auf Polly losgehen, die hatte schließlich gar nichts getan und war nach ihrem Streit bestimmt am Boden zerstört. Er hätte wirklich nicht so davonstürmen sollen. Jetzt würde er sich erst einmal entschuldigen, und dann kam hoffentlich alles wieder in Ordnung. Nur Kerensa würde er vorerst möglichst aus dem Weg gehen.

Als er durch das Küchenfenster einen Blick in den Leuchtturm warf, konnte er das Radio hören und sah, wie Polly am Tisch Teig knetete und sich zur Musik bewegte. Sie machte also einfach wie immer weiter, lebte fröhlich ihr Leben, als wäre gar nichts passiert. Und das tat Huckle in der Seele weh. Für ihn war die Sache die reinste Qual, aber ihr … ihr ging es damit ja offenbar sehr gut.

Als sich Huckle in Polly verliebt hatte, war er ganz sicher gewesen, dass diese junge Frau mit sich selbst im Reinen war. Und genau das mochte er ja so an ihr. Sie hatte Mumm, packte das Leben bei den Hörnern und arbeitete auf die Dinge hin, die ihr wichtig waren. Das war toll.

Aber es brachte auch etwas anderes mit sich. Huckle hatte schon zweimal eine steile berufliche Karriere aufgegeben, weil er wusste, dass so etwas einfach nichts für ihn war und ihn nicht glücklich machte. Er fand es viel schöner, mit seinen Bienen Zeit zu verbringen, für sie da zu sein und etwas Erstklassiges per Hand herzustellen. Status und solche Dinge waren ihm nicht wichtig. Trotz seines teuren Studiums hatten sie für ihn keine Bedeutung, sehr zum Missfallen seiner Eltern.

Huckle war eben kein Erfolgsmensch, kein Workaholic, das alles passte nicht zu ihm. Und als er sich seine Verlobte nun so anschaute, drängte sich ein Gedanke ganz klar in den Vordergrund: *Polly braucht mich gar nicht, sie hat ja Neil und die Bäckerei – guck sie dir doch an. Ich bin wegen dieser Sache fix und fertig, und sie macht einfach weiter, als wäre nichts passiert. Ihr wird es immer gut gehen.* Tieftraurig schloss er kurz die Augen.

Und so verpasste er den Moment, in dem Polly hochguckte und ihr Herz einen Satz machte, als sie ihn sah. Am liebsten wäre sie zu ihm gelaufen, hätte sich ihm in die Arme geworfen und ihn um Vergebung angefleht. Sie wollte ihm versprechen, dass sie so etwas nie wieder tun würde, niemals, dass sie beide von nun an alles miteinander teilen würden. Und sie wollte ihn auch anflehen, es bitte, bitte, bitte nicht Reuben zu erzählen.

Aber dann sah sie seinen harten Gesichtsausdruck, als er zur Tür hereinkam, und wurde selbst ernst.

»Hey«, sagte er vorsichtig.

»Hey«, antwortete sie.

»Mal wieder beim Backen?«

»Ja, heute Abend ist Reubens große Party ...« Sie verstummte. »Wo warst du denn?«

Ein Zittern lag in ihrer Stimme. In Wirklichkeit war es Angst, Huckle verstand es jedoch als Vorwurf.

»Unterwegs. Ich muss dir doch nicht alles sagen, oder?«

Er bedauerte die Worte, sobald er sie ausgesprochen hatte, weil Polly so verletzt aussah.

»Nein.« Rasch richtete sie den Blick wieder auf die bemehlte Arbeitsfläche. Neil blieb unbeirrt an ihrer Seite und kam nicht wie sonst zu Huckle rüber, um ihn zu begrüßen.

»Nein«, wiederholte Polly. »Vermutlich nicht.« Sie seufzte. »Na, dann mache ich mal besser weiter.«

Huckle war in der Hoffnung zurückgekommen, dass ... Ja, was denn eigentlich?, fragte er sich nun. Worauf hatte er gehofft? Darauf, dass sich seine Freundin ihm zu Füßen werfen und ihm einfach alles versprechen würde, damit er nur bei ihr bliebe? Aber das wäre doch nicht die Polly, die er kannte. Das wäre nicht die Frau, die er liebte, so gar nicht.

Trotzdem war es schrecklich, sie nach allem Vorgefallenen so völlig ungerührt zu sehen. Ihn hingegen quälte die Vorstellung, seinem Freund womöglich ein Leben lang beim Aufziehen eines fremden Kindes zuzuschauen, das ihm nicht ähnlich sah und nichts mit ihm zu tun hatte ... Dies alles war so schrecklich, und hier knetete Polly nun ihren Teig, als hätte sich nichts geändert, während doch alles anders war. Ging es hier womöglich um den Kampf der Geschlechter? War das eine geheime Verschwörung der Frauen gegen die Männer?

Huckle hatte Frauen eigentlich immer gemocht und ihre Gesellschaft wirklich genossen. Jetzt kam es ihm jedoch vor, als gäbe es da einen Punkt, den er nicht erreichen konnte, als könnte er irgendetwas einfach nicht begreifen.

Er räusperte sich. »Ich hab nachgedacht. Man hat mich gefragt, ob ich nicht auf einer Kosmetikmesse vorbeischauen und dort ein paar Produkte vorstellen will ... und dann vielleicht reisen, hier und da ein paar Kunden besuchen.«

»Wie ein Vertreter ...«, murmelte Polly vor sich hin.

Diese Worte hatten für Huckle keinerlei Bedeutung.

»Also ... werd ich ein paar Tage unterwegs sein.«

»An Weihnachten?«

»Du arbeitest doch sowieso, oder nicht? Du wirst zu tun haben«, sagte er und wurde dabei ein wenig zu laut.

Polly blinzelte mehrmals.

»Oh«, machte sie dann. Sie wusste nicht, was sie sonst sagen sollte. Sie wusste nicht, ob es sonst noch etwas zu sagen gab.

»Ich hole nur eben meine Sachen«, erklärte Huckle mit gesenktem Blick. Pollys Herz raste in ihrer Brust.

»Du kommst also nicht mit zu Kerensa und Reuben?«, fragte sie.

Huckle schüttelte den Kopf. »Das wäre im Moment wohl keine gute Idee, meinst du nicht auch?«

»Stimmt schon.«

»Na dann.«

Sie sah ihm hinterher, als er zum Packen nach oben ging.

KAPITEL 26

Polly fuhr mit Nan, the Van, zu Reuben und versuchte, die ganze Geschichte am besten irgendwie aus ihren Gedanken zu verdrängen. Huckle würde sich schon wieder beruhigen, nicht wahr? Oder etwa nicht? Das war doch einfach nur eine Meinungsverschiedenheit. Ehrlich gesagt nicht einmal das, schließlich waren sie sich ja einig, dass Kerensa einen furchtbaren Fehler gemacht hatte. Allerdings waren sie unterschiedlicher Meinung darüber, was diesbezüglich zu tun war.

Polly wünschte, Huckle hätte ihr klar und deutlich gesagt, dass er Reuben nichts verraten würde. Sie hätte ihm das Versprechen abnehmen sollen, er hätte es schriftlich festhalten und unterzeichnen sollen. O Gott! Er würde doch zurückkommen, oder? Natürlich würde er, selbstverständlich. Sie hatten sich einfach nur gestritten, das war alles. Er würde sich schon wieder beruhigen, dann würden sie die Sache klären und ... na ja. Okay. Irgendwie würden sich die Dinge schon wieder einrenken, es würde alles in Ordnung kommen.

Und jetzt hatte sie sowieso keine Zeit mehr, um weiter darüber nachzudenken. Erst einmal musste sie an der kleinen Bäckerei am Strandweg Jayden abholen, der heute ungewöhnlich still war.

»Was ist denn mit dir los?«, wollte Polly wissen.

»Ach, na ja.« Jayden starrte verlegen auf seine Knie.

Polly schielte aus dem Augenwinkel zu ihm.

»Was?«, fragte sie, als ihr klar wurde, dass sie in letzter Zeit kaum mit Jayden gesprochen hatte, weil sie so mit ihren eigenen Problemen beschäftigt gewesen war.

Seine Wangen wurden nur noch röter. »Also, ich hab über das nachgedacht, was du gesagt hast.«

Polly versuchte, sich zu erinnern. »Darüber, dass du bei Flora um ihre Hand anhalten wolltest?«

»Genau. Du hast ja gesagt, dass ich es besser nicht machen sollte, weil ich erst dreiundzwanzig bin und sie noch studiert und so.«

»Ja?« Während sie Nan, the Van, gekonnt über den Fahrdamm manövrierte, dachte Polly an ihre kurze Unterhaltung mit Flora bei der Weihnachtsfeier zurück.

»Ja, hm, ich hab mir das durch den Kopf gehen lassen und beschlossen, deinen Rat komplett zu ignorieren.«

Polly starrte ihn an. »Oh, gut«, schnaubte sie. »Na ja, das machen alle anderen ja auch.«

»Also werd ich sie fragen.«

Polly biss sich auf die Lippe. Flora hielt sich im Allgemeinen so wenig an Konventionen, dass man nur schwer sagen konnte, wie sie in so einer Situation reagieren würde. Und sie war ja erst einundzwanzig. Einundzwanzig! In dem Alter hatte Polly kaum ihre Hausschlüssel finden können, geschweige denn ans Heiraten gedacht.

Tja, in dieser Hinsicht hatte sich in den letzten zwölf Jahren auch nicht viel geändert.

»Ach«, sagte die Bäckerin und stellte sich in Gedanken schon mal darauf ein, Jayden später zu trösten, »das sind ja tolle Neuigkeiten. Nein, wirklich, ich freue mich echt.«

Jayden lächelte. »Hm, noch hat sie nicht Ja gesagt.«

»Das wird sie bestimmt«, behauptete Polly, die sich da gar nicht sicher war. »Und das wird bestimmt toll. Was hast du dir denn für den Antrag überlegt?«

»Was meinst du?«

»Äh, du willst das Ganze doch bestimmt romantisch gestalten, oder? Mit einer schönen Verpackung oder einem originellen Versteck?«

»Was soll ich denn verstecken?«

»Na, den Ring, Jayden!« Sie schaute ihn an. Er war wirklich noch nicht für die Ehe bereit.

»Ach ja, ich hab da einen, den mir meine Mutter gegeben hat. Den hatte sie noch irgendwo rumliegen.«

Jaydens Mutter hatte nur einen Sohn, ansonsten gab es in der Familie bloß Mädchen. Vielleicht lag es ja daran, dachte Polly, dass sie ihren Sohn ein wenig zu sehr verhätschelt hatte. Hoffentlich war sich Flora dessen bewusst, dass Jaydens Mutter ihm morgens immer noch die Zahnpasta auf die Bürste drückte und sie so vorbereitet für ihn ins Bad legte.

»Meinst du denn, dass Flora das gut finden würde? Hätte sie nicht vielleicht lieber ihren eigenen Ring?«

»Ein Ring ist doch ein Ring, oder nicht?«, fragte Jayden verdutzt.

Polly atmete einmal tief durch.

»Ich meine, du selbst hast doch nur dieses Seetangding«, fügte er hinzu und sah jetzt noch verwirrter aus.

»Genau, weil es für mich etwas ganz Besonderes ist ...« Plötzlich wurde ihr klar, dass sie kurz davor stand, in Tränen auszubrechen. Sie schluckte vernehmlich.

»Was ist denn los, Chefin?«, fragte Jayden.

Langsam stieß Polly die Luft aus. »Nichts«, behauptete sie und bog dann auf die breitere Landstraße ab. Es war ein wunderschöner Morgen, tolles Wetter für einen Ausflug, deshalb waren draußen jede Menge Wanderer auf den Küstenpfaden unterwegs.

Plötzlich wurde sich Polly schmerzlich der Tatsache bewusst, dass sie so gut wie gar nicht geschlafen hatte.

»Mach es am besten so, wie du meinst ...«

»Glaubst du denn wirklich, dass da etwas Besonderes nötig ist?«, hakte Jayden noch einmal nach. »Eigentlich wollte ich sie ja einfach nur fragen. Aber noch hab ich Zeit, zum Juwelier zu gehen.«

»Muss es denn wirklich so schnell gehen?«

»Na ja, es ist schließlich Weihnachten«, sagte er.

Als sie kurz darauf die unglaublich beeindruckende Einfahrt zu Reubens Haus entlangfuhren, blickte er um sich.

»Wow!«, rief er. »Wow! Das gehört also alles deinem Kumpel?«

»Allerdings.«

»Das ist ja unglaublich, einfach unfassbar, wow!«, staunte Jayden. »So ein Haus hab ich noch nie gesehen. Das wäre echt ...« Er verstummte. »Schon komisch, dass manche Menschen so reich sind und andere nicht«, fuhr er dann fort. »Man sollte doch wirklich meinen, dass solche Leute viel mehr Geld unters Volk bringen würden.«

»Dann wären sie wohl nicht mehr so reich«, gab Polly zu bedenken. »Aber ich kann es auch nicht recht verstehen.«

»Der muss ja so was von glücklich sein«, überlegte Jayden, als sie über knirschenden Kies aufs Haus zufuhren. »Wie der glücklichste Mensch auf der ganzen Welt oder so.«

KAPITEL 27

Der glücklichste Mensch auf der ganzen Welt marschierte an der Haustür auf und ab und stauchte übers Handy irgendwen zusammen.

Polly machte nicht einmal Anstalten, in der Nähe der Haustür zu parken. Der Hintereingang gefiel ihr besser, und dort würde sie auch auf Marta treffen, die ihr helfen konnte.

Es kamen viele Gäste zu Reubens Party, sowohl Geschäftspartner als auch Freunde und Bekannte (wie so viele Superreiche hatte Reuben ein Talent dafür, jede Menge Leute anzuziehen, die er nicht besonders gut kannte). Als sie den Lieferwagen parkte, hörte Polly in der Nähe unglaublichen Lärm.

Sie stieg aus und schickte Jayden schon mal in die Küche, dann ließ sie den Blick über das Gelände wandern und entdeckte eine riesige Schneekanone.

»Das muss wohl das Umweltfeindlichste sein, was ich je gesehen habe«, stellte sie halblaut fest.

»O nein«, widersprach ihr da Reuben, der ums Haus herumgekommen war und kurz von seinem Handy abließ.

Polly rief sich wieder in Erinnerung, wie wenige echte Freunde Reuben doch hatte, das durfte sie nie vergessen. Aber was für eine Freundin war sie ihm denn gerade?

»Nein, diesen Titel haben wohl eher die riesigen Lagerfeuer

verdient, die ich nachher anzünden lasse, damit ihr euch nach dem ganzen Kunstschnee ein bisschen aufwärmen könnt.«

»REUBS!«

»Was denn? Das wird eine Superparty! Guck mal!« Er deutete dort hin, wo sich normalerweise der Tennisplatz befand. Darauf war eine Bar komplett aus Eis aufgebaut worden.

»Ist das wirklich das, wofür ich es halte?«, fragte Polly. »Im Ernst jetzt, wirklich?«

»Allerdings, eine Wodkarutsche!«, nickte Reuben. »Aber die solltest du besser erst probieren, wenn du alles serviert hast, okay?«

»Klar! Trotzdem, ich meine … einfach unglaublich.«

»Danke«, sagte Reuben. »Hast du Kerensa schon gesehen?«

Diese Frage wurde langsam ein alter Hut.

»Mit dem riesigen Bauch ist sie wahrscheinlich nicht in Partystimmung, oder?«, sagte Polly.

»Tja, das ist ihr Pech«, knurrte Reuben und schob die Unterlippe vor wie ein Sechsjähriger. »Früher konnte man mit ihr echt viel Spaß haben. Da sah sie auch noch nicht aus wie ein Walfisch.«

»Reuben, sie ist ungefähr im millionsten Monat schwanger. Da erwartet man von niemandem, eine Spaßkanone zu sein.«

»Ich hatte ja eigentlich mal gedacht, dass sie eine von diesen niedlichen energiegeladenen Schwangeren sein würde«, erklärte Reuben voller Bedauern, während jemand Eisblöcke für ein Iglu durch den Garten karrte. »Nicht eine von den fetten Elefantenkühen.«

»Ich glaube nicht, dass man sich aussuchen kann, wie man während der Schwangerschaft so ist. Das passiert einfach, und man muss eben auf das Beste hoffen.«

»Ich hoffe jetzt schon seit Wochen auf das Beste«, entgegnete Reuben.

Wieder schoben sich Leute an ihnen vorbei, und Polly starrte fassungslos die Eisskulptur in Bärenform an, die sie da transportierten. Entsetzt wandte sie sich zu Reuben um: »Wie groß wird diese Veranstaltung denn?«

»Keine Ahnung, wen interessiert das schon? Ich hab schließlich einen Partyplaner. Hör mal, eigentlich wollte ich ja mit Huckle reden, aber der ist ja mit einem Mal wie vom Erdboden verschluckt. Es sieht ihm gar nicht ähnlich, plötzlich ernsthaft zu arbeiten.«

»Wie bitte?«, fragte Polly gereizt. »Ehrlich gesagt arbeitet er ziemlich viel.«

»Ja, ja, hier sind ein paar Bienen, guck dir mal die Bienchen an, summ, summ, summ. Das ist doch keine echte Arbeit.«

»Er verkauft schließlich so einiges von seinen Produkten ...«

»Ja, egal, was auch immer. Aber du kennst doch meine Frau, Polly. Sag mal, ist das denn normal? Hm? Drehen alle schwangeren Frauen plötzlich durch, werden total verrückt und benehmen sich ständig so komisch?«

»Manche Frauen essen sogar Kohle«, entgegnete Polly.

»Ja, aber Kerensa ist doch nicht ›manche Frauen‹«, wandte Reuben ein, der immer noch eine Schnute zog. »Meine Frau ist doch absolut die coolste, oder? Also, was ist los? Was geht da ab? Ich bin mir ganz sicher, dass ich die beste Frau von allen hab, trotzdem schlurft sie durch die Gegend wie Schlampie McSchlamperson im Urlaub.«

»Jetzt mach aber mal einen Punkt, Kanye West«, knurrte Polly, die langsam sauer wurde, obwohl Reuben ja nicht ganz unrecht hatte. Was sie allerdings nur noch wütender machte.

»Das ist ihr Körper und ihre Schwangerschaft. Es geht doch nicht immer nur um dich.«

»Doch, geht es!«, fand Reuben. »Das ist mein Sohn! Also geht es absolut um mich!«

»Na, wohl eher um euch beide.«

»Gut, so kann man es wohl sehen, aber im Moment spiele ich ja überhaupt keine Rolle mehr. Und Mann, normalerweise stehe ich doch immer im Mittelpunkt.«

Jetzt kam eine Gruppe von gut aussehenden Surfern mit Traumkörper herbei und klatschte bei Reuben ab. Wie üblich schien der Millionär keine Ahnung zu haben, wer diese Typen waren. Er ließ sich müde zu einem High-Five herab, ignorierte den Rest der überschwänglichen Begrüßung jedoch.

»Ein bisschen sollte es doch auch um mich gehen, oder? Aber sie schiebt sich immer nur murmelnd an mir vorbei, ist dauernd müde und ignoriert mich und verschwindet, weil sie sich um ihre geheimen Missio–«

Plötzlich klappte Reuben den Mund zu, als wäre ihm da etwas rausgerutscht.

»Was denn für eine geheime Mission?«, fragte Polly.

»Tja, weiß ich ja eben nicht!«, grunzte Reuben wütend. »Sonst wäre sie doch nicht mehr geheim. So langsam wird es albern, sie ist nämlich nie hier.« Er seufzte und sah jetzt so mutlos und verzagt aus, wie Polly ihn noch nie zuvor erlebt hatte. Während hinter ihm an einem riesigen DJ-Mischpult mit dem Soundcheck begonnen wurde und bunte Lichter den Kunstschnee erhellten, war sein üblicher Schwung mit einem Mal wie weggeblasen.

»Alles klar?«, fragte ihn wohl deshalb eine tiefe Stimme. Polly schaute auf und stand dem weihnachtsmännlichsten

Santa Claus gegenüber, den sie je gesehen hatte. Er hatte einen vollen weißen Rauschebart, einen dicken, fetten Bauch und kleine Fältchen rund um die gütigen Augen, das volle Programm. Und was er da am Halfter mitführte, war ... nein, das konnte doch nicht sein! Ein Rentier? Na ja, es roch auf jeden Fall sehr echt.

»Ja, was auch immer, Santa«, antwortete Reuben, und der Mann mit der runden Wampe zog weiter.

»Hör mal, im Ernst. Wenn das Kind erst da ist, wird alles anders, da bin ich mir ganz sicher. Eine Schwangerschaft ist eben schwierig.«

»Aber wird es dann auch besser?«, fragte Reuben. »Was ist denn, wenn es nur noch schlimmer wird?«

»Ich weiß auch nicht«, musste Polly zugeben. »Doch ich bin mir sicher, dass schon alles wieder in Ordnung kommt.«

Zwar war sie sich da nicht im Geringsten sicher, aber damit schien sie Reuben wenigstens ein bisschen aufgemuntert zu haben.

»Okay«, sagte er.

»Sie ist einfach nur deprimiert, weil sie, na, so etwa hundert Kilo schwer ist.«

»Ja«, nickte Reuben, »das kann ich nachvollziehen. Echt jetzt, auf jeden Fall. Ja, das ist es bestimmt. Danke, Polly, du bist eine echte Freundin.«

Polly fühlte sich grauenhaft.

Jetzt drehte sich Reuben um und strahlte über die sommersprossigen Wangen. »Okay, Leute! Habt ihr Bock auf PAAARRRRTYYYYYY?!«

»Yeah!«, riefen die Leute, die mit dem Aufbau beschäftigt waren. Jetzt war alles so weit vorbereitet, und es trafen auch schon die ersten Gäste ein. Gleich würde es losgehen.

»Aber du nicht, Polly«, rief Reuben ihr noch einmal in Erinnerung. »Du arbeitest nämlich.«

»Ich weiß, du Aas!«, knurrte Polly und war erleichtert, weil sie sich nun endlich auf den Weg zur Küche machen konnte. Aus den Lautsprechern der unglaublich teuren Stereoanlage ertönte »IT'S CHRRRIIIIISSSSTTTTMAAAS!«, die Gäste trafen ein, und die Party ging los.

KAPITEL 28

Zusammen mit den anderen Caterern huschte Polly bei der Feier zwischen riesigen Kesseln mit Glühwein hin und her, die Wodkarutsche war allerdings um einiges beliebter. Außerdem wurden winterliche Eintöpfe serviert, die die Luft mit dem Duft nach Preiselbeeren und nach einem Fleisch erfüllten, das Polly für Rentier hielt. Eigentlich war es ja auch egal, da keine von den dünnen jungen Frauen mit Modelmaßen auch nur einen Bissen anrühren würde. Stattdessen rauchten und tranken sie lieber auf der mit perfektem Kunstschnee bedeckten Rasenfläche hinter dem Haus. Woher kannte Reuben bloß solche Leute?

Überall baumelten bunte Lichterketten, und das Anwesen sah wunderschön aus, einfach traumhaft, was Polly plötzlich mit großer Traurigkeit erfüllte. Reuben schmiss so tolle Partys, aber sie sollte hier wirklich nicht Bleche in den Ofen schieben, während Huckle und Kerensa wer weiß wo steckten. (Reuben selbst befand sich mitten in einer Traube von Menschen, die jede Menge Selfies schossen, diese dann aufmerksam betrachteten und schließlich die Aufnahmen löschten, die ihnen nicht gefielen. Das schien heutzutage ja als Geselligkeit durchzugehen.) *Wenn wir vier zusammen hier wären,* dachte Polly wehmütig, *dann hätten wir jetzt so viel Spaß.*

Es gab auch einen Stand mit Zuckerwatte, die zu weißen

Wölkchen gedreht wurde. Das schien den Models gut zu gefallen, vielleicht, weil diese Süßigkeit noch weniger wog als sie selbst. Außerdem standen die Leute Schlange, um sich auf dem Schoß von Santa Claus fotografieren zu lassen, der von ziemlich sexy Weihnachtselfen begleitet wurde.

Inzwischen machte der DJ Pause und war von einer unglaublich coolen Retro-Swingband abgelöst worden. Die Truppe wurde von drei Backgroundsängerinnen mit riesigen Tellerröcken und leuchtend rotem Lippenstift begleitet und gab ironische Weihnachtslieder zum Besten, die schon erste Gäste auf die Tanzfläche gelockt hatten.

Huckle war ja ein furchtbarer Tänzer. Es war schon seltsam – im Bett, auf dem Surfbord oder zwischen Bienenstöcken war er locker und wendig, geradezu anmutig. Aber wenn von ihm erwartet wurde, sich im Takt zu Musik zu bewegen, klappte gar nichts mehr.

Mit Reuben hingegen, der Unterricht genommen hatte, tanzte Polly unheimlich gerne. Normalerweise stand Kerensa dann am Rand und machte sich über Pollys Technik lustig, während Reuben sie auf der Tanzfläche hin- und herschleuderte. Aber dazu würde es heute ja auch nicht kommen.

Seufzend verteilte Polly weiter zarte Häppchen mit Glühweinpastete. Immerhin fiel ihr jetzt auf, dass Reubens Gäste ihre sonstige Abneigung gegen Essen inzwischen überwunden zu haben schienen, sie verschlangen Pollys Kanapees nämlich geradezu. Na ja, wenigstens das lief gut. In der Küche herrschte großes Gewusel, als sie ihr Tablett nachfüllte, weil die Gäste nach noch mehr Champagner und Mince-Pie-Martini verlangten, sodass das Personal kaum hinterherkam.

Es herrschte absoluter Hochbetrieb, und das Gelächter und

Gejohle der Party, die jetzt im vollen Gang war, drang bis hier herein.

Irgendwann drehte jemand am Knopf des Mikrofons, und es verstummte erst der Sänger der Band, dann hörte man auch die Instrumente nicht mehr. Polly dachte eigentlich, dass jetzt Reuben seine typische Rede halten würde, aber es ertönte gar kein Applaus. Auf dem Weg zur Bühne sah sie sich nach Kerensa um, die sich während der ganzen Party noch nicht hatte blicken lassen. Wo steckte die nur? Reuben war bestimmt stinkwütend.

Als Polly nun etwas näher an die Bühne herantrat, erkannte sie zu ihrem Entsetzen, dass Jayden die Bretter erklommen hatte. In seinem viel zu kleinen Hemd sah er fetter aus als je zuvor, und sein Gesicht war vor Aufregung ganz rot und verschwitzt. Seinen niedlichen Schnurrbart hatte er offenbar hier im Gästebad abrasiert, und sie fand, dass er ohne jetzt ein wenig nackt und plump aussah. Während ihn die Vertreter der Londoner Mode- und Kunstszene kühl betrachteten, legte sich eisiges Schweigen über die Zuschauer. Plötzlich war Polly seinetwegen furchtbar nervös. Der Sänger war nicht sehr begeistert, als Jayden ihm das Mikrofon abnahm und dabei augenblicklich eine Rückkopplung auslöste.

Die Partygäste zuckten zusammen, als Jayden viel zu laut »Äh, hallo?« rief, weil er das Mikro zu nah an den Mund hielt. Selbst von hier unten war zu sehen, dass ihm die Hände zitterten.

Und dann begriff Polly auf einmal voller Entsetzen, was er da vorhatte. O nein! Das war jetzt weder der richtige Zeitpunkt noch der richtige Ort für einen theatralischen Antrag, dafür hatte Jayden hier auf keinen Fall das richtige Publikum. Es war offensichtlich, dass er selbst diese Idee für unglaublich schick hielt, seiner Meinung nach bot sich ihm hier inmitten all des Champagners eine spektakuläre Gelegenheit. Polly hatte jedoch keine Ahnung, wie die ruhige, schüchterne Flora reagieren würde. Sie hatte ja noch nicht einmal gewusst, dass Flora überhaupt hier war, sonst hätte sie sie doch als Helferin eingespannt.

»Äh, Flora? Ich wollte nur … Flora, bist du da?«

Jayden blinzelte, weil er von da oben offenbar nichts sehen konnte.

Ein Lachen ging durch die Menge, als ein Witzbold »Und wer bist du denn?« rief.

Polly schaute sich um und entdeckte Flora, die sich bleich und starr an eine Wand presste. Polly wollte eigentlich zu ihr gehen, es drängten sich aber zu viele Menschen zwischen ihnen, die alle zum unglaublich verlegenen und unbeholfenen Jayden auf der Bühne hochschauten. Für Polly hatte die Szene mit ihm da oben etwas Albtraumhaftes an sich.

»Flora, kannst du bitte hier zu mir kommen?«

Die Angesprochene schüttelte den Kopf, gab sich damit allerdings vor den Umstehenden zu erkennen. Weil die Leute wissen wollten, was nun passieren würde, teilte sich die Menge und schob die junge Frau durch. Mit hängenden Schultern stolperte Flora nach vorne und verbarg sich dabei hinter ihrem Vorhang aus langen schwarzen Haaren.

Eine schlimmere Situation für einen Antrag konnte sich Polly kaum vorstellen. Ihr tat das Herz weh, als sie daran zurückdachte, wie Huckle um ihre Hand angehalten hatte. Er war dabei so sanft und still gewesen, dass sie erst gar nicht begriffen hatte, was er wollte. Als ihr dann langsam klar geworden war, dass er sie um ein ganzes Leben an seiner Seite bat, hätte sie am liebsten geheult.

Jetzt berührte sie ihren Seetang-Verlobungsring, drehte ihn immer wieder am Finger und schwor sich, alles Nötige zu tun, um ihre Beziehung wieder zu kitten.

Auch Flora sah so aus, als würde sie gleich in Tränen ausbrechen. Man half der ungelenken jungen Frau auf die Bühne hoch, wo sie mit hängendem Kopf stehen blieb. Jayden, dem der Schweiß mittlerweile in Strömen runterlief, trat an sie heran und ließ sich schwerfällig auf ein Knie sinken.

In der Menge imitierte jemand das Geräusch eines reißenden Hosenbodens, und auf einmal wäre Polly am liebsten mit einer Maschinenpistole auf die ganze Bande losgegangen. Auf Jayden war sie auch wütend. Sie hatte ihm doch gesagt, dass er besser abwarten solle, dass es zu früh war und Flora bestimmt nicht begeistert sein würde. Und jetzt machte er sich sogar hier vor versammelter Mannschaft zum Affen.

Eine schrecklich dürre junge Frau stieß ein schrilles, ungläubiges Lachen aus, und Polly konnte sich nur schwer davon abhalten, eine Gabel in sie zu rammen. Übel gelaunt presste sie die Lippen zusammen und hielt sich stattdessen vor Augen, wie oft sich dieses Fotomodell wohl später scheiden lassen würde.

»Flora, würdest du mich zum glücklichsten Mann der Welt machen ...?«

Nun legte sich wieder Schweigen über die Menge, aber es war eine unangenehme Stille, die Polly durch und durch ging. Ihr kam es vor, als würden die coolen Typen hier nur darauf lauern, gleich den ungelenken, dicken Kerl mit den zitternden Händen dröhnend auszulachen. Polly fragte sich, ob sie ihren Mitarbeiter wohl verlieren würde, ob Jayden nach dieser Demütigung vielleicht aufgeben und Mount Polbearne verlassen würde. In der Sommerzeit nicht mehr mit Flora rechnen zu können wäre ebenfalls ein harter Schlag. Die junge Frau war zwar ein bisschen begriffsstutzig und zerstreut, sie hatte jedoch eine Gabe fürs Backen, von der Polly nur träumen konnte. O Gott, das lief hier gerade gar nicht gut.

Aber zu Pollys Fassungslosigkeit zuckte Flora einfach nur mit den Achseln. »Ja, was auch immer«, flüsterte sie.

Polly riss die Augen auf. Wie bitte? Auch die Menschenmenge starrte die beiden jungen Leute auf der Bühne ungläubig an.

»YES!«, rief Jayden, reckte beide Arme in die Luft und stellte dabei nass geschwitzte Achseln zur Schau. »YES!«

Dann wollte er sich auf Flora stürzen, um sie zu küssen, aber die war bereits von der Bühne geflohen. Jayden reckte noch ein weiteres Mal die Fäuste gen Himmel und folgte ihr dann.

»Hey, warte!«, rief er. »Ich hab doch noch den Ring!« Die Mitglieder der Band kicherten.

»Wie charmant!«, sagte der Sänger ins Mikro. Dafür hätte Polly ihm eine reinhauen können. Dann stimmte die Band I'm in the Mood for Love an.

Als sich Polly auf die Suche nach den Frischverlobten machte, um ihnen zu gratulieren – was sonst niemand vorzuhaben schien –, rannte sie Reuben in die Arme.

»Deine Freunde sind echt grauenhaft«, brach es aus ihr heraus.

»Ach?«, machte Reuben, der mit einer riesigen Zigarre herumwedelte, ohne sie zu rauchen. »Na ja, wenigstens sind sie hier.«

Und da hat er gar nicht so unrecht, dachte Polly.

Sie fand Flora, die entgeistert und stinkwütend aussah, und den strahlenden Jayden unten an der Garderobe. Flora zog gerade ihre Jacke an.

»Äh, herzlichen Glückwunsch euch beiden!«, sagte Polly.

Jayden warf ihr einen nicht sehr freundlichen Blick zu. »Ja, von wegen, du hast doch versucht, mir das auszureden.«

»Tja, offensichtlich hab ich die Situation ganz falsch eingeschätzt.« Polly bemühte sich, dabei betont fröhlich zu klingen.

»Hast du nicht«, knurrte Flora. »Es war einfach schrecklich da oben.«

»Oh, meine süße Erbse«, seufzte Jayden. »Ich liebe dich ja so sehr.«

»Ich geh jetzt nach Hause«, verkündete Flora.

»Und ich begleite dich, um dich umzustimmen«, versicherte Jayden eifrig und schaute Polly fragend an.

»Klar, du kannst ruhig gehen«, erwiderte sie müde. Sie selbst würde bleiben, um beim Aufräumen zu helfen. Das war wohl das Beste, sonst hatte sie ja nichts Dringendes zu tun.

KAPITEL 29

Polly ging wieder nach draußen, wo es unter dem wolken-
verhangenen Himmel eiskalt war, und entfernte sich ein wenig vom Haus, um all dem Gedränge und Geschiebe, dem
ganzen Lärm zu entkommen. Dabei ging die Party ja langsam
zu Ende. Selbst Models und Schauspieler wurden am Weihnachtsmorgen irgendwo von ihrer Mutter erwartet, überlegte
sie, deshalb fuhren jetzt schnittige schwarze Wagen vor. Die
einsteigenden Gäste umklammerten vom Weihnachtsmann
verteilte Präsentbeutel. Zum Glück war Polly nicht die Einzige, die zum Aufräumen dablieb, und würde den anderen so
einiges überlassen können. Sie spürte, wie erschöpft sie war.

Sie ging die Auffahrt entlang und umrundete das Haus, bis
sie den Pfad erreichte, der zu Reubens Privatstrand hinunter-
führte. Hier war es wunderschön, so ruhig und friedlich, als
der Partylärm vom Geräusch der brechenden schwarzen Wellen abgelöst wurde. Was für ein Heiligabend! Dabei hatte das
Jahr doch so vielversprechend angefangen ...

»Hey.«

Als Polly sich umdrehte, entdeckte sie Kerensa in einer un-
förmigen schwarzen Schwangerschaftshose und einem geräu-
migen Kapuzenpulli. Die Klamotten ließen ihren enormen
Bauch nur noch größer aussehen, außerdem hatte sie sich in
eine riesige Decke eingewickelt.

»Da bist du ja!«, rief Polly. »Wir haben uns alle solche Sorgen um dich gemacht, und Reuben hat nicht einmal eine seiner Reden gehalten!«

»Na, dem Himmel sei Dank«, antwortete Kerensa.

Polly trat näher an sie heran und bemerkte, dass ihre Freundin vor Kälte zitterte. »Du solltest wirklich nicht hier draußen sein. Willst du dir etwa den Tod holen? Komm, wir gehen rein.«

»Sind die ganzen Leute denn endlich weg?«, fragte Kerensa. »Die kann ich nämlich nicht ertragen, wie sie mich anstarren und verurteilen und … Mist, ich weiß wirklich nicht, was mit mir los ist. Ich begreife es selbst nicht einmal.«

Polly griff nach Kerensas Arm.

»Du bestrafst dich hier selbst«, erklärte sie. »Dabei weißt du ja noch nicht einmal, ob es überhaupt nötig ist.«

»O doch, das ist es«, fand Kerensa.

Polly griff nach ihrer Hand, die eiskalt war.

»Na los«, versetzte sie mit Nachdruck. »Komm mit rein. Wir gehen durch den Lieferanteneingang, da begegnet uns bestimmt niemand.«

»Danke, dass du heute aufgemacht hast«, sagte der große blonde Mann im kalten Papageientauchercafé.

»Das ist schon in Ordnung«, antwortete Bernard. »Ich hätte sonst auch nicht gewusst, wo ich jetzt hinsoll.«

Sie schauten sich um.

»Also weißt du, wenn deine Freundin uns wirklich helfen kann«, erklärte Bernard, »dann reißt sie damit für uns das Steuer noch einmal komplett herum.«

Huckle nickte. Er starrte durchs Fenster die schweren Wolken an, die Schnee mit sich zu bringen schienen. Es sah aus, als könnte es da draußen jeden Moment losgehen.

»Ich meine, dann ist sie eine echte Heldin«, fuhr Bernard fort.

»Hm-hm, ich weiß schon, eine echte Heldin, die immer allen hilft. Ja, ganz toll. Danke.«

»Ist zwischen euch alles in Ordnung?«

Huckle griff nach seinem Bierglas und stellte es wieder ab. »Äh, also … Du weißt schon, das Leben ist kompliziert.«

»Das brauchst du mir nicht zu sagen«, erwiderte Bernard. »Ich hab hier zwei Millionen Papageientaucher, für die ich vielleicht bald ein neues Zuhause suchen muss.«

Traurig stießen sie an.

»Frohe Weihnachten«, wünschte Bernard ihm. »Wer weiß, was das neue Jahr so bringt.«

»Schlimmer als dieses kann es wohl kaum werden«, fand Huckle. Draußen flogen Papageientaucher vorbei und tänzelten am Himmel. Sie schienen jede Menge Spaß zu haben.

»Ich hab noch ein paar Pommes in der Tiefkühltruhe«, sagte Bernard. »Soll ich die vielleicht in die Fritteuse werfen?«

»Okay«, seufzte Huckle. Dann schielte er kurz auf sein Handy. Keine Nachrichten.

Aber er brauchte ja gar nicht mit Polly zu sprechen, weil er auch so wusste, was sie gerade machte. Sie wuselte geschäftig in der Küche herum und ging mit geröteten Wangen und hochgerollten Ärmeln sicher, dass alles rechtzeitig aus dem Ofen kam. Und während sie selbstbewusst, zielstrebig ihrer Arbeit nachging, sie köstliche Kleinigkeiten auf Tabletts anrichtete und Jayden zur Ordnung rief, fiel ihr vermutlich eine ihrer zauberhaften Locken ins Gesicht.

Und mochte sie noch so müde oder beschäftigt sein, wenn in dieser Situation Huckle zur Tür reinkam, dann schaute sie auf und strahlte jedes Mal bei seinem Anblick.

Dies alles fehlte ihm so sehr, dass es körperlich wehtat.

Huckle musste an den letzten Abend zurückdenken, der so seltsam und zugleich furchtbar gewesen war. Dann nahm er noch einen Schluck Bier und wunderte sich darüber, dass sich nicht einmal seine Eltern gemeldet hatten, was ihnen überhaupt nicht ähnlich sah. Wieder stieß er einen Seufzer aus.

»Ist irgendwas?«, fragte Bernard, der gerade mit den Pommes zurückkam. Obwohl Huckle gar keinen Hunger hatte, griff er lustlos nach einer Fritte, die allerdings matschig war. Bernard brauchte wirklich jemanden, der ihm hier mit dem Catering half.

»Nein, nichts.«

»Echt nicht? Weil, na ja, es schon spät ist und du um diese Uhrzeit immer noch hier rumhängst ...«

»Hm«, machte Huckle.

»Weißt du«, begann Bernard, »ich würde ja sagen, dass eine Frau, die ein Vogelzentrum retten will ... ein ziemlich guter Fang ist.«

Huckle lächelte kläglich. »Ich glaube, sie ... Sie will wohl einfach nicht heiraten.«

»Aha. Wahrscheinlich ist sie eher so ein gerissenes Ding wie diese Wildkatze Selina. Eine von denen, die erst fies zu dir sind und dich dann wie einen Schwertfisch an Land ziehen.«

»Was hat denn ein Schwertfisch damit zu tun?«, fragte Huckle. »Na ja, wie auch immer, so ist Polly jedenfalls nicht.«

»Aha«, sagte Bernard wieder.

Dann herrschte kurz Schweigen.

»Bernard, kann ich dich mal was fragen?«

Huckle erzählte seiner Freundin später nicht, dass ausgerechnet Papageientauchermann Bernard bestätigt hatte, was Polly ihm doch immer wieder versichert hatte: Dass Huckle die Sache mit Kerensa überhaupt nichts anging.

»Zieh den Schwanz ein und geh zurück nach Hause. Und dann setzt du ein Lächeln auf und bist wirklich, wirklich nett zu diesem Küken. Baby, ich meinte Baby.«

Er verstummte kurz.

»Und was deine gerissene Freundin angeht ... Wenn dich die Zweifel so wahnsinnig machen, würde ich alles, was du anstrebst, lieber so schnell wie möglich unter Dach und Fach bringen.«

»Hm«, murmelte Huckle. »So könnte man es auch sehen. Aber womöglich ... will sie ja einfach nur mich nicht heiraten. Vielleicht liegt das Problem ja hier. Sollte ich deshalb nicht lieber Schadensbegrenzung betreiben und meinen Wunsch aufgeben?«

Bernard zuckte mit den Achseln, als wäre ihm eins so recht wie das andere, was ja auch stimmte.

»Und, wie geht's dir so?«, wechselte Huckle jetzt schnell das Thema, weil es ihn so traurig machte.

»Nicht schlecht«, frotzelte Bernard, »ich besitze eine Vogelschutzstation, die so gut wie pleite ist, und hab mich in eine schöne Schmuckdesignerin verknallt, die nicht einmal weiß, dass ich existiere.«

Wieder stießen sie an.

»Frohe Weihnachten«, wünschte Huckle Bernard gedankenverloren.

»Gleichfalls.«

KAPITEL 30

Als Kerensa und Polly schließlich zurück ins Haus kamen, waren alle anderen schon gegangen. Ein paar Leute bauten draußen noch die Bühne ab, ansonsten kam es ihnen jedoch vor, als wären die Massen von attraktiven Menschen aufgetaucht und wieder verschwunden wie in einem Traum. Überall war bereits gefegt worden, man hatte das Haus in seinen Originalzustand zurückversetzt und ihm damit so einiges von seiner Magie genommen.

Wie ein Vogel im engen Käfig, der gerne frei die Flügel ausbreiten wollte, starrte Kerensa aus dem Fenster.

Letztlich war der versprochene Schnee doch ausgeblieben. Draußen war es irgendwie fies, nicht kalt und klar, sondern diesig und grau, so, als hätten Wolken die Welt eingehüllt und alles ganz schwer und traurig gemacht.

Polly trat neben ihre Freundin und schaute ebenfalls hinaus. Viel gab es ja nicht zu sehen, nur gelegentlich konnte man einen Blick auf den Leuchtturm erhaschen. Draußen auf dem Wasser fuhr, vielleicht auf dem Weg nach Plymouth, ein Containerschiff vorbei. Woher es wohl kam – Sri Lanka? China? Italien? Und was mochte es wohl geladen haben?

Die Männer an Bord waren heute Abend nicht bei ihrer Familie und würden die Ihren sicher vermissen. Polly führte ihre Tasse mit schnell kalt werdendem Tee zum Mund, während sie die blinkenden Lichter betrachtete, die da draußen vorbeizogen. Heute erschienen ihr die dunklen Ringe unter Kerensas Augen noch tiefer als je zuvor.

»Was ist denn mit Huckle?«

Polly schüttelte den Kopf. »Ist nicht so wichtig. Wir hatten eine Meinungsverschiedenheit.«

»Jetzt red schon!«, drängte Kerensa. »Was ist denn passiert? Hat das etwa mit mir zu tun? Nun spuck's schon aus!«

»Es ist alles in Ordnung«, entgegnete Polly ein wenig harscher als beabsichtigt. »Wir kommen schon klar. Er findet einfach nur, dass ich zu viel arbeite.«

»Na, das wird dann ja morgen auch noch lustig. Wenn du wieder arbeiten musst.«

»Aber ohne einen handfesten Streit wäre Weihnachten doch nicht Weihnachten«, fand Polly. »Ist der nicht sogar gesetzlich vorgeschrieben?«

»O Gott, und dann kommt auch noch meine Familie«, stöhnte Kerensa. »Du weißt doch, wie das mit meiner Mutter und Rhonda so läuft.«

»Die beiden sind sich vom Charakter her eben sehr ähnlich«, antwortete Polly, ohne nachzudenken. »Ich meine … Himmel, das wollte ich damit jetzt nicht sagen. Wirklich nicht.«

»Was ist denn mit deiner Mutter?«

Polly seufzte. »Ich hab ihr eine SMS geschrieben und gefragt, ob ich nach dem Mittagessen bei ihr vorbeischauen soll.«

»Und?«

»Sie hat nicht Ja gesagt. Nein allerdings auch nicht. Genau genommen ignoriert sie mich einfach, und zwar gnadenlos.«

»Ach, sie kommt schon klar«, versicherte Kerensa.

»Tja, ich wünschte wirklich, das würde sie mir selbst sagen. Ich fahre trotzdem hin, obwohl ich nicht glaube, dass sie mich sehen will. Wenigstens wird dieses Mal kein Alkohol mit im Spiel sein, weil ich ja fahren muss. Hm, und so ohne Huckle ... das wird bestimmt ganz toll. Ich freue mich jetzt schon darauf, schweigend dazusitzen und mir *Eastenders* anzusehen.«

Kerensa nickte. »Es klingt auf jeden Fall besser als das, was hier ansteht.«

Polly tat sich selbst leid, als sie an den Plan zurückdachte, den Huckle und sie ursprünglich geschmiedet hatten: Sie hatten im Bett liegen bleiben und Champagner schlürfen wollen. Weshalb hatten sie das eigentlich nicht einfach gemacht? Warum war plötzlich alles so verrückt und außer Kontrolle? Wieso nur hatte sie sich zu allen möglichen Dingen bereit erklärt, nur nicht zu dem, wonach ihr wirklich der Sinn stand? Sie hatte zu allen Ja gesagt, nur nicht zu ihnen beiden.

»Oje«, seufzte sie. »Nächstes Jahr wird Weihnachten bestimmt besser, oder? Meinst du nicht?«

»Aber, Polly, was ist denn, wenn ... wenn ...«

Darauf erwiderte Polly nichts, sie rückte einfach noch näher an ihre Freundin heran und umarmte sie lange. Komplett konnte sie ihre Arme wegen des riesigen Bauchs nicht um Kerensa schlingen, aber die beiden Freundinnen schmiegten sich in der Dunkelheit eng aneinander.

Plötzlich wurde Polly sich dessen bewusst, dass sie da in einer Pfütze stand. Hatte sie eben etwa Milch verschüttet, als sie die Tüte zum Kühlschrank zurückgebracht hatte? Und was war eigentlich mit dem Tee passiert, den sie sich während der letzten sieben Stunden immer wieder gemacht hatte, nur um ihn doch wieder zu vergessen? Sie sah sich um und blickte dann wieder zu Boden. »Oh«, entfuhr es ihr, während Kerensa scheinbar nichts gemerkt hatte.

»Äh, Kez«, sagte Polly zu ihrer Freundin, die sich weiterhin mit geschlossenen Augen an sie lehnte und die Umarmung genoss.

»Kez«, wiederholte sie. »Ich will jetzt ja keine Panik schüren, aber ich glaube ... da ist vielleicht gerade deine Fruchtblase geplatzt.«

Kerensa riss die Augen auf und starrte nach unten. »O Gott«, stammelte sie dann. »Aber das ist doch noch Wochen hin.«

Polly holte einen Sessel aus der Eingangshalle, zögerte angesichts des teuren Leders zwar einen Moment, setzte ihre Freundin dann aber hinein. Kerensa hielt ihren Bauch und atmete heftig.

Polly fand einen Lappen. »Und was jetzt?«

»Keine Ahnung!«, rief Kerensa. Sie starrte zu Polly hoch. »Ich war nämlich nicht beim Geburtsvorbereitungskurs.«

»Was soll das denn heißen?«, fragte Polly. »Aber da warst du doch angeblich jedes Mal, wenn du aus dem Haus verschwunden warst. Und beim Einkaufen für das Baby.«

»Das konnte ich einfach nicht«, erklärte Kerensa. »Ich war bei der ersten Stunde und fand das alles zum Kotzen. Die ganze Angeberei dieser liebevollen, engagierten Väter. *Ach, wir sind ja viel verliebter als alle anderen, und unsere Geburt wird einfach die beste!* Das hab ich echt nicht gepackt. Reuben wollte auf keinen Fall mitkommen, und die anderen mit ihrem ach so perfekten Leben hab ich einfach nicht ertragen. Damit bin ich echt nicht klargekommen.«

»Aber was hast du in dieser Zeit dann gemacht?«, fragte Polly und kramte ihr Telefon hervor.

Einen Moment lang gelang Kerensa sogar ein kleines Lächeln. »Ist nicht so wichtig«, behauptete sie. »Zumindest jetzt nicht.«

Polly warf ihr einen misstrauischen Blick zu, aber das war wirklich nicht der richtige Zeitpunkt nachzuhaken. »Also, wen soll ich anrufen?«

»Ehrlich gesagt geht's mir doch ganz gut«, behauptete Kerensa. »Ich denke nicht ... Polly, bis zum Geburtstermin ist es doch noch Wochen hin. Das muss doch ein Fehler sein.«

»Ich glaube kaum, dass eine geplatzte Fruchtblase ein Fehler sein kann. Aber das geht schon in Ordnung.« Polly versuchte, ruhig zu bleiben. »So sparst du dir wenigstens die langweilige Warterei.«

Einen Moment herrschte Schweigen, bis Kerensa plötzlich aufkeuchte, als wäre ihr etwas eingefallen.

»Dann wird das Baby wohl zu groß sein«, hauchte sie mit Tränen in den Augen. »Es ist ein riesiges brasilianisches Stripper-Baby.«

»Jetzt hör schon auf!«, schimpfte Polly. »Daran können wir nichts ändern, so gar nichts. Und nun kommt das Baby eben erst einmal. Soll ich jetzt Reuben holen?«

Kerensa blinzelte. Dann stockte ihr auf einmal der Atem, und sie begann sich zu krümmen.

»Ohhhhh!«, stieß sie hervor, während ihr ganzer Körper unter Spannung stand. Es kam beiden Frauen vor, als würde der Moment eine Ewigkeit andauern, und Kerensa starrte Polly an, als sie sich endlich wieder ein bisschen aufrichten konnte. »Ich glaube ... ja, das könnte wohl eine Wehe gewesen sein.«

»Das sehe ich auch so«, stimmte Polly zu. »Dann hole ich wohl besser Reuben.«

»Aber wenn der erst da ist, bricht hier das Chaos aus«, entgegnete Kerensa, während ihre Atmung langsam wieder normal wurde.

In der dunklen, stillen Küche duftete es nach Pollys frischem Brot fürs Frühstück am nächsten Morgen, und der Augenblick erschien ihnen merkwürdig friedlich und zeitlos. Einen Moment wünschten sich beide, sie könnten noch ein bisschen länger einfach hierbleiben. Draußen in der Eingangshalle glitzerte und funkelte der Christbaum. Die Welt hielt inne, atmete tief durch und wappnete sich für den Weihnachtsmorgen. *Sie wartet auf die Geburt eines Kindes* ..., dachte Polly.

Sie drückte Kerensas Hand ganz fest und sagte: »Weißt du, es wird alles gut.«

»Wirklich?«, fragte Kerensa mit angsterfülltem Blick.

»O ja«, versicherte Polly. »Ich bin ja hier. Alles wird gut. Am Ende kommt schon alles in Ordnung.«

»Echt jetzt?«

»Allerdings, darum geht es an Weihnachten doch, und daran musst du jetzt ganz fest glauben.«

Wieder drückten sie einander die Hand, bis sich Kerensa erneut vor Schmerzen krümmte.

»Okay«, überlegte Polly, »wir sollten wohl mal die Wehenabstände messen.«

»Woher weißt du denn so was?«, grunzte Kerensa.

»Ich gucke *Call the Midwife*«, erklärte Polly. »Na, ob dein Alter wohl das Baby sehen will, wenn er aus der Grube kommt?«

»Ja, ganz toll«, knurrte Kerensa.

Polly ging sicher, dass ihre Freundin auch bequem saß. »Okay, ich lass dich kurz allein und hole Reuben, in Ordnung?«

Sie tauschten Blicke.

»Jetzt ändert sich alles«, stöhnte Kerensa.

»Es ändert sich doch immer alles«, gab Polly zu bedenken.

Sie drückte Kerensa noch einen Kuss aufs Haar, wandte sich dann ab und verließ die stille, duftende Küche, während am Horizont das Schiff endgültig verschwand.

KAPITEL 31

Insgeheim war Polly ja davon überzeugt, dass so viel Theater und Tamtam für einen Säugling nicht gut sein konnten. Zunächst einmal mussten sie Reuben davon abbringen, den Hubschrauber zu rufen, weil es ja durchaus noch einen Tag oder so dauern konnte, bis das Baby kam. Außerdem wäre der Flug wohl der gefährlichste Teil der Geburt gewesen.

Rhonda tauchte für diese Uhrzeit verdächtig perfekt geschminkt aus ihrem Zimmer auf und versuchte, sich ständig in den Mittelpunkt zu drängen. Sie flatterte durch die Gegend und erzählte lautstark von ihrer schmerzvollen Erfahrung bei Reubens Geburt, die sie angeblich nur mit unendlichem Durchhaltevermögen überstanden hatte und bei der sie mindestens fünf Liter Blut verloren hatte. (Diese Information fand in diesem Moment niemand besonders hilfreich.)

Natürlich vergaß oder ignorierte Reuben sofort die Tatsache, dass er wegen der Party eigentlich sauer auf Kerensa war. Seine Sprunghaftigkeit war ja für gewöhnlich das Nervigste an ihm, heute Abend war Kerensa jedoch äußerst dankbar dafür, als er in der Mitte der Küche Anweisungen brüllte. Reuben weckte erst einmal den unglaublich teuren Frauenarzt, welcher ihm zu erklären versuchte, dass er bei Wehen in einem Abstand von fünfzehn Minuten wahrscheinlich noch lange nicht gebraucht wurde. Der Mediziner schlug vor, man solle ihn später noch einmal anrufen. Davon wollte Reuben aber nichts hören und schickte direkt den Hubschrauber los.

Eine Tasche fürs Krankenhaus hatte Kerensa wenigstens gepackt, aber als nun eine ganze Flotte aus schwarzen Wagen vorfuhr, hievten die Fahrer auf Reubens Anweisung auch noch zwei große Koffer hinein.

»Komm doch mit«, bat Kerensa Polly.

»Bist du sicher?«, fragte ihre Freundin.

Kerensa ließ den Blick über die anderen Anwesenden wandern. »O ja, aber könntest du erst noch bei meiner Mum vorbeifahren?«

Sie machten ab, dass Polly Kerensas Mutter abholen und mit ihr zum Krankenhaus kommen würde.

»Warte!«, rief Reuben ihr hinterher, als sie schon gehen wollte. »Nimm bloß nicht den Van, mit dieser Todesfalle bringst du nur alle um.«

Er warf ihr die Schlüssel von Kerensas Range Rover zu.

Also genoss Polly zur Abwechslung mal die Fahrt in einem Wagen, in dem nicht der Wind durch die Ritzen pfiff und der auch noch Automatikschaltung hatte. Auf der völlig leeren Landstraße trat sie ordentlich aufs Gas.

Sie musste unbedingt Huckle anrufen und ihn auf den neuesten Stand bringen. Das war ja eigentlich in jeder Situation automatisch ihre Reaktion: Sie wollte ihren Verlobten anrufen und ihm alles erzählen.

Aber sie hatte ihm eben in letzter Zeit doch nicht alles gesagt. Und wenn sie ihn jetzt über Kerensas Wehen informierte, na ja, dann würden sie wieder mitten in diesem verzwickten Problem stecken.

Bestimmt würde Reuben ihm Bescheid geben, sicher, na

klar. Der telefonierte bestimmt gerade mit ihm, und dann …
tja, dann würde man sehen.

Kerensas Mum Jackie wartete schon mit einem Koffer am
Straßenrand, und auf ihren Zügen spiegelte sich eine Mischung
aus Freude, Aufregung und Begeisterung.

»Babyexpress!«, rief Polly fröhlich und lehnte sich aus
dem Fenster.

»Das ist wirklich das beste Weihnachtsgeschenk aller Zeiten«, sagte Jackie, und Polly war plötzlich so erleichtert und
froh, weil sich hier nun endlich jemand einfach nur hundertprozentig darüber freute, was gerade passierte.

Deshalb entspannte sie sich ein wenig und genoss den Weg
zur Klinik sogar. Sie erfreute sich an kleinen Dörfchen mit
den einladenden Pubs, in denen die Gäste zusammen Heiligabend gefeiert hatten. In alle Winde verstreute Schulfreunde
hatten sich wenigstens für diesen einen Abend wiedergesehen, Studenten waren von der Uni nach Hause gekommen,
einfach alle waren für Weihnachten zu ihrer Familie heim-
gekehrt, so wie es sein sollte. Morgen früh würden dann die
Enttäuschungen folgen: fehlende Batterien, unpassende Geschenke, Streit über Politik, trockener Truthahn und zu viel
Alkohol, die Frage, wer sich um Großmutter kümmern würde,
alte Rivalitäten unter Geschwistern, die am Esstisch wieder
aufflammten, und aufgedrehte Kinder, die quengelten und
sich übergaben.

Aber all das war für morgen reserviert, heute lag noch
eine angenehme Vorfreude in der Luft, die eigentlich viel
schöner war. Durch die erleuchteten Fenster von Häusern und
kleinen Bungalows sah man Kinder herumhüpfen, während
ihre Mütter sie langsam mal ins Bett zu stecken versuchten. In
der Zwischenzeit holten andere geheimnisvolle Gegenstände

aus Autos oder Garagen mit Stechpalmenzweigen und Geschenkpapier unter dem Arm. Und alles war mit Lichterketten geschmückt.

Polly erinnerte sich an eine alte Geschichte über Heiligabend: Angeblich schweigen um Mitternacht alle Tiere, um an das Warten aufs Christkind zu erinnern, das Vieh im Stall zu Bethlehem und die Schafe draußen auf den Hügeln. Als kleines Mädchen hatte Polly an Heiligabend immer gern bis Mitternacht aufbleiben wollen, um zu sehen, ob der Zwergspitz von nebenan dann mit seinem üblichen Gekläffe aufhören würde.

Hatte ihre Mutter ihr wohl einst diese Geschichte erzählt?, fragte sich Polly nun. Kannte sie sie daher?

Während sie durch die dunkle Nacht in Richtung Plymouth rasten, warf Polly einen Blick zu Jackie.

»Alles klar?«, fragte sie sanft.

Der zukünftigen Großmutter gelang ein kleines Lächeln. »Es ist so merkwürdig«, erklärte sie dann. »Mir kommt es vor, als wäre Kez erst gestern selber noch ein Baby gewesen. Mein Baby, und jetzt bekommt sie schon eins. Hm. Ihr Vater war nun wirklich nicht so ruhig wie du, als er mich zum Krankenhaus gefahren hat. Tja, Kerensa hatte es damals ziemlich eilig, wie später meistens auch. Ich hätte sie beinahe auf dem Parkplatz bekommen.«

Jackie lächelte.

»Sie war ... so ein fröhliches Kind, Polly. Das Licht unseres Lebens, wirklich, sogar dann noch, als später ihre Geschwister kamen. Das erste Kind ist eben immer etwas Besonderes.«

Polly nickte einfach nur.

»Aber in letzter Zeit ... Ich weiß auch nicht, irgendwie macht sie mir Sorgen. Es kommt mir vor, als hätte sie ihr

Leuchten verloren. Ist dir das auch aufgefallen? Hast du das gleiche Gefühl?«

Polly zuckte mit den Achseln. »Ich glaube … sie hatte wahrscheinlich bloß eine schwierige Schwangerschaft.«

»Vielleicht«, entgegnete Jackie stirnrunzelnd. »Ihr Bauch ist jedenfalls riesig.«

»Das würde ich ihr gegenüber lieber nicht erwähnen.«

»Ha, nein!« Jackie warf einen Blick auf ihr Telefon. »Nichts Neues. Sie weiß aber schon, dass wir unterwegs sind, oder?«

»Ja, natürlich«, nickte Polly. »Außerdem wuseln jetzt doch alle um sie herum. Wahrscheinlich lassen die sie keinen Finger krumm machen. Bestimmt gibt es da ein besonderes Verfahren, mit dem reiche Leute ihre Kinder kriegen, ohne Schmerzen und die ganzen ekligen Sachen.«

»Hm«, machte Jackie.

Polly kamen Zeilen aus einem Gedicht in den Sinn: *All the way to the hospital / the lights were green as peppermints — Auf dem ganzen Weg zum Krankenhaus / waren die Ampeln grün wie Pfefferminzbonbons.* Die Straßen wurden noch leerer. Jetzt war es so weit, alle waren dort, wo sie hingehörten, waren an Weihnachten zu Hause angekommen, wo auch immer das für sie sein mochte — bei Freunden, Verwandten oder in einer Obdachlosenunterkunft. Es war an der Zeit. Alles war bereit. Und die leuchtenden Sterne der Welt hielten den Atem an.

KAPITEL 32

Im Flügel für Privatpatienten war im vorteilhaften Licht sanfter Lampen viel Betrieb und Getue. Der gelangweilt dreinblickende Facharzt trug allerdings immer noch seine Tweedjacke, während er darauf wartete, dass endlich etwas passierte.

Rhonda brüllte in ihr Handy, um Reubens Geschwister in den USA auf dem Laufenden zu halten, während Merv mit den Händen hinter dem Rücken den Gang auf und ab marschierte. Reuben verkündete lautstark, wie toll Kerensa doch war und dass sie sein Baby auf ganz natürlich Weise ohne Medikamente auf die Welt bringen würde. Kerensa schien damit gar nicht einverstanden zu sein und protestierte matt. Generell sah es einfach so aus, als wären in diesem Raum viel zu viele Menschen, medizinisches Personal mit eingeschlossen. Dann gab es Tränen und Umarmungen, als auch noch Jackie hereinstürmte. Es war nicht zu übersehen, dass Rhonda in diesem Moment ein wenig kühl beiseitetrat.

Polly hielt sich im Hintergrund, während sie Kerensas Blick suchte. Allerdings schien ihre Freundin weit weg zu sein, in einem fremden Land voller Schmerzen, in dem etwas ganz Neues, Merkwürdiges vor sich ging. Polly fand nicht, dass in so einem besonderen Augenblick all diese Leute dabei sein sollten, und sie erst recht nicht. Deshalb drückte sie Kerensa nur die Hand und flüsterte: »Das schaffst du schon, mein Schatz.« Dann gab sie ihrer Freundin einen Kuss auf die feuchte Stirn und verschwand leise, schlich sich durch die Gänge des Krankenhauses davon.

Die Flure waren so gut wie leer, abgesehen von einem Vertreter des Reinigungspersonals mit einer Poliermaschine. Und Polly war ziemlich sicher, dass der wohl auch lieber zu Hause bei seiner Familie wäre.

Sie holte ihr Handy hervor und schaute auf das Display. Nichts. Was war mit Huckle los? Schließlich war doch Weihnachten, wo steckte er bloß? Was hatte das nur zu bedeuten, war ihre Beziehung damit etwa zu Ende? Doch sicher nicht, oder? Als Polly Huckle anzurufen versuchte, ging niemand ran, aber das musste in Cornwall nicht unbedingt etwas heißen. Sie seufzte und schrieb ihm stattdessen eine Nachricht: *Frohe Weihnachten. Könnten wir bitte …*

Den letzten Teil löschte sie dann wieder. Vielleicht sollte sie abwarten, bis sich alles etwas beruhigt hatte, nur eine Weile.

Dann wählte sie eine andere Nummer.

»Hallo, Mum. Ich weiß, wie spät es ist, aber der Fahrdamm ist jetzt überflutet und …«

Ihre Mutter ließ keinen Zweifel daran, dass sie mit Polly im Raum nie wieder Alkohol anrühren würde, deshalb saßen sie später bei einer Tasse Tee beisammen. Doreen hatte bei Pollys Ankunft den Range Rover traurig betrachtet und gemurmelt, dass sie sich für ihre Tochter auch immer so ein tolles Auto gewünscht hatte. Aber das hatte Polly einfach ignoriert, weil ihre Mutter nicht mehr verärgert zu sein schien.

»Ich erinnere mich noch gut an die Nacht, in der du geboren wurdest«, erzählte Doreen dann leise. Im Hintergrund zeigte der unvermeidliche Fernseher einen Weihnachtschor auf dem Trafalgar Square. Im Raum stand auch ein kleiner Plastikbaum, unter dem Geschenkpäckchen lagen, die nur zur Dekoration dienten. Irgendwie machte das alles Polly unsagbar traurig.

Ihre Geschenke lagen leider noch in Nan, the Van, aber ihr war ja sowieso klar, dass ein Morgenmantel von Marks and Spencer, ein neues Halstuch und ein Gutschein für eine Maniküre, den ihre Mutter ja doch nie einlösen würde, kaum der Stoff waren, aus dem Träume gemacht waren. Ähnlich verhielt es sich mit dem Präsentkorb mit ihrem Namen, den sie jetzt entdeckte. Als Jugendliche hatte sie Body Shop ganz toll gefunden, und Doreen hatte ihr seitdem nie wieder etwas anderes geschenkt.

»Erzähl mir doch bitte davon«, bat Polly, starrte ins Gasfeuer des Kamins und wünschte sich, sie hätte Neil dabei.

»Also, dein Großvater ... Für den war das alles einfach zu viel. Ich meine, die beiden haben mich ja unterstützt und so weiter, obwohl ich meine Arbeit verloren hatte. Im Laden konnte ich ja wirklich nicht mehr arbeiten und all den Männern, die Hüte für ihre Frauen kaufen wollten, meinen dicken Babybauch entgegenstrecken ... Das klingt so, als wäre es tausend Jahre her, ist es aber gar nicht.«

Polly lächelte.

»Und deine Großmutter, Gott hab sie selig, hat ja nie Autofahren gelernt. Also haben wir ein Taxi gerufen, und es kam ein alter Cortina, der nach Kippen roch. Diesen Gestank hab ich einfach nicht ertragen! Als wir im Krankenhaus ankamen, hat meine Mutter noch gewartet, bis sie mich aufgenommen hatten, und ist dann wieder gegangen. Sie musste zurück oder hat es zumindest so empfunden, weil sie Dad das Abendessen machen musste oder ... was weiß ich. So genau hat sie mir das nie erklärt. Vielleicht hatte sie ja Angst, in der Klinik einer Freundin über den Weg zu laufen oder so. Sie haben mich ja unterstützt, wirklich. Immerhin haben wir beide ein paar Jahre bei ihnen gewohnt, bis wir dann schließlich dieses Haus kriegen konnten. Und sie haben mir nie Vorwürfe gemacht. Ich meine, viele junge Frauen wurden in so einer Situation von ihren Eltern rausgeschmissen. Manche hat man weggeschickt. Was die mit den katholischen Mädchen gemacht haben, das kann man sich nicht einmal vorstellen, selbst vor ein paar Jahren noch.«

Sie nahm einen weiteren Schluck Tee.

»Na ja. Also musste ich ... das alles ganz allein machen. Mutterseelenallein. Die Schwestern hab ich nicht groß interessiert, die waren viel zu sehr damit beschäftigt, mit den Ärzten und den aufgeregten Vätern zu plaudern. Für so ein kleines Ding wie mich hatten die gar keine Zeit. Und als ich Schmerzen hatte, da hat eine zu mir gesagt: ›Tja, daran hättest du wohl früher denken sollen!‹«

Doreen standen Tränen in den Augen.

»Das tut mir so leid«, sagte Polly.

»Es ist ja nicht deine Schuld«, schniefte ihre Mutter.

»War es schlimm?«

Doreen sah sie an.

»Hm, ja«, antwortete sie schließlich. »Bis ... bis ich dich dann gesehen habe.«

Als sie einen Moment schwiegen, ertönte die Weihnachtsmusik im Fernsehen lauter, der Chor sang Coventry Carol. Das Lied war wunderschön.

»Allerdings durfte ich dich nicht lange im Arm halten ... damals wurde einem das Kind ja sofort wieder weggenommen. Weißt du, man hat mir sogar vorgeschlagen, dich zur Adoption freizugeben. Das war damals Standard, ganz normal.«

»Und, hast du es in Erwägung gezogen?«, fragte Polly, obwohl sie Angst vor der Antwort hatte.

Ihre Mutter runzelte die Stirn. »Natürlich nicht, auf keinen Fall! Bei allem Respekt vor den Frauen, die sich dazu gezwungen sahen. Aber nein, das hätte ich nicht über mich gebracht. Und ich hatte ja meine Eltern, selbst wenn sie nicht ... Es hat eine Weile gedauert, bis mein Vater dir gegenüber warm geworden ist ...«

Polly erstarrte. An ihren liebevollen, wortkargen, Pfeife rauchenden Großvater hatte sie nur schöne Erinnerungen.

»... ganze fünf Sekunden, wenn ich mich recht entsinne.« Doreen lächelte in sich hinein. »Diese Haare hattest du schon bei der Geburt«, erklärte sie. »Du hast deinem Vater so ähnlich gesehen. Aber ich hab dich geliebt ... und zwar von ganzem Herzen. Alles andere in meinem Leben hab ich als schrecklich empfunden, es war alles schiefgelaufen. Nur du ... du warst genau richtig. Wahrscheinlich hab ich dich deshalb so umhätschelt ... und mir vielleicht zu viele Sorgen um dich gemacht.«

»Nein, hast du nicht«, entgegnete Polly verlegen.

Ihre Mutter zuckte mit den Achseln. »Du warst ... du bist ...«

Die Worte hingen im überhitzten Raum, während im Fernsehen die Sänger lautstark schmetterten: »*Hail, thou ever blessed morn! Hail, redemption's happy dawn! Sing to all Jerusalem! Christ is born in Bethlehem!* – Sei gegrüßt, gesegneter Morgen! Der Tag der Erlösung bricht an! Singt für ganz Jerusalem, denn Christ ist in Bethlehem geboren!«

Die Zeiger der Uhr rückten langsam vor, und es würde schon bald der Weihnachtstag anbrechen.

»Es tut mir leid. Ich wollte doch immer nur, dass es dir gut geht und du glücklich bist«, erklärte Doreen. »Ein bisschen Geld, Freiheit, aber auch Sicherheit – das wünschen sich doch alle Eltern für ihre Kinder. Und ich konnte dir das nie bieten.«

Polly nickte verständnisvoll.

»Und wenn du dann losziehst und Leuchttürme kaufst und deine Karriere wegwirfst und auch noch von mir erwartest, dass ich dich besuche und Seeluft schnuppere und über Land marschiere und so ... dann bekomme ich Angst, wirklich. Sorry.«

»Das kann ich nachvollziehen.«

»Aber enttäusch doch bitte diesen lieben Jungen nicht«, riet ihr ihre Mutter. »Gib ihn nicht meinetwegen oder für irgendwen anders auf, das sage ich dir. Vergiss einfach, was mir passiert ist. Heirate ihn und hab Kinder und leb von Luft und Liebe, wenn es denn sein muss. Werd glücklich! Ich selbst war dafür nie mutig genug, ich hatte nie genug Schneid, um mich der Welt da draußen zu stellen. Aber bei dir könnte es klappen, Polly, du kannst es schaffen. Tu es für mich, bitte. Ich bitte dich darum.«

Polly nickte und versuchte, nicht zu seufzen. »Das werde ich.« Dann standen sie auf, um schlafen zu gehen.

An der Tür blieb Doreen noch einmal stehen.

»Hast du denn am Ende ... deinen Vater besucht?«, fragte sie.

Polly schüttelte den Kopf. »Nein, Mum, meine Familie bist du.«

Doreen schluckte. »Ich war zu stolz«, erklärte sie. »Das

weiß ich schon. Es ist nicht einfach … Aber das Ganze ist schon so lange her. Wenn du also willst … Na ja. Obwohl ich auch nicht weiß, ob es jetzt noch etwas ändern würde.«

Polly nickte. »Okay. Danke. Und schöne Weihnachten!«

Sie umarmten sich, und Polly verzog gequält das Gesicht, weil ihre Mutter so furchtbar dünn war. Im nächsten Jahr würde sie Doreen öfter raus nach Mount Polbearne locken, das schwor sie sich. Und sie würde darauf bestehen, dass sich ihre Mum mit einer Tasse Tee vor die Bäckerei setzte, ohne Fernseher, den Sonnenschein genoss und den Passanten Hallo sagte. Wenn ihre Mutter schon ihr eigenes Leben nicht leben wollte, dann sollte sie wenigstens an dem von Polly teilhaben. Das würde Pollys Weihnachtsgeschenk für sie sein.

KAPITEL 33

Reuben hatte Polly eine Nachricht geschickt, um ihr Bescheid zu geben, dass sie alle über Nacht im Krankenhaus blieben. Sie selbst schlief in ihrem Kinderbett unter Postern von Leonardo DiCaprio, Kevin und den Backstreet Boys so gut wie schon seit Wochen nicht mehr. Es lag wohl daran, dass sie am nächsten Tag nun doch nicht aufstehen und für die äußerst anspruchsvollen amerikanischen Gäste backen musste. Außerdem war sie gestern Abend zu dem Schluss gekommen, dass es ja doch nichts brachte, noch ewig wach zu liegen und sich in Grübeleien über Huckle zu ergehen. Und sie war ja auch fix und fertig gewesen.

Zu ihrer großen Verblüffung wurde sie dann am nächsten Morgen durch den Duft von Eiern mit Speck geweckt. Hatte sich ihre Mutter unten tatsächlich an den Herd gestellt? So was hatte es ja ewig nicht gegeben! Polly warf einen Blick auf ihr Handy. Nichts, außer einer kurzen SMS von Reuben, in der er sie darüber informierte, dass bisher noch nicht viel passiert war und er sich furchtbar langweilte. Dann wies er sie an, ein paar Doughnuts zu backen und in die Klinik rüberzubringen, ach, auch für die Krankenschwestern. Außerdem sollte sie noch Huckle ausrichten, dass er Reuben anrufen sollte, weil er sich bisher überhaupt nicht gemeldet hatte.

So langsam fing Polly an, sich ernsthaft Sorgen um Huckle zu machen, aber da rief er plötzlich an.

»Wo steckst du denn?«, fragte sie aufgebracht, obwohl sie doch ausgeruht aufgewacht war und sich darüber freute, sich mit ihrer Mutter ausgesöhnt zu haben. Eigentlich hatte sie doch nett sein und sich auch mit Huckle wieder vertragen wollen.

»In Plymouth«, antwortete Huckle.

»In Plymouth? Warum das denn?«

Mit einem Mal überkam sie Panik, weil sie befürchtete, dass er vielleicht auf einen Zug nach London wartete und von dort aus in die USA zurückfliegen wollte. Das konnte doch nicht sein, oder? Nein, sicher nicht, das würde er doch nicht machen!

»Wieso? Fliegst du etwa nach Hause?«

»Was? Wovon redest du da? Nein!«

Es herrschte lange Schweigen, dann sagte er: »Hör mal, Polly ... ich dachte eigentlich, mein Zuhause wäre hier.«

»Das dachte ich auch«, antwortete sie traurig.

»Nein ... ich muss einfach nur ... Polly, das verstehst du doch, oder? Diese ganze Sache geht mir echt an die Nieren. Das alles ist für Reuben und Kerensa so schrecklich, und deshalb will ich ... Deshalb bin ich einfach eine Weile wegen der Arbeit unterwegs, halte mich fern, damit ich nicht ins Fettnäpfchen trete oder irgendwas Schreckliches sage oder plötzlich durchdrehe ... Damit wir uns nicht streiten. Kannst du das nicht verstehen?«

»Nein, eigentlich nicht. Was machst du denn?«

»Das hab ich dir doch gesagt, ich arbeite.«

»Am ersten Weihnachtsfeiertag?«

»Hier in der Stadt ist das für viele Leute total normal«, entgegnete Huckle, »in dieser Hinsicht bist du einfach schon zu lange raus. Ich hab gleich ein Treffen mit Vertretern einer jüdischen Kosmetikfirma.«

»Okay.«

»Außerdem dachte ich, dass du doch heute auch arbeitest.«

»Ja, so sieht es wohl aus«, seufzte Polly und warf einen Blick aufs Display, das immer neue Nachrichten mit Bestellungen anzeigte. »Dann wünsch mir mal viel Glück mit Mums Ofen. Ich glaube, der wurde schon seit der königlichen Hochzeit nicht mehr benutzt. Seit der ersten.«

»Du bist bei deiner Mutter?«

»Ja«, antwortete Polly. »Wegen des Babys wollte ich nicht von den Gezeiten abhängig sein.«

»Was, das Baby kommt?«

»Huckle, jetzt lies endlich mal deine SMS!«

»Ja, okay … Aber du arbeitest weiterhin?«

»Reuben wünscht sich dafür ein Catering.«

Es herrschte einen Moment Schweigen.

»Ich kann jetzt nicht kommen«, versetzte Huckle.

»Na ja, ich glaube auch, dass sich das Kleine Zeit lässt. Das ist beim ersten Kind wohl so.«

Wieder Schweigen.

»Okay«, begann Huckle irgendwann wieder. »Hm, ich höre schon, dass du zu tun hast.«

Aber nicht, wenn du mich davon abhältst, versuchte Polly ihm per Telepathie zu vermitteln. *Komm doch bitte zurück. Hol mich hier raus. Mach doch bitte, dass alles wieder schön ist und Spaß macht.* »Du ja offenbar auch«, meinte sie stattdessen.

»Oh, das kannst du laut sagen«, bestätigte Huckle. »Und, wie geht's Neil?«

»Der ist gar nicht hier«, musste Polly zugeben.

»Du hast ihn an Weihnachten allein gelassen?«, fragte Huckle.

»Ich weiß, ich weiß. Aber das mache ich wieder gut. Dürfen Papageientaucher eigentlich Schokolade essen?«

KAPITEL 34

Die triumphierende SMS traf ein, bevor Polly auch nur die Gelegenheit hatte, für die Doughnuts die Fritteuse anzuwerfen.

Polly schlug ihrer Mutter vor, doch ins Krankenhaus mitzukommen. Doreen lehnte das Angebot freundlich, aber bestimmt ab und sagte nur, dass sie sich in ein paar Tagen sehen würden.

Furchtbar aufgeregt lief Polly dann den Klinikflur entlang. Dabei stellte sie ein wenig betrübt fest, dass der schicke Flügel für Privatpatienten viel hübscher war als jede Wohnung, in der sie je gelebt hatte. Na ja. Trotzdem wirkte die Weihnachtsdekoration hier ein wenig gezwungen, irgendwer hatte nämlich einen riesigen Stern aus Papp-Bettpfannen gebastelt, was Polly zugleich eklig und irgendwie charmant fand. Die Pfleger trugen Weihnachtsmützen, genau wie einige Patienten, die trotzdem ziemlich traurig aussahen.

Polly fand das Zimmer ohne Schwierigkeiten. Zum einen, weil vor der Tür jede Menge lachhaft riesige blaue Luftballons durch die Gegend schwebten, zum anderen wegen einer Reihe von Körben mit Muffins. Polly rief sich wieder in Erinnerung, dass Amerikaner solche Anlässe gern gebührend feierten.

Nun holte sie erst einmal tief Luft und klopfte vorsichtig an.

Hinter der Tür herrschte absolutes Chaos. Kerensa hockte im Bett und sah ängstlich und erschöpft aus, gleichzeitig aber irgendwie auch merkwürdig bewegt.

Reuben stand mit dem Handy am Ohr neben dem Fenster. »Ja! Ja! Er ist perfekt! Einfach super! Echt jetzt, ein besseres Kind gibt es wirklich nicht! Wir überlegen ernsthaft, uns einen Privatlehrer für ihn zu suchen, weil ich dir jetzt schon sagen kann, wie schlau das kleine Kerlchen ist. Ich meine, mehr als bloß schlau, wirklich superclever …«

»Wie geht's dir?«, hauchte Polly, während sie versuchte, Kerensa zu umarmen, ohne dabei aus Versehen das Kind mit ihrer Handtasche zu erschlagen.

Ihre Freundin lächelte müde. »Also, das war wirklich interessant.«

»Meinst du mit ›interessant‹ vielleicht ›absolut widerlich‹?«, erkundigte sich Polly.

»Es war echt, echt eklig«, bestätigte Kerensa. »Ich hab keine Ahnung, warum sich alle darauf einlassen. Ganz im Ernst, das ist so was von ätzend.«

Weil ihre Stimme ein wenig zitterte, dachte Polly, dass sie vielleicht gleich zu weinen anfangen würde, deshalb brachen natürlich beide in Tränen aus.

Irgendwann nahm Polly all ihren Mut zusammen und betrachtete das Kind.

Der Kleine war – einfach nur ein Baby. Mit seinen dunklen Haaren und den geschlossenen Augen kam er Polly vor wie ein kleiner Astronaut. Er schien gerade aus einer anderen Welt hier gelandet zu sein und seinen Anzug schon abgelegt zu haben. Noch haftete ihm jedoch eine leichte Aura von Sternenstaub und Jenseitigkeit an.

Polly blinzelte.

»Der ist ja wunderschön, Kerensa.«

»Ich weiß!«, schniefte die frischgebackene Mutter.

Reuben sprach immer noch polternd ins Handy und schenkte ihnen keinerlei Aufmerksamkeit. Polly griff nach Kerensas Hand und drückte sie ganz fest. Dann bot sie dem Baby einen Finger an, das ihn packte, ohne dabei die Augen zu öffnen.

»Das ist einfach unglaublich«, sagte Polly, als sie spürte, wie sich seine Finger um den ihren schlossen.

Jetzt machte der Säugling suchende Mundbewegungen.

»Oh, nein, sag bitte nicht, dass du Hunger hast. Eins kann ich dir sagen, das mit dem Stillen ist auch widerlich und völlig unmöglich.«

»Versuch es aber besser weiter.«

»Oh, das werde ich«, nickte Kerensa. »Er findet es nämlich offenbar toll. Außerdem behauptet Reuben, das würde seinen IQ noch etwas mehr in die Höhe treiben. Und wir ziehen ja ohnehin schon das größte Genie aller Zeiten groß.«

Polly lächelte.

»Hey, Poll!«, rief in diesem Moment Reuben, der seinen Anruf beendet hatte. »Darf ich dir meinen grandiosen Sohn vorstellen, hm? Mein umwerfendes Kind, das die Welt erobern wird, blablabla!«

Eine Sekunde lang wurde sein Gesichtsausdruck untypisch sanft, und er ließ das Handy sinken, das für gewöhnlich immer an seinem Ohr klebte. Als sich Reuben vom Fenster löste und das Baby anstarrte, wurde Polly irgendwann klar, dass sie gerade die Luft anhielt.

Der junge Millionär legte dem Kleinen die Hand auf den Kopf. »Hm, dunkle Haare. Normalerweise haben wir Finkels ja, du weißt schon ...« Er deutete auf seinen eigenen Karottenkopf.

»Aber das sind ja nur die Säuglingshaare«, wandte Kerensa hastig ein. »Die fallen später dann aus. Das ist nicht seine endgültige Haarfarbe.«

»Nein, nein, das ist cool, dunkle Haare find ich gut.« Reuben starrte das Baby an. »Er ist wunderschön, oder, Polly? Findest du nicht, dass er das schönste Baby aller Zeiten ist? Und auch noch superschlau. Den Apgar-Test hat er problemlos gemeistert. Seine erste Prüfung, und die hat er mit links bestanden.«

Polly räusperte sich. »Äh, ja. Wie wollt ihr ihn denn nennen?«

Kerensa und Reuben tauschten Blicke.

»Ah«, machte Kerensa.

»Was denn?«, rief Reuben. »Herschel ist doch ein super Name und hat in meiner Familie Tradition.«

»Herschel«, wiederholte Kerensa. »Herschel Finkel.«

»Oh!« Polly kämpfte darum, einen höflichen Gesichtsausdruck aufzusetzen. »Ja, gar nicht schlecht.«

»Hershy? Hersch? Herscho?«, sagte Kerensa. »Was ist denn an Lowin falsch?«

»Lowin? Das ist doch hübsch«, fand Polly.

»Ja, klar«, maulte Reuben. »Damit wird er in der Schule doch nur fertiggemacht!«

»Ach, und da ist Herschel Finkel besser?«

»Ich sehe nicht, was daran auszusetzen wäre«, beharrte Reuben auf seinem Standpunkt.

»Mit dem Namen einigen wir uns schon noch«, war sich Kerensa sicher.

In diesem Augenblick platzten Rhonda und Merv mit riesigen Einkaufstaschen voller Babykleidung und absurderweise auch Spielsachen herein, mit denen das kleine Ding doch noch gar nichts anfangen konnte.

»Da ist er ja! Der schönste Junge der Welt, nicht wahr? Das bist du doch, mein Schatz? Du wirst ein echter Finkel, oder? Na, komm mal zur Oma!« Die frischgebackene Großmutter beugte ihr strapaziertes, durch die Haare straff nach hinten gezogenes Gesicht über ihren Enkel und übersäte seine winzigen Wangen mit Küsschen, wobei sie Lippenstiftflecken in leuchtendem Pink hinterließ.

Polly wurde klar, dass sich Kerensa gerade heftig zusammenreißen musste, um nicht in Tränen auszubrechen. Sie war offenbar völlig fertig und ihr schönes Gesicht durch die Erschöpfung ganz schlaff.

Rhonda schaute sie an. »Bist du etwa deprimiert?«, fragte sie mit etwas, was bei ihr vermutlich als Flüsterstimme durchging und daher nur in den nächsten vier Zimmern den Flur runter zu hören war. »Damit musst du nämlich aufpassen.«

»Es geht mir gut«, erklärte Kerensa. »Ich bin bloß müde.« Grimmig wischte sie sich eine Träne weg.

»Na, na.« Rhonda strich ihr über die Wange. »Keine Sorge. Wir sind für dich da und organisieren, was auch immer du brauchst, jegliche Ärzte, Schwestern, tja, was auch immer. Schließlich gehörst du jetzt zur Familie, bist quasi meine Tochter, nicht wahr? Also werden wir für dich tun, was wir können, immerhin bist du die Mutter des schönsten Finkeljungen aller Zeiten.«

Kerensa nickte nur still, weil sie kein Wort herausbekam.

Nun stand Rhonda auf und deutete mit einem Blick in Richtung Merv zur Tür.

»Na los!«, befal sie. »Lassen wir die beiden jetzt mal

allein! Die brauchen ja offensichtlich ein bisschen Ruhe und Frieden!«

Das war ganz schön dreist, immerhin hatte Merv das Baby ja einfach nur schweigend betrachtet und dabei vor Glück gestrahlt. Trotzdem bewegte er sich brav auf die Tür zu.

»Wir sind bald wieder da«, sagte er.

»Auf jeden Fall!«, rief Rhonda. »Oh, ich kann es einfach nicht ertragen, ihn hier zurückzulassen! Mein erster Enkel!« Sie gab ihm noch einen Lippenstiftkuss. »Du zauberhaftes kleines Ding!«, fügte sie hinzu. »Du wunder-, wunderschönes Kind. Mein Enkelsohn!«

So langsam verlief selbst bei ihr die Wimperntusche.

»Ich weiß«, wandte sie sich an Kerensa. »Ich weiß schon, dass dieses kleine Bündel für dich jetzt einfach alles auf dieser Welt ist. Aber darf ich vielleicht sagen, dass es sich ... für uns ganz genauso anfühlt? Es ist einfach das wunderbarste Gefühl auf der Welt, dass wir weiterleben, dass unsere Familie fortbestehen wird.«

Merv reichte ihr ein großes Taschentuch, mit dem sie sich geräuschvoll schnäuzte.

»Also gib gut auf dich acht, okay? Du hast für uns nämlich etwas Unglaubliches getan. Etwas Wunder-, Wunderbares. So, Reuben, dann zeig uns doch mal, wo dieses Restaurant ist. Schließlich müssen wir auch mal was essen, oder? Das muss ja jeder irgendwann. Aber wir sind bald wieder da. Reuben, jetzt lass deine Frau mal in Ruhe und hör mit dem Fotografieren auf. Du ruinierst meinem perfekten kleinen Enkel noch die Augen. Das ist doch sicher gefährlich ...«

Rhonda küsste das Baby und Kerensa ein letztes Mal, bevor sie dann ihren Sohn und Mann auf den Flur hinausbeförderte, wobei sie ohne Unterlass weiterplapperte.

Nachdem sie gegangen waren, war das Zimmer plötzlich furchtbar still, und man hörte nur noch das leise Piepen einer Maschine in einiger Entfernung. Der Raum war mit so vielen Blumen vollgestellt, dass er wie ein Treibhaus aussah. Polly ging zum Fenster und schaute raus in den Garten.

»Das ist alles so komisch«, begann Kerensa ausdruckslos. »Da draußen machen die Menschen einfach mit ihrem Leben weiter und haben keine Ahnung, wie … wie schrecklich und gleichzeitig wundervoll hier alles ist.«

»Ich frage mich, wie vielen Menschen dieser Gedanke wohl beim Blick aus diesen Fenstern kommt«, antwortete Polly, der das Herz ganz schwer wurde. Sie drehte sich um. »Oh, KEZ«, jammerte sie.

»Warum bist du denn so traurig?«, fragte Kerensa. »Du bist doch nicht diejenige, die hier mit einem dunkelhaarigen Baby hockt.«

Polly brach in Tränen aus.

»Was denn? Worum geht es hier überhaupt?«

»Um Huckle«, antwortete Polly.

»Was?«, rief Kerensa alarmiert. »Und warum ist der eigentlich nicht hier? Was ist denn mit ihm los? Eigentlich hätte ich ja gedacht, er würde Reubens Baby als Erster willkommen heißen wollen. Meiner Meinung nach hätten ihn davon keine zehn Pferde abhalten können.« Sie starrte Polly an, bis ihr auf einmal die Wahrheit zu dämmern begann. »Du hast doch nicht etwa …«

»Das musste ich einfach!«, verteidigte sich ihre Freundin. »Er wusste, dass da irgendwas im Busch war. Er hatte begriffen, dass ich ihm irgendwas verheimlicht habe, und das hat einen Keil zwischen uns getrieben.«

»Und was jetzt? Wo steckt er? Wird er Reuben was sagen?«

»Das denke ich nicht«, erklärte Polly. »Aber er kämpft wohl noch mit seinem Gewissen. Außerdem glaube ich, dass er sich von mir trennen wird.«

»Das kann doch wohl nicht sein!«, wandte Kerensa ein. »Auf keinen Fall, nicht bei euch beiden, nicht bei Polly und Huckle. Und wer bekommt dann das Sorgerecht für Neil?«

»Ich«, antwortete Polly im Brustton der Überzeugung. »Aber darum geht es doch gar nicht.«

Kerensa schüttelte den Kopf. »Alles ... alles ist so ein schreckliches, völliges Chaos. Es ist alles ruiniert, weil ich einen einzigen blöden Fehler gemacht habe. Etwas wirklich, wirklich Dummes.«

Polly tätschelte ihre Hand. »Irgendwie zahlen schließlich immer wir Frauen drauf, so ist das seit ewigen Zeiten.«

»Aber ich bin doch kein viktorianisches Hausmädchen!«, protestierte Kerensa.

»Aber du könntest genauso gut eins sein«, erwiderte Polly bitter. »Weil du nämlich eine gefallene Frau bist. Die bleibt am Ende mit dem Kind zurück und muss die Konsequenzen tragen.« Sie dachte an ihre Mutter.

Kerensa betrachtete ihren schlafenden Sohn. »Ich liebe ihn. Ich hab ihn so furchtbar lieb, dass ich dir nicht einmal sagen kann, wie sehr. Sobald ich ihn gesehen habe, in dem Moment, als sie ihn mir gereicht haben, hab ich gedacht: *Ich kenne dich, o ja. Ich weiß alles über dich, weiß genau, wer du bist. Ich finde alles an dir perfekt und unglaublich, und so wird es immer sein.* Aber dafür werde ich bezahlen müssen.«

»Nicht unbedingt«, überlegte Polly. »Vielleicht hält Huckle ja dicht.«

»Aber vielleicht auch nicht«, widersprach ihr Kerensa. »Ihm könnte irgendwann was rausrutschen, nicht unbedingt jetzt, aber später mal, wenn irgendwas passiert. Wenn was schiefgeht.«

Polly schüttelte den Kopf. »Nein, ich werd ihn eben anflehen und alles leugnen ... Wenn es sein muss, leg ich vor Gericht einen Meineid ab.«

»Es ist sowieso egal. Weil mir schon jetzt all das Glück, das mir mein kleiner Junge hier bringt, einen Stich versetzt, genau wie jedes Wort aus Rhondas Mund. Das alles zerreißt mir das Herz, und so wird es wohl immer sein.«

»Einer von zehn«, murmelte Polly. »Einer von zehn Männern zieht Kinder groß, die gar nicht seine eigenen sind. Zumindest wird das immer behauptet.«

»Aber das kann doch nicht stimmen«, meinte Kerensa. »Auf keinen Fall. Das kann so nicht wahr sein.«

»Wir werden es wohl nie erfahren. Weil niemand es weiß, darum geht es doch gerade.«

Sie legte Kerensa eine Hand auf die Schulter und fuhr dem Baby mit dem Finger über die Wange. Der Kleine war einfach perfekt und seine Haut so weich, so rein und neu. Dieses ganze Chaos war schließlich nicht seine Schuld. In diesem Moment schwor sich Polly, dass man ihm auch nie, nie, nie dieses Gefühl geben durfte.

Dann schaute sie zu Kerensa hoch.

»Patentante werd aber ich!«, verkündete sie mit Nachdruck.

Kerensa nickte. »Aber wie willst du denn bloß dem Teufel und all seinen Taten abschwören?«, fragte sie. »Wenn wir selbst doch gewissermaßen der Teufel und all seine Taten sind!«

Noch einmal betrachteten sie das perfekte kleine Gesicht. »Aber das hier verbockst du nicht«, flüsterte Polly. »Und ich

auch nicht. Genauso wenig wie Huckle, der kriegt sich nämlich schon wieder ein. Und dann klären wir das, mit Sicherheit.« Sie lächelte. »Immerhin sind Freunde nicht nur für die
schönen Dinge im Leben da. Obwohl das hier etwas wirklich,
wirklich Schönes ist, das sage ich dir.«

Kerensa nickte und musste schlucken. »O ja.«

»Ja«, wiederholte Polly.

Mehr gab es nicht zu sagen. Polly konnte sich kaum los-
reißen, aber sie musste jetzt wirklich gehen und streichelte
die beiden ein letztes Mal. »Ich find es ganz schrecklich, dich
hier allein zu lassen.«

»Reuben ist ja jeden Moment wieder da. Keine Sorge, ich
bin mir sicher, dass er wie immer ohne Probleme beide Seiten der Unterhaltung an sich reißen wird.«

»Er ist glücklich«, meinte Polly, »und deine Mutter ist losgezogen, um jedem Bescheid zu sagen, den sie kennt. Rhonda
und Merv schweben im siebten Himmel, und das Baby ist der
Hammer. Alle sind glücklich. Unsere Aufgabe besteht jetzt darin, dafür zu sorgen, dass es genauso bleibt, findest du nicht?
Wer weiß? Vielleicht werden wir dann ja auch glücklich.«

Sie dachte an den gequälten Ausdruck auf Huckles attrakti-
vem Gesicht. Ob das wirklich klappen würde? War das denn
möglich? Das Leben war manchmal ganz schön unbarmher-
zig.

KAPITEL 35

Polly verließ die Privatstation mit einem dicken, fetten Kloß im Hals, gleichzeitig war sie jedoch seltsam glücklich. Die Begegnung mit dem Baby hatte sie mit einem merkwürdigen, tief sitzenden Glück erfüllt, mit dem sie so nicht gerechnet hatte. Es war ein reines, wohliges, zauberhaftes Gefühl. Eigentlich hatte Polly ja geglaubt, dass sie sich nach seiner Ankunft noch mehr Sorgen machen würde – so wie Kerensa es tat –, aber der Kleine war so umwerfend, dass sie eigentlich nur voller Hoffnung war. Babys hatten doch alle gern. Und vielleicht würde Reuben ihn ja sogar dann noch weiter lieben, wenn er es irgendwann herausfand. Aber könnte er das selbst dann noch, wenn er als Kind schon größer als sein Vater sein und mit neun mehr Bartwuchs als er haben würde? Reuben würde doch seine Familie nicht im Stich lassen, oder?

Aber Polly hatte ja selbst einen Vater, der sie nicht gewollt hatte. Der sie nicht einmal hatte kennenlernen wollen. Möglich war es also. Wohl mehr als möglich, oder?

Als sie tief in Gedanken versunken den Haupteingang erreichte, hätte sie beinahe jemanden über den Haufen gelaufen, der reglos mitten in der Eingangshalle stand und sie anstarrte.

»Tut mir leid«, murmelte Polly, zu ihrer Überraschung hob die Frau jedoch die Hand, um sie aufzuhalten.

»Polly«, sagte sie.

Als die junge Bäckerin aus ihrer Versunkenheit auftauchte, wartete ein Schock auf sie.

»Carmel«, hauchte sie, aber es war kaum zu hören.

Die Frau ihres Vaters war genauso fassungslos, jetzt legte sich jedoch ein freudiger, aufgeregter Ausdruck über ihre Züge.

»Polly! Du bist also doch gekommen!«

Polly schluckte, während sich Stille zwischen ihnen ausbreitete. »Na ja...«

Carmel strahlte so glücklich, dass Polly sie nur ungern enttäuschen wollte. Aber sie konnte einfach nicht... das ging wirklich nicht...

Polly hätte eigentlich klar sein müssen, dass sie Carmel hier über den Weg laufen konnte, doch es war ihr einfach nicht in den Sinn gekommen. Das Krankenhaus war schließlich riesig, und die private Entbindungsstation befand sich in einem etwas abgelegenen, hübschen Flügel, der hinten zum Park hinausging. Aber natürlich war nichts unmöglich.

»Nein«, erklärte Polly schließlich, »ich bin aus einem anderen Grund hier.«

Das Lächeln verschwand von Carmels Zügen.

»Oh«, murmelte sie. »Oh, tut mir leid, ich dachte... Ich hab bloß angenommen...«

»Ich hatte keinen Vater. Ich hab nie einen gehabt.«

Carmel nickte. »Das verstehe ich, voll und ganz. Wirklich. Es war falsch von mir, dich überhaupt zu kontaktieren, und dafür möchte ich mich entschuldigen.«

»Danke«, erwiderte Polly.

»Ich hätte mich wirklich nicht einfach so in dein Leben drängen sollen, um diese Bombe platzen zu lassen. Das war

285

falsch von mir ... Aber ich war eben so verzweifelt. Alles war ganz schrecklich, und ich musste immer an ihn denken und daran, wie er mich angefleht hat. Deshalb hab ich deine Gefühle dabei gar nicht berücksichtigt.«

Polly nickte. »Das kann ich nachvollziehen«, lenkte sie ein. Tatsächlich mochte sie Carmel, sie konnte nicht anders. Nach kurzem Schweigen wandte sie sich zum Gehen.

»Aber«, sagte da Carmel, »vielleicht könntest du es als Gefallen sehen ... als freundliche Geste für einen Fremden. Als etwas, was du für einen x-beliebigen Menschen tust, für einen sterbenden Mann. Ich weiß schon, dass er dir nichts bedeutet. Dabei wärst du ihm bestimmt wichtig gewesen, wenn ich ihn nur gelassen hätte. In Wirklichkeit musst du hier nämlich mir vergeben«, fuhr sie fort. »Wegen meiner eigenen Kinder konnte ich einfach nicht riskieren, dass ... Ich konnte meine Familie nicht aufs Spiel setzen, das ging einfach nicht. Deshalb hab ich ihm gedroht. Ich hab ihm erklärt, dass ich zu allem fähig sein würde, wenn er deine Mutter nur noch ein einziges Mal sieht und unsere Familie damit in Gefahr bringt.« Sie blinzelte ein paarmal schnell. »Ich kann nur hoffen, dass du eines Tages verstehen wirst, was ich getan habe. Dafür, dass unsere Kinder einen Vater haben, der immer für sie da ist, hätte ich eben mit allen Mitteln gekämpft. Die Konsequenzen für dich tun mir leid, aber ich bereue nicht, dass ich so meine Familie zusammengehalten habe.« Bei diesen Worten funkelten ihre Augen.

Und Polly fuhr durch den Kopf, dass sie Carmel auch wirklich keinen Vorwurf daraus machte, für ihre Familie gekämpft zu haben. Sie wünschte sich nur, Doreen wäre besser dazu in der Lage gewesen, für die ihre zu kämpfen. Aber die Dinge waren nun mal, wie sie waren.

»Okay«, entgegnete Polly.

»Was meinst du?«, fragte Carmel. »Dass du verstehst, was ich getan habe, oder dass du damit einverstanden bist, ihn zu sehen?«

Polly überlegte lange. Sie dachte an Kerensas unschuldiges kleines Kind und daran, dass man ihm nie den Zugang zu Menschen verwehren sollte, die es liebten. In diesem Moment sehnte sie sich wirklich nach Huckle. Und sie wünschte sich, sie könnte erst mit ihrer Mutter reden, aber der hatte sie doch schon so viele Fragen gestellt. Plötzlich fühlte sie sich furchtbar einsam.

»Sind ... sind denn auch welche von euren Kindern hier?«, fragte sie.

Carmel schüttelte den Kopf. »Nein«, erklärte sie, »die kommen heute Nachmittag.«

Polly nickte. Sie würde hineingehen, Hallo sagen und wieder gehen. Damit hätte es sich dann, sie hätte ihre Pflicht getan und den letzten Wunsch eines sterbenden Mannes erfüllt. Es war das Richtige. Dann würde sie Huckle anrufen und ihm sagen, dass er gefälligst das Baby besuchen sollte, unabhängig davon, was zwischen ihnen vorgefallen war. Und dann würde sie ... Tja, das wusste sie noch gar nicht. Sich wohl wieder an die Arbeit machen, nahm sie mal an.

»Ja, in Ordnung«, sagte sie daher.

Der Onkologiebereich für Männer war bei Weitem nicht so hübsch wie die private Entbindungsstation. Er war trist und von Husten erfüllt, Traurigkeit lag in der Luft.

Die Weihnachtsdekoration wirkte hier noch viel kläglicher, Tracheotomie-Patienten saßen graugesichtig herum, und gelangweilte Kinder aßen Süßigkeiten oder maulten. Hier und da verdeckte ein Vorhang ein Bett, und man konnte sich nur vorstellen, was für geheimnisvolle Dinge dahinter wohl passierten. Es roch nach Desinfektionsmittel und verschüttetem Tee und noch irgendetwas anderem, was Polly lieber nicht identifizieren wollte.

Als sie sich im Raum umsah, ohne zu lange bei irgendeinem der Gesichter zu verweilen, klopfte ihr Herz heftig, viel zu heftig. Sie spürte, wie ihre Hände zu zittern begannen, und vergrub sie lieber in den Taschen ihrer Jeans.

Ganz am Ende des Raumes stand ein Bett direkt am Fenster – es war die schönste, ruhigste Ecke im Sechsbettzimmer, und Polly erkannte instinktiv, dass es schon seine Gründe hatte, wenn man diesen Platz bekam.

Der Mann, der dort schlief, war groß und sehr dünn. Seine Haare waren inzwischen überwiegend grau, Polly entdeckte jedoch rötliche Strähnen. Jetzt bereute sie es, selbst nicht wenigstens kurz ihre Mähne gekämmt zu haben, aber immerhin trug sie etwas Make-up. Frauen ohne komplette Kriegsbemalung wurden von Rhonda nämlich gerne mal gefragt, ob es ihnen nicht gut ging oder ob sie sich aufgegeben hätten.

Nervös und verunsichert blieb Polly stehen, während sich Carmel über das Bett beugte.

»Tony«, flüsterte sie. »Tony, mein Schatz.«

In ihrer Stimme lag so viel Zärtlichkeit, die Zärtlichkeit eines ganzen gemeinsamen Lebens, dachte Polly.

Es war furchtbar warm im Raum, und durch das dünne Laken konnte man die Hüftknochen des Mannes im Bett sehen, der sich jetzt ein wenig bewegte. Er hing an einem Tropf, vermutlich mit Morphium, und Polly hoffte, dass er keine Schmerzen hatte. Hoffentlich kümmerte man sich aufmerksam und effektiv um das, was ihn da von innen zerfraß, und zwang ihn nicht, länger als nötig auf dieser Welt zu verweilen.

Aber abgesehen davon empfand sie nichts weiter. Sie verspürte nicht das Verlangen, sich dem Mann in die Arme zu werfen und »Mein Vater! Daddy!« zu rufen. Eigentlich wusste sie ja kaum, wie das mit Vätern so funktionierte. Deshalb stand sie einfach nur da, die Hände in den Taschen vergraben, und versuchte, sich zusammenzureißen. Angestrengt arbeitete sie an dem passenden Gesichtsausdruck für diesen Moment: besorgt, aber nicht aufgesetzt oder verzerrt. Ihr Mund zuckte ein wenig, deshalb biss sie sich von innen auf die Wange.

Als Carmel das nächste Mal »Tony« sagte, blinzelte der Patient und schlug dann langsam die Augen auf. Sie hatten genau dieselbe blaugrüne Farbe wie die von Polly.

Nun trat sie ein wenig näher ans Bett, bis ins Blickfeld des Patienten. Mit ruhiger Geste griff Carmel nach einer Hornbrille auf dem Nachttisch und setzte sie ihm auf, umfing seinen blassen, schmalen Kopf mit den Bügeln.

Der Mann starrte Polly an wie eine Wildfremde.

»Ist das die Krankenschwester?«, fragte er. Seine Stimme war schwach, aber gut zu verstehen.

»Nein.« Carmel griff nach seiner Hand. »Nein, Tony, das ist Polly.«

Lange sprach niemand ein Wort.

»Polly«, stieß er schließlich krächzend hervor.

»Ja«, nickte Carmel.

Tony atmete tief durch, wofür er eine Weile brauchte. Es hörte sich schrecklich an, weil die Luft seinen Körper mit röchelndem Geräusch passierte.

»Polly. Pauline?«

Polly nickte. »Hallo«, sagte sie. Sie wusste nicht, wie sie ihn nennen sollte, daher verzichtete sie auf eine Anrede.

Wieder blinzelte er. Irgendwie war das mit seinen Augen so absurd, aber natürlich bestand ein Kind ja aus Informationen, die beide Eltern beisteuerten – einer die Form der Zehen, der andere die Augenbrauen ... Mehr war da nicht dran. Wieder kam Polly Kerensas Baby in den Sinn, sie verdrängte den Gedanken jedoch rasch. Das war jetzt nicht der richtige Zeitpunkt.

»Es ist schön, dich kennenzulernen.« Ihre eigene Stimme zitterte auch.

Mit schlaffer Bewegung schob Tony ihr nun seine Hand mit den deutlich sichtbaren Adern entgegen, in der der Schlauch vom Tropf steckte.

Eher widerwillig machte Polly einen weiteren Schritt auf ihn zu und streckte ihre eigene Hand aus. Er griff mit einer Kraft danach, die man ihm gar nicht zugetraut hätte, und drückte sie. Als die junge Frau nach unten schaute, konnte sie ihre Betroffenheit kaum verbergen: Beide Hände hatten dieselben eckigen Nägel, denselben Zeigefinger. Polly hatte die Hände ihres Vaters.

»Die Ähnlichkeit ist wirklich verblüffend«, staunte Carmel. »Tut mir leid, deswegen starre ich dich auch ständig so an. Sorry.«

Polly blickte zu ihr auf.

»Na ja ...«, fuhr Carmel fort. »Deine ... deine Geschwister sehen ihm eben nicht besonders ähnlich. So ist das nun mal.«

Polly konnte lediglich nicken.

»Es tut mir so leid«, sagte Tony mit brüchiger Stimme. »Ich ... es war ...«

»Das ist schon in Ordnung«, antwortete Polly. »Ich kann es ja verstehen.«

Und noch während sie diese Worte aussprach, fühlte sie, wie ihr eine Last von den Schultern genommen wurde. Dieses Gewicht musste sie wohl ein Leben lang heruntergezogen haben, obwohl es ihr selbst gar nicht bewusst gewesen war.

Als sie nun auf den dahinsiechenden Mann im Krankenhausbett hinunterschaute, wurde ihr klar, dass er nicht der perfekte Vater aus ihren Träumen war, dieser Mann, nach dem sie sich so sehr gesehnt hatte. Aber er war auch nicht der Buhmann, zu dem ihre Mutter ihn gemacht hatte, der unbarmherzige Feind, den man für immer hassen musste. Er war einfach nur ein Mann, der einen Fehler gemacht hatte, mehr oder weniger so wie Kerensa, und der den Rest seiner Tage damit hatte klarkommen müssen.

Und dieser Fehler war einfach da, man konnte ihn nicht mehr verhindern oder rückgängig machen. Vor langer Zeit hätte man die Dinge vielleicht wiedergutmachen können, aber jetzt nicht mehr. Und das war schon in Ordnung. Oder nein, eigentlich nicht, aber sie mussten es jetzt gut sein lassen. Eine andere Möglichkeit gab es schließlich nicht.

»Führst du ... ein gutes Leben?«, krächzte Tony.

Polly nickte. Dann musste sie an Huckle denken und verdrängte schnell wieder die Furcht, dass dieses Leben womöglich gerade den Bach runterging. »Ja, ich führe ein gutes Leben. So war es nicht immer, aber dann ist mir klar geworden, was ich wirklich machen will ...«

»Du bist die Brotbäckerin, oder? Ich hab dich in der Zeitung gesehen.«

»Ich bin die Brotbäckerin«, bestätigte Polly.

»Vielleicht solltest du ihr mal das Kochen beibringen, dafür hat sie nämlich überhaupt kein Händchen.« Er wandte sich mit schaurig verzerrtem Grinsen zu Carmel um.

»Halt bloß den Mund, du!«, protestierte Carmel, und Polly erkannte die unendliche Zuneigung zwischen den beiden. Ihre Liebe hatte offenbar alle Fallstricke des Lebens überstanden und leuchtete, strahlte immer noch. Würde sie so etwas wohl je haben?

Polly versuchte zu lächeln. »Ja«, erklärte sie, »ich liebe meine Arbeit. Zwar hab ich eine Weile gebraucht, bis ich das begriffen habe, und ich bin auch immer furchtbar überarbeitet und kaputt. Geld kommt auch nicht viel rein, aber ich bin glücklicher als je zuvor in meinem Leben.«

Tony nickte. »Gut, das ist doch wirklich schön, nicht wahr, Carmel?«

Die Angesprochene lächelte. »Sie muss eine wunderbare Mutter haben«, bemerkte sie sanft, und dann schwiegen alle drei für einen Moment.

»Ist sie ... möchte sie gerne die anderen kennenlernen?«, fragte Tony hoffnungsvoll, so als wüsste er bereits, dass er damit zu viel verlangte.

»Nein«, sagte Polly. »Nein, das denke ich nicht. Ich habe mein Leben, und sie haben ihres, und ich möchte nicht alles unnötig verkomplizieren, unser Leben nicht noch verzwickter machen.«

»Das hab ich ja schon erledigt«, seufzte Tony.

Nun zog Polly ihre Hand zurück und trat einen Schritt vom Bett weg. »Es war schön, dich kennenzulernen. Aber ich breche jetzt wieder auf.«

»Ah«, hauchte Tony. »Ja, selbstverständlich. In Ordnung.« Tränen standen in seinen Augen, als er sie jetzt anschaute. »Vergibst du mir?«

Polly nickte. »Natürlich.«

»Danke. Hast du Kinder?«

»Nein.«

»Oh, na ja. Ich weiß, dass das jetzt aus meinem Mund völlig falsch klingen muss, aber ... du solltest wirklich welche bekommen. Eine Familie zu haben ... Das sollte nun wirklich nicht ich zu dir sagen, aber ... es ist einfach wunderbar. Eine eigene Familie ist etwas unglaublich Schönes.«

Das ging Polly nun doch zu weit. »Auf Wiedersehen«, sagte sie.

Mit feucht glänzenden Augen sprang Carmel auf. »Das tut mir wirklich leid«, entschuldigte sie sich auf dem Weg zur Tür.

»Es ist schon okay«, entgegnete Polly ein wenig steif. »Er war nur ehrlich. Damals hat er sich für dich entschieden, und das ist in Ordnung. Er kann sich glücklich schätzen, dich zu haben.«

Carmel biss sich auf die Lippe. »Danke. Danke, dass du das hier für ihn getan hast. Ich weiß schon, dass du eigentlich nicht wolltest. Aber das ... das bedeutet ihm wirklich viel.«

Dann schlang sie ganz instinktiv die Arme um Polly, die zunächst einfach nur dastand, Carmels Umarmung dann aber doch irgendwie erwiderte.

»Okay, Tschüss dann.« Jetzt war es wirklich gut.

Am Ende des Flurs rief Carmel sie jedoch noch einmal zurück. »Entschuldige bitte. Es tut mir leid, dass ich dich nicht in Ruhe lasse und dich immer weiter belästige. Aber kann ich dich vielleicht noch um einen letzten Gefallen bitten? Ich weiß schon, dass ich den Bogen überspanne, aber es ist schließlich Weihnachten ...«

Blinzelnd stand Polly da und sagte kein Wort.

»Könnte ich eventuell ... ein Foto von euch beiden zusammen machen?«

Polly nickte. »Natürlich.«

Ihr erstes gemeinsames Fotos, die erste Aufnahme von Vater und Tochter und die einzige, die je existieren würde.

Polly fühlte sich komisch, ganz merkwürdig, als sie sich mit einem Kloß im Hals auf dem Bett ihres Vaters niederließ und nach seiner runzeligen Hand griff. Zum ersten und letzten Mal verschränkte sie die Finger mit den seinen und drückte ihm die Hand, dieses eine Mal. Dann schoss Carmel das Foto, und nun war es wirklich Zeit zu gehen.

»Wenn du mich je für irgendetwas brauchst«, begann Carmel, »dann melde dich einfach bei mir. Hier ist meine Nummer. Worum es auch geht, was auch immer du wissen willst, ruf mich an und komm vorbei.«

Polly drehte sich um und ging langsam aus dem Krankenhaus, hinaus auf den Parkplatz, wo der erste Schnee dieses Winters zu fallen begann und die hässlichen Klinikgebäude einhüllte. Er bedeckte Schmerz und Traurigkeit und machte die Welt wieder ganz frisch und weiß und neu, sodass sie noch einmal von null anfangen konnte.

KAPITEL 36

Weil Nan, the Van, ja Polly einziges Transportmittel war, hatte einer von Reubens Lakaien den Lieferwagen für sie hergebracht. Und nun verwandelte sich die Welt vor ihren Augen, als sie sich mit dem Foodtruck langsam von der Klinik entfernte. Die sanft fallenden Flocken wurden zu Schneegestöber, fielen dann immer regelmäßiger und blieben ganz still liegen.

Das Nachmittagslicht wurde einfach verschluckt, und Polly verdrängte die Frage, wie sie es wohl gleich über den Fahrdamm schaffen würde. Irgendwie würde sie schon nach Hause kommen, zu ihrem Papageientaucher und ihrem Leuchtturm und ihrem Ofen, und über alles andere würde sie sich später den Kopf zerbrechen. Oder vielleicht doch besser schon bald. Denn offenbar dachte man im Leben ja immer, dass man noch jede Menge Zeit hatte, um die Dinge zu regeln – um angeknackste Beziehungen zu retten und all das zu machen, was man bis jetzt nicht geschafft hatte. Um Sachen zu Ende zu bringen, alles fertig zu machen und eine hübsche Schleife darum zu binden.

Aber so war das Leben einfach nicht. Manche Konflikte schwelten jahrelang, und was man eigentlich hätte zu Ende bringen sollen, kam einfach zu keinem Abschluss. Deshalb wurde das Leben mancher Menschen vor allem von Bitterkeit geprägt, das hatte Polly ja mit eigenen Augen gesehen. Es war ihrer Mutter passiert, und es könnte Kerensa und ihrem kleinen Sohn zustoßen. Polly konnte gut verstehen, dass selbst ihr Vater noch versucht hatte, die Dinge am Ende seines Lebens wieder hinzubiegen.

Aber bei ihr war doch alles ganz anders, Huckle und sie waren schließlich zusammen so glücklich gewesen. Könnte es wohl wieder so werden? Würden sie das hinkriegen?

Polly stellte das Radio an. Es wurde flotte Weihnachtsmusik gespielt und zwischendurch immer wieder darauf hingewiesen, dass man bei diesem Wetter auf gar keinen Fall draußen unterwegs sein sollte, falls es nicht absolut nötig war. Diese Warnungen ignorierte Polly schlicht. Sie folgte einfach den vereinzelten Autos vor ihr, und eigentlich sah es hier auf der Landstraße doch ganz gut aus. Allerdings war ihr schon ein bisschen vor dem Moment bange, an dem sie auf die kleinere Seitenstraße abbiegen würde. Weil man keinen Schnee vorhergesagt hatte, war auch nirgendwo gestreut. Und falls sie nicht noch vor der Abzweigung irgendwo ein Hotel entdecken sollte – für das sie sowieso kein Geld hatte –, dann gab es zwischen hier und Mount Polbearne absolut nichts. Wenn sie einmal abgebogen war, dann gab es kein Zurück mehr.

Polly musste an Huckle denken. Womit war der wohl gerade beschäftigt? Was hatte er sich nur bei alldem gedacht? Was auch immer bei ihm abgelaufen war, sie musste jetzt einfach nach Hause.

Als sie dann den Abzweig vor sich hatte, passierten mehrere Dinge ganz schnell auf einmal. Polly war so in Gedanken gewesen, dass sie erst im letzten Moment den Blinker betätigte. Hinter ihr hupte es, was sie zusammenfahren ließ. Genau in diesem Moment klingelte ihr Handy. Als der Wagen schwankend die Kurve nahm, huschte aus dem Unterholz ein Kaninchen hervor und rannte quer über die Straße. Polly registrierte noch seine Pfotenabdrücke im frischen Schnee. Dann rutschte Nan mit den Reifen über die glatte Fahrbahn, machte einen Satz nach vorne und raste die zum Glück leere Straße entlang, den Hügel hinunter bis zu seinem Fuß. Dort schoss der Lieferwagen über die Fahrbahn hinaus und blieb, gefährlich schwankend, an einer Schneewehe hängen, die sich auf der gegenüberliegenden Seite am Straßenrand gebildet hatte.

Polly war sich gar nicht dessen bewusst gewesen, dass sie laut schrie, und sie hatte auch nicht gemerkt, dass sie in ihrer Panik irgendwie auf den Antwortknopf ihres Handys gedrückt hatte.

»Okay, okay, es ist ja alles in Ordnung!«, hörte sie jetzt am anderen Ende der Leitung eine verzweifelte Stimme. »Ist ja gut, es kommt schon alles wieder –«

»AAAAAHHHH!«

»Polly! Polly! Bist du da? Was ist denn? Was ist los?«

Sie rang nach Atem und wurde von einem Schluchzen durchgeschüttelt.

Die Stimme klang immer besorgter. »Polly? Polly, was ist denn? Was ist passiert?«

Irgendwann bekam sie endlich wieder Luft, atmete einmal keuchend ein. »Hu... Huckle?«

»Ja. Was ist passiert? Was ist denn los? Das war gerade aber nicht meinetwegen, oder? Du hast doch wohl keine Dummheiten gemacht? Sag mir doch bitte, dass mit dir alles in Ordnung ist!«

Polly blinzelte und sah sich um. Nan, the Van, schien in der Schneewehe langsam seitlich zu kippen.

»Nan ... ist von der Straße abgekommen«, flüsterte sie. »Wir sind am Straßenrand, wir ... Ich weiß auch nicht, wo ...«

»O mein Gott«, rief Huckle bestürzt. »Geht's dir gut? Ich hab dir doch gesagt, dass du die Reifen überprüfen sollst.«

»Du hast mir gesagt, dass ich die Reifen überprüfen soll!?«, schrie Polly. »Ich wäre gerade beinahe bei einem furchtbaren Unfall ums Leben gekommen, und du stellst erst einmal klar, dass ich daran selbst schuld bin?«

»Nein, nein, sorry! Es tut mir leid. Du hast mir einen Riesenschrecken eingejagt ... Ich hab doch gedacht, dass du die Neuigkeiten gehört hast und deshalb völlig durch den Wind bist – das hätte ja durchaus sein können, es nimmt uns schließlich alle mit ... Himmel! Geht's dir denn gut?«

»Ich glaube schon.« Polly versuchte, durch die Nase zu atmen, weil sie das irgendwo gelesen hatte, obwohl es sich komisch anfühlte. »Aber ich fürchte, ich stecke hier fest.« Sie verstummte einen Moment und versuchte, einen klaren Gedanken zu fassen. »Wo bist du denn?«

»Hast du die Neuigkeit noch gar nicht gehört?«, fragte Huckle hektisch.

»Neuigkeit? Welche Neuigkeit? – Die Neuigkeit, dass du wieder da bist?«

»Nein, die Neuigkeit aus dem Krankenhaus.«

»Was meinst du? Ist was passiert?«, fragte Polly erschrocken.

»Das Baby ...«, begann Huckle

Polly sagte erst einmal nichts. »Was denn?«, fragte sie schließlich. »Was ist los? Was ist mit dem Baby passiert? Du hast doch nicht etwa ...«

»Natürlich nicht!«, entgegnete Huckle empört. »Nein,

298

nein. Ein Arzt hat den Kleinen geholt, weil er ihn noch mal genauer untersuchen musste ... Ich war gerade eingetroffen, um ... na ja ... zu gratulieren. Offenbar stimmt mit dem Baby irgendwas nicht.«

KAPITEL 37

Es kam Polly vor, als würde in ihrer Seele eine Glocke unheilvoll läuten, und plötzlich war alles andere egal. All die kleinen Bagatellen, Sorgen und Probleme, all ihre Nöte verschwanden und wurden durch ihre tiefsten, dunkelsten Ängste ersetzt.

»Oje«, murmelte sie. »Kannst du bitte herkommen? Das ist jetzt doch zu viel für mich.«

»Natürlich.«

»Was hat der Kleine denn nur?«

»Das weiß ich auch nicht, aber ich glaube, Kerensa hat dich zu erreichen versucht. Sie war ziemlich hysterisch.«

Polly atmete tief durch.

»Wie fest steckst du denn?«, fragte Huckle besorgt.

»Sehr«, erklärte Polly. »Und hier ist weit und breit niemand zu sehen.«

»Dann brauchst du mich ja wirklich. Zumindest, um dich da rauszuziehen.«

»Kann dein Motorrad das denn?«, fragte Polly skeptisch.

»ALSO HÖR MAL!«, rief Huckle. »Ich würde ja nicht meinen möglichen Retter infrage stellen, wenn ich kopfüber im Graben stecke.«

Polly stellte die Heizung an, was aber auch nicht viel half. »Mach schnell«, sagte sie mit Nachdruck. »Beeil dich. Ich brauch dich wirklich, Huckle.«

Über eine Stunde später hockte Polly immer noch reglos im Van, weil sie zu viel Angst hatte aufzustehen und auszusteigen. Selbst als sich der Schnee um sie herum immer höher auftürmte, blieb sie starr vor Angst sitzen. Sie hatte versucht, Kerensa anzurufen, war jedoch nicht durchgekommen. Und bei Reuben sprang direkt die Mailbox an.

Aber das Baby war doch perfekt gewesen, einfach makellos. Polly hatte den Kleinen gesehen und ihn im Arm gehalten, und da war alles in Ordnung gewesen.

Ihr gingen alle möglichen Komplikationen durch den Kopf. Babys konnten epileptische Anfälle bekommen, oder vielleicht zeigte ja eins von den Testergebnissen etwas Furchtbares – Mukoviszidose oder Spina bifida oder irgendein anderes schreckliches Leiden, das zu den schlimmsten Albträumen von Eltern gehörte.

Polly war gefangen in einem Kreislauf aus verzweifelter Angst und sank immer tiefer in ihren Mantel, während sie sich fragte, wo zum Teufel denn Huckle nur blieb. So lange konnte das doch nicht dauern! In der Nähe von Mount Polbearne gab es ja nur eine einzige Abfahrt. Oder hatte er etwa versucht, mit dem verdammten Motorrad den Fahrdamm zu überqueren? War er damit vielleicht ins Wasser gerutscht und vom Meer verschluckt worden? War er einfach verschwunden, wie so viele Boote an der zerklüfteten Küste von Cornwall, wo unzählige Männer bei Sturm und Unwetter in den Wellen versunken waren?

Plötzlich kam ihr eine Zeile aus einem alten Lied über Schiffbruch in den Sinn: *And many was the fine feather beds floating on the foam / And many was the little lords' sons who never did come home* – Und auf den Schaumkronen lagen viele teure Daunendecken / Und viele kleine Söhne von Edelmännern kehrten nie mehr heim.

Wo steckte Huckle nur? Und was war hier eigentlich passiert? Die Straße lag still da und wurde nur von einem Scheinwerfer ihres Vans erhellt. Flocken tanzten im Licht.

Polly rutschte auf dem Sitz noch tiefer nach unten. Vielleicht hatte Huckle es sich ja anders überlegt, und alles war vorbei. Sie hatte ihr Möglichstes getan, und jetzt blieb ihr nichts anderes übrig, als weiter hier zu hocken. Alles war schiefgegangen. Sie hatte das Einzige verloren, was sie sich im Leben je gewünscht hatte und ...

Klopf, klopf, klopf!

Polly wurde klar, dass sie weggedämmert war, schon halb schlief. Woher dieses Geräusch kam, hätte sie nicht sagen können.

Klopf, klopf, klopf!

Matt schaute sie sich um. Irgendetwas oder irgendjemand pochte da ans Fenster. Vielleicht ein Ast? Und wo war sie überhaupt?

Polly lehnte sich vor und kurbelte die Scheibe runter. Heftig mit den kleinen Flügeln schlagend, schwebte Neil vor dem Fenster und fiepte sie wütend an.

»Neil!«, rief Polly, und es legte sich ein dämliches Grinsen über ihre Züge. Warum war ihr nur so seltsam zumute?

»Polly!«, ertönte da eine Stimme, dann sah sie einen Scheinwerfer und schließlich Huckles Gesicht.

Schläfrig starrte Polly ihren Freund an. »Ich dachte, du wärst tot.« Sie schenkte ihm ein merkwürdiges Lächeln.

Huckle riss die Tür auf und zerrte Polly nach draußen, sodass sie im Schnee landete. Die eisige Luft fühlte sich an, als hätte ihr jemand einen Eimer kaltes Wasser über den Kopf geschüttet. Keuchend und hustend lag Polly in der Schneewehe.

»O mein Gott!«, rief Huckle. »Wie es hier stinkt! Es muss

wohl irgendwie Abgas in den Innenraum geströmt sein, vermutlich ist da was kaputtgegangen, als du hier gelandet bist. Himmel, Polly, dabei hättest du draufgehen können! Du kannst doch nicht ... Ich fasse einfach nicht, dass ... Dieser Wagen ist eine Todesfalle, das haben dir ja alle gesagt!«

Polly schüttelte den Kopf.

»War dir denn gar nicht komisch zumute? Irgendwie schwummerig?«

»Doch«, murmelte Polly mit gerunzelter Stirn. »Aber es war ein schönes Gefühl.«

»Ach du liebe Güte.« Huckle zog sie zu sich heran, sie machte sich aber sofort wieder los und drehte sich weg, um sich in den Schnee zu übergeben. Huckle reichte ihr eine Flasche Wasser.

»Mein Gott, Polly!« Inzwischen war er fast so blass wie sie. »HIMMEL! Scheiße! Seit wann läuft denn plötzlich alles schief?«

Polly schüttelte den Kopf. »Ich weiß auch nicht«, sagte sie mit Tränen in den Augen. »Keine Ahnung. Aber ich wünschte, ich könnte den Zeitpunkt genau ausmachen. Dann könnte ich vielleicht dahin zurückkehren und alles wieder hinbiegen.«

»Du hast doch nichts falsch gemacht«, beruhigte Huckle sie und schloss sie in die Arme. »Du bist nicht schuld, mein Schatz, es war nicht dein Fehler. Gott, du zitterst ja.«

Ein einsames Auto näherte sich. Huckle hielt es an. Eine freundliche Dame namens Maggie ließ Polly bei sich im Wagen sitzen, während er sein Motorrad vor den Lieferwagen spannte, um ihn aus der Schneewehe zu ziehen. Vorsichtig parkte er dann Nan, the Van, am Straßenrand, nachdem er alle Fenster runtergekurbelt hatte.

Schließlich bedankte er sich bei der Frau.

»Wo müssen Sie denn hin?«, erkundigte die sich.

»Nach Plymouth, ins Krankenhaus«, erklärte Huckle.

»Mit diesem Ding?«, fragte sie und deutete auf das Bike. Sie war Lehrerin, eine von der netten Sorte, befähigt zu klaren Anweisungen, ohne allzu autoritär zu wirken. »Jetzt seien Sie mal nicht albern. Steigen Sie ein, ich fahr Sie da hin.«

»Ich weiß nicht, ob ein Mini da wirklich besser ist als –«

»Einsteigen!«, rief sie und klatschte dabei ermunternd in die Hände.

In diesem Moment flog Neil in den Wagen und setzte sich auf Pollys Schoß. Maggie starrte den Vogel argwöhnisch an.

»Ah«, machte Huckle.

»Wird der mir ins Auto kacken?«, fragte Maggie, als sie auf die breitere Landstraße abbog, wo inzwischen geräumt und gestreut war.

»Ich kann leider nichts versprechen«, lächelte Huckle entschuldigend. Zum Glück stellte sich heraus, dass so nett lächelnde junge Männer bei Maggie gleich einen Stein im Brett hatten.

KAPITEL 38

Polly wäre am liebsten sofort zur privaten Entbindungsstation gelaufen, aber Huckle bestand darauf, einen Zwischenstopp am Getränkeautomaten einzulegen. Er zwang sie, eine Tasse starken Kaffee zu trinken, dann schaute er ihr tief in die Augen.

»Ist mir dir alles in Ordnung?«

»Du meinst, mal abgesehen von den neun seltsamen Dingen, die heute passiert sind?«, entgegnete Polly. Sie checkte ihren Körper innerlich einmal durch. »Ja, ich glaube schon.« Sie schaute zu Huckle auf. »O Gott, ich muss ja ganz furchtbar aussehen.«

»Wenn du dir darüber schon wieder Gedanken machst, dann bist du auf dem Weg der Besserung«, diagnostizierte Huckle.

»Okay, das wäre also ein Ja.« Polly befühlte mit einem Aufstöhnen ihr feuchtes Haar.

Huckle nahm sie in den Arm. »Oh, Polly Waterford. Für mich bist du immer wunderschön.«

»Dabei hab ich mich doch gerade übergeben.«

»Äh, ja, das vergessen wir lieber mal«, murmelte Huckle. »Ich glaube allerdings, dass du gar nicht mitbekommen hast, was ich dir wirklich sagen wollte.«

»Dass du mich jetzt nicht mehr wegen Kerensas Geheimnis verlassen willst?«

Huckle schüttelte den Kopf. »Verlassen wollte ich dich doch nie«, erklärte er. »Es ist einfach nur … du weißt schon. Ich bin in der Vergangenheit schon mal betrogen worden, und das war furchtbar, es hat schrecklich wehgetan. Bei dir hingegen hab ich gedacht, dass ich dich so gut kenne, und dann hab ich plötzlich Panik bekommen. Dabei kann man … einen anderen in Wirklichkeit nie hundertprozentig kennen, und die Menschen haben schon ihre Gründe dafür, dass sie so sind, wie sie sind. Deshalb kann man nur beschließen, jemanden für das zu lieben, was er ist. Damit hat es sich, so sieht es dann aus. Inzwischen kann ich verstehen, warum du das getan hast. Mir wäre es zwar lieber gewesen, wenn du mir die Geschichte nicht verschwiegen hättest, aber … Nein, in Wirklichkeit wünschte ich vielmehr, das wäre alles nicht passiert.«

Polly nickte.

»Aber ich kann damit leben. Ja, das kann ich.«

Sie lehnte den Kopf an seine Schulter und stieß einen tiefen, zittrigen Seufzer aus. »Ich liebe dich so sehr.«

»Und wir müssen einander ja auch lieben«, erklärte Huckle mit sachlicher Stimme. »Weil wir für Reuben und Kerensa da sein müssen, wenn sie uns brauchen. Und ich denke, dieser Moment ist jetzt gekommen.«

Mit bangem Herzen gingen sie Hand in Hand zum Lift und versuchten beide, sich nicht das Schlimmste auszumalen. Jetzt war also irgendwas passiert, stimmte mit diesem entzückenden, unschuldigen Baby etwas nicht … Und das war so unfair, absolut grauenhaft. Kein Kind sollte mit Schmerzen geboren werden.

Der Aufzug schien ewig zu brauchen, und als sie endlich die Privatstation betraten, schienen die üppigen Winterblumen und die eigenwillige Weihnachtsdekoration auf den

Gängen sie zu verspotten, genau wie die Ballons und Geschenkkörbe vor Kerensas Zimmertür.

Polly und Huckle sahen sich kurz an, drückten einander die Hand und klopften an.

Im Zimmer war es gruselig still. Wenn man bedachte, dass sich darin Reuben, Kerensa, Jackie, Merv, Rhonda und ein Neugeborenes befanden, war die Ruhe geradezu bizarr.

»Hey«, flüsterte Polly. »Wir sind gekommen, so schnell wir konnten.«

»Hattet ihr unterwegs keine Probleme?«, fragte Merv, der ins dichte Schneegestöber draußen über dem Garten starrte.

»Nee«, behauptete Polly. Jetzt war nun wirklich nicht der richtige Zeitpunkt, um über ihren Unfall zu sprechen.

Sie drehte sich zum Bett um, neben dem das Baby friedlich in seinem Körbchen schlief. Kerensa sah blass aus und schaute ihr nicht in die Augen.

»Also«, sagte der auf und ab marschierende Reuben nun zu Polly und Huckle, »jetzt wisst ihr es also.«

Polly wurde eiskalt.

»Ja, jetzt ist es raus, und ich mache mich damit zum Gespött der ganzen Welt. Echt toll, die Leute werden mit dem Finger auf Reuben Finkel zeigen. Da ist ganz egal, ob ich es zu etwas gebracht habe, wie viel Geld ich gescheffelt habe, aber diesen Makel werde ich einfach nicht los. Oder, Pa?«

Die letzten Worte hatte er mit bitterer Stimme ausgestoßen.

»Ach komm schon, Reuben«, antwortete Merv, sein Sohn schüttelte seine Hand jedoch ab.

»Das ist deine Schuld!«, verkündete er.

»Nein, daran ist niemand schuld«, entgegnete Merv. »Also wirklich, Junge.«

Polly war wie erstarrt. Das würde jetzt hässlich werden.

»Ich wollte doch nur, dass mein Sohn perfekt ist. Ist das denn zu viel verlangt?«

Verzweifelt starrte Polly Kerensa an. Wieso schien es hier nur um Reuben zu gehen, der immer weiter wütete? Schließlich gab es hier doch auch noch ein Baby, an das man denken musste, und seine Mutter.

Und dann tat Kerensa etwas wirklich Verblüffendes – sie zwinkerte Polly zu.

So ganz klar im Kopf war die junge Bäckerin immer noch nicht, deshalb dachte sie zuerst, sie hätte sich das vielleicht nur eingebildet. Aber nein, sie hatte es eindeutig gesehen. Und bekam Kerensa etwa langsam wieder ein wenig Farbe?

Jetzt ergriff Huckle die Initiative. »Reuben, was ist denn los? Was stimmt mit dem kleinen Herschel nicht?«

»Äh«, warf Kerensa ein. »So heißt er gar nicht!«

Huckle ignorierte sie und trat einen Schritt vor. »Was ist bloß los, Kumpel?«

Reuben schaute auf. »Ich kann es einfach nicht fassen. Wirklich, Alter. Ich kann es nicht glauben.«

»Was denn?«

Jetzt platzte eine Schwester herein. »Oh, was sind das denn für lange Gesichter«, sagte sie. »Beruhigen Sie sich, man kann da wirklich viel machen, okay?«

»Könnten Sie es ... ihnen vielleicht zeigen?«, fragte Reuben.

»Reuben«, meinte Merv. »Ist das wirklich nötig?«

»Ja«, antwortete Reuben, »das ist es.«

Polly stellte fest, dass ihre Knie zu zittern begonnen hatten.

Die Krankenschwester zuckte nur mit den Achseln und hob das Baby hoch wie einen Fußball. Pollys Meinung nach fasste sie den Kleinen ja ein wenig grob an, aber selbst hatte sie schließlich wenig Erfahrung beim Umgang mit Neugeborenen. Deshalb musste sie wohl davon ausgehen, dass diese Frau wusste, was sie da tat.

Die Schwester wickelte das Baby aus seinem Tuch und zog ihm dann den Strampler aus ökologischer Baumwolle aus. Das fand der Knirps gar nicht toll und fing aus vollem Hals zu brüllen an. Seine Haare waren wirklich dunkel.

Mit der riesigen Windel sah sein kleiner Körper ganz schön lächerlich aus. So ein kleines Kind hatte Polly noch nie nackt gesehen, und ihr war gar nicht klar gewesen, dass Neugeborene im Prinzip wie Kaulquappen waren, nur aus großen Köpfen mit winzigen dünnen Ärmchen und Beinchen bestanden.

»Okay«, sagte die Schwester. »Hier, bitte sehr.«

Polly umklammerte Huckles Hand so heftig, dass seine Finger ganz weiß wurden. Dann beugten sich beide vor.

Quer über den winzigen Po des Babys zog sich ein leuchtend roter Streifen. Ein großes Feuermal ließ es so aussehen, als hätte ihm jemand kräftig den Hintern versohlt.

Polly schlug sich die Hand vor den Mund und befürchtete eine grauenhafte Sekunde lang, sie würde gleich in lautes Gelächter ausbrechen.

»Ein Geburtsmal?«, fragte Huckle verblüfft. »Und deshalb habt ihr uns hergerufen, weil ihr euch wegen eines Muttermals Sorgen macht?«

»O ja«, antwortete Reuben. »Denn das ist ja nicht einfach nur irgendein Muttermal. Da verschandelt seinen Hintern ein Feuermal, so groß wie ein Satellit. Genau wie bei mir und bei meinem Vater. Na, vielen Dank auch, Pa!«

»Du hättest Kerensa davon erzählen sollen!«, fand Merv, während seine Hand nach hinten wanderte. »Ich hab mit Rhonda darüber geredet.«

»Nein, das hat Ma schon selbst entdeckt!«, rief Reuben. »Weil man das damals noch nicht wegmachen konnte.«

Jetzt wandte er sich an Kerensa, die sich ebenfalls die Hand auf den Mund presste. »Oh, mein Schatz, es tut mir so leid. Ich hab meins weglasern lassen, sobald ich alt genug dafür war. So eine Eidechsenhaut wie mein Vater wollte ich nun wirklich nicht haben! Aber du trägst es ja wirklich mit Fassung«, fügte er zärtlich hinzu.

Kerensa wedelte mit ihrer freien Hand herum, zu mehr war sie in diesem Moment nicht fähig. Genau genommen wusste sie nicht so recht, ob sie lachen oder weinen sollte.

»Das ist doch gar nichts!«, schimpfte die Schwester. »Jetzt machen Sie deshalb mal nicht so ein Theater. Sie haben hier ein hübsches, gesundes Baby.«

»Warum konnte man das denn nicht auf dem Ultraschallbild sehen?«, fragte Huckle und klang dabei erregter, als er eigentlich wollte.

»Na ja, solche Details kann man da nicht erkennen«, erklärte die Schwester. »Außerdem ist er auch ein ziemlich zappeliges Kerlchen. Ich frage mich, von wem er das wohl hat ...«

Reuben ließ lange genug von seinem Handy ab, um kurz aufzuschauen. »Hm?«, sagte er. »Ja, was auch immer.«

Mit gekonnten Handgriffen zog die Schwester dem kleinen Jungen jetzt seinen Strampler wieder an und wickelte ihn erneut in sein Tuch, sodass er richtig eingemummelt war. Polly hätte eigentlich gedacht, dass ihm das zu viel wäre, aber tatsächlich entspannte sich das, was noch von seinem kleinen Gesicht zu sehen war. Die Schwester reichte das Baby an Kerensa weiter, die fröhlich danach griff und es sich vorne in den Ausschnitt des Nachthemds schob wie eine Kängurumutter ihr Junges.

Im Aufzug sprachen Polly und Huckle kein Wort. Sie sagten auch auf dem langen Flur nichts, wo jetzt Ruhe herrschte, weil man vermutlich so viele Leute wie möglich entlassen hatte, damit sie Weihnachten zu Hause mit ihrer Familie verbringen konnten. Natürlich war es inzwischen auch spät, und die Besuchszeiten, die für den Rest des Krankenhauses galten, waren längst vorbei. Sie waren allein.

Die beiden schwiegen, bis sie schließlich das Ende des Gangs erreicht hatten, sich die Türen automatisch öffneten und den Blick auf das wirbelnde Zauberland da draußen freigaben. Die Flocken wurden von der Außenbeleuchtung der Klinik in einen merkwürdig orangefarbenen Schein getaucht, aber der hässliche Parkplatz und die gedrungenen Gebäude waren von einer wunderbar sanften, weichen Decke verhüllt.

Weiter hinten standen ein paar Bäume, die von den Lichtern der Stadt erhellt wurden und damit aussahen wie ein Forst aus dem Zauberland Narnia. Ohne etwas zu sagen, rannten Polly und Huckle darauf zu.

Sicher im Inneren des Wäldchens begannen sie dann aus vollem Hals zu brüllen: »JAAAAAA!« Sie packten sich und wirbelten im Schnee im Kreis, immer wieder herum, bis ihre Wangen rot leuchteten und ihre Augen strahlten und sprühten, bis sie vor Glück zu platzen drohten. Polly lachte, als Huckle sie an sich presste. Neil hatte einen der Bäume hier erkundet, betrachtete sie nun von seinem Ast aus und machte irgendwann mit.

Am Ende trieb die Kälte sie dann wieder ins Krankenhaus. Strahlend betraten sie die Klinik, um sich im Eingangsbereich ein Taxi zu rufen.

»Wo fahren wir denn hin?«, fragte Polly.

»Aha!«, rief Huckle.

»Was denn?«

»Du wirst schon sehen. Gib mir einen Moment, ich muss mal eben telefonieren.«

Mit übervollem Herzen wartete Polly. Oh, die Erleichterung war so enorm, hob sie so sehr aus ihren Grundfesten, dass sie zu schweben glaubte.

Sie holte ihr Handy hervor, das in den letzten Zügen lag, um Kerensa noch schnell eine Nachricht zu schicken. Weil sie nicht wusste, was sie sagen sollte, schickte sie ihr einfach nur fünf Herzen und jede Menge Küsse. Dann fügte sie noch ein paar Herzen und das nächstbeste Emoticon, das sie finden konnte, hinzu. Das musste reichen.

♥♥♥♥♥xxxxxxxxxxxxxx♥♥♥

Schließlich schaute sie auf und ließ den Blick durch den Eingangsbereich wandern. Sie fragte sich, wo Huckle wohl steckte.

Und da entdeckte sie ein Grüppchen, das den Flur entlangkam, ganz langsam und still. Die Leute hatten den Arm umeinandergeschlungen, als würden sie sich gegenseitig trösten. Eine tränenüberströmte Frau etwa in Pollys Alter hielt sich an ihrem Mann fest. Es waren auch Kinder darunter, die ernst voranschritten, als wüssten sie, dass hier gerade etwas Schlimmes vor sich ging, aber nicht genau, was eigentlich. Eine Frau hatte ein schlafendes Kind auf dem Arm, das sich an ihren Hals kuschelte.

Und am Ende kam dann, von zwei älteren Männern gestützt, die wohl ihre Brüder sein mussten, heftig schluchzend Carmel.

Polly zuckte zusammen und trat ein paar Schritte hinter

den Getränkeautomaten zurück, während die traurige Gruppe vorbeizog.

Carmels Kinder sahen ... na ja, einfach ganz normal aus. Nett. Gut gekleidete Leute mit brauner Haut, einige verheiratet mit weißen, andere mit schwarzen Partnern, eine absolute Durchschnittsfamilie, in der man sich gegenseitig half und unterstützte.

Polly wandte das Gesicht ab, damit Carmel sie nicht bemerkte. Die ging aber ohnehin gekrümmt und tränenüberströmt vorbei.

Tony ist wohl gestorben, dachte Polly. Das war es also. Der Vater, den sie nie gehabt hatte, war tot. Und die verzweifelten Gesichter der Männer und Frauen hier zeigten ihr, dass er ihnen wohl ein toller Vater gewesen war.

Polly stand ganz still da und sah ihnen hinterher. Als die Gruppe nach draußen in die kalte Nacht trat, fühlte sie sich eigenartig und unglaublich traurig.

»Okay!«, rief in diesem Moment Huckle, der um die Ecke gehüpft kam. »Madam, ihre Kutsche steht für sie bereit. Haha!«

Draußen war bereits ein Taxi vorgefahren.

»Wo geht's denn hin?«, fragte Polly und schaute sich auf dem Parkplatz um, die Familie war jedoch nicht mehr zu sehen.

»Steig einfach nur ein.« Huckle zwinkerte dem Fahrer zu.

Neil schlüpfte hinter ihr ins Auto.

Eigentlich wollte Polly jetzt unbedingt über ihren Vater sprechen, sie hatte jedoch keine Gelegenheit dazu, weil Huckle aufgeregt auf seinem Sitz auf und ab hüpfte und – entgegen seiner sonstigen Art – plapperte. Er schwärmte davon, wie toll doch alles war, was für ein Glück Kerensa gehabt hatte und dass sie so etwas wohl nie, nie wieder machen würde. Von nun an würden alle bestimmt jeden einzelnen Moment besonders zu schätzen wissen ...

Polly sah ihn an. »Ja«, sagte sie leise. »Ja, ich will wirklich jede Minute ganz bewusst durchleben.«

In diesem Augenblick bog das Taxi von der leeren Straße ab und durchquerte das Tor zu einer riesigen Villa.

»Wo sind wir denn hier?«, fragte Polly misstrauisch.

Huckle lächelte. »Ah«, machte er. »Zum Teufel mit allem! Manchmal muss man eben was Verrücktes machen. Der Weg nach Hause wäre jetzt viel zu gefährlich, und das hier ist das vom Krankenhaus aus gesehen nächste Hotel.«

»Ja, aber das ist ja ...«

Die Bäume ächzten unter dem Gewicht des Schnees, und ein weißer Wintermond schien durch die Wolken, als sie eine mit Kies bestreute Auffahrt entlangfuhren, die Polly kilometerlang erschien.

»Genau!«

»Das können wir uns doch gar nicht leisten!«

»Pscht!«, machte Huckle.

»Und ich trag einen Küchenkittel!«

»Ja, allerdings.«

Alarmiert setzte sich Polly etwas aufrechter hin. »Aber was —«

»Ich hab angerufen und denen die Situation erklärt«, unterbrach sie Huckle. »Weil wir heute Nacht nämlich entweder hier schlafen können oder ein gebrochenes Handgelenk vortäuschen müssen, um in der Notaufnahme bleiben zu dürfen.«

Ein Mann in Livree eilte herbei, der ihnen die Wagentür öffnete, und dann wurden sie durch einen prächtigen Eingang in ein lachhaft prunkvolles Luxushotel geleitet. Mit seinen teuren Antiquitäten und Ölgemälden verschlug es Polly geradezu den Atem, selbst die Tapeten aus einer Art Stoff waren unfassbar edel. Polly schaute sich um und begann nervös, an den Knöpfen ihres Kittels herumzuspielen.

»Ah, Mr Freeman!« Lächelnd kam die Rezeptionistin auf sie zu. »Wir haben schon gehört, dass Sie vom Sturm überrascht wurden, und man hat uns auch über die Kleiderfrage informiert. Wenn Sie also irgendetwas brauchen, sagen Sie einfach nur Bescheid, dann schauen wir mal, was man da machen kann. Außerdem haben wir uns erlaubt, Ihr Zimmer auf eine Suite hochzustufen.«

Polly drehte sich zu Huckle um. »Was hat das alles zu bedeuten?«

»Nichts!«, behauptete Huckle. »Ich hab Ihnen einfach nur erzählt, dass es bei uns tolle Neuigkeiten gibt, und gefragt, ob wir vielleicht hier unterkommen können.«

»Haustiere sind doch erlaubt, oder?«

Neil hob sein Füßchen und tat so, als würde er da nicht gerade Lametta verspeisen, sondern vielmehr seine Zehen untersuchen.

»Äh«, sagte die Rezeptionistin, die wirklich nett war, aber vor allem langsam mal nach Hause wollte. »Natürlich. Außerdem«, vertraute sie ihnen dann an, »haben Sie Glück, heute Abend hat nämlich eine große Gruppe wegen des Wetters abgesagt. Also, viel Spaß!« Sie schielte zu Huckle rüber. »Den Akzent von Ihrem Freund find ich toll«, meinte sie zu Polly.

»Ich auch«, lächelte die.

Ihr Zimmer war riesig, und Polly wäre vor Freude beinahe in Tränen ausgebrochen, als sie das Himmelbett in der Mitte sah.

Im Badezimmer gab es nicht nur eine frei stehende Badewanne mit Krallenfüßen, sondern auch Fußbodenheizung und zwei unglaublich flauschige Bademäntel mit dazugehörigen Schlappen.

»O mein Gott«, seufzte Polly. Huckle grinste, schließlich wusste er ganz genau, wie gern sie badete. Während sie Wasser einlaufen ließ und es mit teurem Badegel zum Schäumen brachte, ging er zur Minibar und mixte für sie beide einen großen Gin Tonic.

Als sich Polly dann wohlig im heißen Wasser der riesigen Wanne aalte und an ihrem Glas nippte, kniete sich Huckle daneben auf den Fußboden.

»Weißt du«, erklärte er. »Ich mach so was echt nicht gerne. Aber es zahlt sich wirklich aus, wenn man mal den Workaholic gibt.«

»Dann ist dein Meeting also gut gelaufen?«

Er runzelte die Stirn. »Sogar mehr als gut. Schon komisch, diese Sachen klappen immer besser, wenn ich mies drauf bin.«

»Was ist denn passiert?«

»Ich hab ein ganz neues Produkt an eine Kosmetikkette verkauft. Frisches Bienenwabenwachs, ein lokales Bioprodukt.«

Polly sah ihn verblüfft an. »Echt jetzt?«

»Allerdings. Ganz normales 08/15-Wachs ist für den Busch der Südwestlerinnen eben nicht mehr gut genug.«

»Du bezahlst dieses Hotel also mit Schambehaarung?«

Huckle grinste. »Das war es doch wert, oder?«

316

Polly strahlte. »O mein Gott, ja! Und ob, du schlauer Fuchs!«

»Verlang nur bitte nicht von mir, jede Woche so zu schuften. Das zehrt nämlich ganz schön an den Kräften!«

Polly blieb im Wasser liegen, solange es ihr möglich war, ohne dabei vor Müdigkeit wegzudämmern. Dann kuschelten sie sich ins Bett und bestellten beim Zimmerservice viel zu viel Essen. Jetzt hatte Polly endlich Gelegenheit, Huckle die ganze Geschichte mit ihrem Vater zu erzählen. Und auf seine perfekte, liebe Art hörte Huckle einfach nur zu, lauschte aufmerksam jedem ihrer Worte. Wie sehr ihr das gefehlt hatte!

Als sie fertig war, fragte er nicht, wie es ihr damit erging, und brachte auch keinen blöden Spruch darüber, dass sie hier endlich mit einem schwierigen Thema in ihrem Leben abgeschlossen hatte. Er sagte einfach nur: »Oh.« Und: »Das klingt ganz schön heftig.«

Polly nickte und dachte an die merkwürdige Gewichtsverteilung im Universum. Manchmal geschahen schlimme Sachen, und manchmal passierten ganz tolle Dinge, aber man stand dabei nicht immer selbst im Mittelpunkt. Es ging nicht jedes Mal um einen selbst, und man bekam auch nicht auf alles eine Antwort.

Aber gelegentlich endete man dann mit dem Menschen, den man liebte, in einem Himmelbett und wurde gefragt, ob man noch was vom Club Sandwich haben wollte. Das war dann genau der Moment, sich bequem aneinanderzukuscheln, sich gemeinsam einen Film anzusehen und zu überlegen, vielleicht noch einen Tag länger zu bleiben, weil ohnehin alles und jeder eingeschneit war …

Na ja, das war doch nicht schlecht. Eigentlich reichte das ja schon, war in diesem Moment einfach alles.

KAPITEL 39

Am zweiten Weihnachtsfeiertag wachte Polly morgens zugleich glücklich und traurig auf und wusste gar nicht, warum eigentlich. Dann blinzelte sie – und erinnerte sich wieder.

Draußen lag das zauberhafte Hotelgelände unter einer dicken Schneedecke. Zu Pollys großer Verblüffung war irgendwann jemand hereingekommen und hatte ihre Kleider mitgenommen, sie gewaschen, gefaltet und in Seidenpapier eingeschlagen zurückgebracht. Das war genauso verrückt wie all die anderen unglaublichen Dinge, die während der letzten Tage passiert waren, dachte sie.

Sie verspeisten ein absurd opulentes Frühstück und gingen dann nach draußen, um auf dem Parkgelände eine Runde zu drehen und mit den Füßen den Schnee aufzuwirbeln. Polly hatte kurz mit Jayden gesprochen. Ihr Angestellter war immer noch damit beschäftigt, Flora wegen der Hochzeit zu bearbeiten. Jetzt machte er sich allerdings Sorgen um die alten Damen im Ort, die bei diesem Wetter wegen des glitschigen Kopfsteinpflasters wohl kaum die Bäckerei oder Muriels Laden erreichen konnten. Polly musste bald wieder zurück, um ihre älteren Kunden zu Hause zu beliefern, schließlich verließ man sich auf sie. Wegen der oft strengen Winter hatten die Einwohner von Mount Polbearne zwar für gewöhnlich genug Vorräte im Haus. Aber es war bestimmt nicht falsch, vorbeizuschauen und sicherzugehen, dass es allen gut ging.

»Hey!«, schimpfte da Huckle mit ihr. »Heute ist doch der zweite Weihnachtstag. Da hat jeder in Großbritannien mehr zu futtern eingebunkert, als er in einer Million Jahren aufessen kann. Und deshalb kommen während der nächsten Stunden auch alle klar. Vertrau mir da bitte und entspann dich endlich.«

Also spazierten sie die eleganten, sonnenbeschienenen, schneebedeckten Wege entlang und plauderten über dies und das. Sie redeten über Huckles neues Produkt und darüber, wie es damit wohl laufen würde. Vermutlich würde er bald schon zukaufen müssen, weil sein üblicher Lieferant mit der Produktion bereits am Limit war.

Dann ging es um die Frage, wie Kerensa und Reuben ihren Sohn nun nennen würden – Huckle war sich ziemlich sicher, dass sich Herschel letztlich durchsetzen würde. Polly warf ihm jedoch Voreingenommenheit vor, weil dieser Name so ähnlich klang wie Huckle.

In einer Pause zwischen Thema und Thema gingen sie schweigend weiter, und da sagte Polly plötzlich: »Es tut mir so leid«, und Huckle antwortete: »Mir auch.«

Dann fragte Polly: »Meinst du, damit ist jetzt alles wieder gut?«

Einen Moment lang, aber wirklich nur für eine Sekunde, wollte Huckle gern noch erwähnen, dass dieses Hotel doch eine tolle Location für ihre Hochzeit wäre. Dann beschloss er jedoch, lieber den Mund zu halten. Die letzten Tage hatten wirklich gereicht. Jetzt war er einfach nur erleichtert, dass es zwischen ihnen wieder gut lief, dass sie wieder Polly und Huckle waren. Deshalb war er fest entschlossen, keinen Staub mehr aufzuwirbeln, und hatte sich auch auf die Zunge gebissen, als Neil beim Frühstück durch die zerlassene Butter für die Pfannkuchen spaziert war und dann Fußabdrücke auf der blitzweißen Tischdecke des Restaurants hinterlassen hatte. Polly hatte das lange Gesicht des Oberkellners ohnehin ignoriert.

Und darum zog Huckle auch jetzt einfach nur an Pollys Zöpfen, die unter der dicken Wollmütze hervorschauten. »Natürlich.«

Dann drückte er seiner Verlobten die Hand, während beiden durch den Kopf ging, dass es ja ganz schön knapp gewesen war.

Nach einer Weile fragte Huckle: »Würdest du vielleicht gerne zur Beerdigung gehen?«

Polly blinzelte. »Nein, ich hab Tony getroffen und kann sein Verhalten jetzt beinahe verstehen. Irgendwie kann ich es ja nachvollziehen. Was Leute so mit Anfang zwanzig machen … da sind sie ja noch nicht einmal richtig erwachsen. Und, hm, am Ende hat er seine Lektion ja gelernt, oder nicht? Er ist zu seiner Frau zurückgekehrt und hat seine Kinder aufgezogen, die er ganz offensichtlich geliebt hat. Er muss ein wunderbarer Vater gewesen sein. Ich war ein Fehler, aber das ist ja nicht meine Schuld. Und meine Mutter hätte mit der ganzen Geschichte sicher anders umgehen können. Aber man muss bedenken, dass er für sie schließlich die große Liebe war, auch wenn das nicht auf Gegenseitigkeit beruht hat. Auch daran trägt niemand die Schuld, manchmal klappen solche Sachen eben einfach nicht. Aber nein«, endete sie. »Weißt du, ich glaube nicht, dass ich da rumstehen und mir anhören will, was für ein toller Typ er doch war.«

Huckle nickte. »Klar.« Dann gingen sie schweigend weiter.

»Was ist denn mit seinen Kindern?«, fragte er irgendwann.

Es versetzte Polly einen kleinen Stich, als sie an das Grüpp-chen schick gekleideter Menschen dachte, die sich gegen-seitig gestützt hatten. Wenn es hart auf hart kam, musste es wirklich schön sein, familiären Beistand zu haben. Polly selbst wusste nicht, wie es war, Geschwister zu haben. Huckles Bru-der war ein ziemliches Schlitzohr, aber er gehörte eben doch zur Familie. So etwas hätte sie auch gerne gehabt.

»Hm«, machte sie. »Die sind ... Sie haben doch ihr eige-nes Leben. Denen fehlt gerade noch, dass ich da jetzt rein-platze und alles unnötig kompliziert mache.«

»Ja, aber warte nur, bis die rausfinden, dass du das beste Brot der Welt backst. Dann werden sie dich mit offenen Armen willkommen heißen«, prophezeite Huckle fröhlich.

Polly schüttelte den Kopf. »Gott, nein. Und womöglich werden sie noch glauben, dass ich Ärger machen will oder auf sein Erbe scharf bin.«

»Glaubst du denn, da gäbe es was abzustauben?«

Polly zuckte mit den Achseln. »Keine Ahnung, aber das ist mir auch egal.« Sie runzelte die Stirn. »Ich frage mich, ob meine Mutter wohl weiter so vor sich hin brüten wird.«

»Vielleicht sollte sie sich jetzt Arbeit suchen.«

»Huck!«

»Was denn? Sie ist schließlich gesund und fit. Und so würde sie wenigstens ein bisschen aus dem Haus kommen.«

»Aber sie ist so labil«, wandte Polly ein.

»Womöglich ist sie das ja nur deshalb, weil alle immer auf Zehenspitzen um sie herumgeschlichen sind.«

»Um ihre Eltern hat sie sich immerhin gut gekümmert.«

»Okay«, räumte Huckle ein. »Dann könnte sie sich um die Eltern anderer Leute kümmern. Gegen Bezahlung.«

»Hmm«, machte Polly.

Mittlerweile hatten sie mehrere Runden ums Hotel gedreht und erreichten wieder den prächtigen Eingang. Sehnsüchtig schaute Polly zum schnieken Spabereich rüber.

»Ich würde jetzt so gern schwimmen gehen.«

Wie durch Zauberhand trieb man einen Badeanzug in ihrer Größe auf, und dann sprangen sie ins Wasser, schwammen unter dem künstlichen Wasserfall hindurch, schwitzten ordentlich im Dampfbad und kicherten im Whirlpool. Obwohl sie insgesamt weniger als zwölf Stunden im eleganten Schlosshotel verbrachten, war das einer der schönsten Urlaube in Pollys ganzem Leben.

Kapitel 40

Der Schnee würde liegen bleiben, vermutlich sogar noch ein paar Tage, aber inzwischen schien wieder die Sonne, die Straßen waren frei, und es herrschte kaum Verkehr.

Offensichtlich blieben die Leute lieber zu Hause und läuteten dort die zauberhaft trägen Tage zwischen den Jahren ein, an denen man vor allem Schokolade aß, Likör schlürfte und außer Puzzles und Audiobüchern kaum eine Beschäftigung hatte.

Polly und Huckle ließen sich im Taxi zu Nan, the Van, bringen, die immer noch sicher am Straßenrand stand. Als Polly probeweise den Schlüssel ins Schloss schob, sprang der Motor zu ihrer Überraschung beim ersten Versuch an. Deshalb schob sie sich hinters Steuer, während Huckle zu seinem Motorrad rüberging. Bevor sie losfuhren, rief Polly noch Kerensa an, die ihr fröhlich erzählte, dass sie mit Lowin jetzt nach Hause gehen würden. Im Hintergrund rief Reuben: »Herschel!«, und dann ging ein Gekabbel los, dem zufolge Reuben und Kerensa wieder fast ganz die Alten waren.

»Hältst du es denn für eine gute Idee, das Krankenhaus so schnell zu verlassen?«, fragte Polly.

»O ja«, antwortete Kerensa mit einer Stimme, der man das Funkeln in ihren Augen anhörte. »Ich weiß ja, dass die meisten Frauen nach der Geburt echt müde und k. o. sind. Aber mir geht's erstaunlich gut.«

»Weil mein Baby einfach super ist!«, rief ihr Mann im Hintergrund. »Einfach das allertollste!«

Polly lächelte in den Hörer. »Ja, das ist mein Patenkind wohl.«

Es schneite immer weiter, deshalb bereitete Polly in den nächsten Tagen jeden Morgen eine Fuhre Brot zu, die sie unter den Senioren im Ort verteilte. Und da sie bei ihrer Runde natürlich nicht unbemerkt blieb, ließen sich bald auch die anderen Ortsbewohner von ihr beliefern. Polly hatte Jayden ein paar Tage freigegeben, weil er ausgesehen hatte, als könnte er Urlaub gebrauchen. Wenn sie in der Bäckerei fertig war, kehrte sie in den Leuchtturm zurück, wo im Ofen ausnahmsweise Tag und Nacht ein Feuer brannte. Deshalb war es im Wohnzimmer ganz oben im Turm mollig warm und im Schlafzimmer auch.

Wenn die Arbeit des Tages getan war – für sein neu anlaufendes Geschäft war Huckle mit der Planung beschäftigt –, aßen sie Brot und Cracker und Käse, tranken Champagner und lagen faul im Bett rum. Sie schauten sich Filme an und guckten dem Schnee beim Fallen zu. Wenn sie im Radio hörten, dass man von unnötigen Reisen abriet, stießen sie mit selbstzufriedenem Lächeln miteinander an. Sie hatten nämlich nicht vor, irgendwo hinzufahren.

Den stündlich von ihnen verschickten Fotos zufolge waren Reuben und Kerensa völlig von einer riesigen Babywolke verschluckt worden. Ständig gab es neue Bilder von Händen oder Füßen oder davon, wie sie kuschelten und knuddelten oder alle drei zusammen in einem Bett lagen, das etwa so groß war wie das Wohnzimmer von Pollys Mutter. Auf ihren Mienen lag ein breites, glückliches Strahlen, und Reuben war wieder der

König der Welt, so wie früher. Das Baby sah jeden Tag mehr aus wie er.

Und Kerensa war einfach wunderschön, sie hatte sich in eine riesige, weiche, strahlende Erdmutter verwandelt. Endlich war der gequälte Blick aus ihren Augen verschwunden. Natürlich war es äußerst hilfreich, dass das Baby absolut problemlos aß und schlief – zumindest behauptete Reuben das – und dass die beiden jede Menge Personal hatten. Trotzdem war Kerensa völlig verwandelt, war endlich wieder die witzige, selbstbewusste beste Freundin, als die Polly sie kannte. Und darüber freute sich die junge Bäckerin unendlich.

Anders als früher rief Polly jetzt jeden Tag ihre Mutter an. Da die beiden alles aufgewühlt und über alte Tabus gesprochen hatten, kam es Polly so vor, als würde sie nun endlich einen bislang geheimnisvollen, rätselhaften Teil ihres Lebens verstehen. Und weil sie das alles endlich verstand, liefen die Dinge zwischen ihrer Mum und ihr irgendwie besser, alles war leichter, einfacher. Ihre Mutter schien keinen Widerstand mehr zu leisten, nicht mehr zu kontrollieren versuchen, was Polly wissen und fühlen sollte.

Mit einem Anflug von Melancholie dachte Polly von Zeit zu Zeit noch an ihren Vater, aber das war es dann auch. Niemand blieb auf dieser Welt von Traurigkeit verschont, nicht im wahren Leben. Und jetzt schaute sie ihren Verlobten an, der vor dem Kamin ausgestreckt lag und mit Neil Fußball mit einem Pingpongball spielte. Huckles wirres Haar glänzte im Licht der Flammen golden, und Polly war sich dessen bewusst, dass sie in vielen Bereichen des Lebens unendliches Glück hatte. Sie durfte sich wirklich nicht beschweren, schließlich blieb vielen Menschen verwehrt, was sie hier hatte. Und sie hatte so viel.

Polly wusste, dass sie in nicht allzu ferner Zukunft irgendwann heiraten würden, aber das war ja noch lange hin. Über das Organisatorische und die Kosten würde sie sich den Kopf zerbrechen, wenn es so weit war. Und es würde sicher eine wunderschöne Feier werden, klein und ganz zauberhaft, so wie sie es sich wünschte.

Vor allem hatte sie davor jetzt keine abergläubische Angst mehr. Sie musste sich keine Sorgen mehr machen oder in Panik geraten, weil sie nicht wusste, wie alles laufen würde. In ihrem Leben würde es einfach um sie und Huckle gehen. Gut, es war jetzt immer noch nicht so, als würde sie es kaum erwarten können. Aber es würde schon alles gut werden, wirklich. Hochzeit, Kinder, was auch immer als Nächstes anstand – sie war für alles bereit.

Nun ging sie erst einmal zu Huckle und legte sich neben ihn. Als sie ihm dabei half, den Tischtennisball durch die Gegend zu pusten, drehte Neil völlig durch. Er fiepte und hopste herum und wurde irgendwann so wütend, dass er gar nicht mehr mitmachen wollte. Deshalb schnappte er sich den Ball und schob ihn seinen beiden Menschen entgegen, bis die sich endlich bereit erklärten, wieder vernünftig mit ihm zu spielen.

Polly kuschelte sich auf dem Vorleger an Huckles warmen Körper und genoss das ungewöhnliche Glück, außer ihrer morgendlichen Lieferrunde nichts, aber auch gar nichts für den Rest der Woche geplant zu haben. Draußen lag viel zu viel Schnee, um was zu unternehmen, und es gab keinerlei Notwendigkeit, hin und her zu rennen oder irgendwas zu organisieren oder zu verabreden. Vor ihnen lagen einfach nur Stunden voll von reinem Nichts, das sie mit Sex und Filmen und Schokolade und Sekt ausfüllen würden. Und das würde schon reichen.

KAPITEL 41

An Silvester hatte Polly morgens ihre Brotrunde absolviert und war gerade wieder ins Bett gegangen, da klingelte in den Tiefen des Leuchtturms das Telefon.

»Vergiss es«, knurrte Huckle. »Im Ernst, wer auch immer das ist, ich will nicht mit ihm reden.«

Sie ließen es einfach läuten, aber das Telefon klingelte immer weiter und weiter.

Huckle stöhnte. »Nein!«, verkündete er. »Auf keinen Fall! Im Moment ist doch alles genau so, wie ich es haben will.«

Polly warf einen Blick auf ihr Handy, hatte aber wie üblich keinen Empfang.

»Das ist bestimmt nur Telefonmarketing«, beruhigte sie ihren Freund. »Mit meiner Mutter hab ich heute schon gesprochen, wir müssen uns also keine Sorgen machen. Lass es uns einfach ignorieren, dann hört das Klingeln schon auf.«

Als sie schläfrig lächelte und sich noch näher an Huckle heranschob, verstummte das Telefon tatsächlich. »Siehst du?«, sagte sie.

»Du kannst ja zaubern«, murmelte Huckle und lehnte sich vor, um sie zu küssen, aber da legte das Telefon wieder los. Erstaunlicherweise klang sein Schrillen dieses Mal noch dringlicher als vorher.

»Jetzt sei schon still!«, befahl Huckle.

Polly stieß ein Stöhnen aus. »Gott, am besten geh ich wohl doch mal ran.«

»Falls das Reuben und Kerensa sind, dann sag ihnen bitte, dass wir mit ihrem lächerlichen Leben nichts mehr zu tun haben wollen, okay?«

»Warum bin ich eigentlich diejenige, die raus ins Treppenhaus muss?«, fragte Polly, als ihr die eisige Luft von dort entgegenschlug.

»Weil du es dann umso mehr genießen wirst, wenn du gleich zurück ins Warme kommst«, erklärte Huckle. »Ich baue uns hier nämlich ein Nest.«

Polly lächelte und schob sich mit kleinen Schritten auf das schwarze Telefon zu, um den schweren Bakelithörer abzuheben.

»Polly!«

»Nein«, versetzte Polly.

»Wie jetzt, nein?«, erwiderte Reuben beleidigt.

»Was auch immer es ist«, erklärte Polly, »ich mach es nicht. Ich bin nämlich gewissermaßen im Urlaub, wobei ich allerdings auch noch alle hier im Ort mit durchfüttern muss. Also: nein.«

»Vielleicht rufe ich ja gar nicht an, weil ich was von dir will.«

»Okay, warum dann?«, fragte Polly.

»Äh …«

»NEIN!«, wiederholte Polly. »Auf gar keinen Fall. Nein, das mach ich nicht!«

Es herrschte kurz Schweigen in der Leitung.

»Poll …«

»Nein!«

»Nun hör doch endlich mal zu«, beharrte Reuben. »Du

weißt ja, ich hatte mit dir abgemacht, dich fürs Catering an Weihnachten zu bezahlen. Doch wenn man es ganz genau nimmt, hast du ja weder am Weihnachtsmorgen noch am zweiten Feiertag ...«

»Genau, was aber daran lag, dass deine Frau im Krankenhaus lag und ein Kind bekommen hat. Weshalb ich übrigens deine Schwiegermutter durch die Gegend kutschiert habe ...«

»Schon«, sagte Reuben. »Trotzdem hast du an diesen Tagen genau genommen nicht gearbeitet.«

»Aber das war doch nicht meine Schuld!«, rief Polly. »Sondern die von eurem Baby, das ja unbedingt viel zu früh kommen musste!«

»Tja, wie auch immer ...«

»NEIN!«

»Und du weißt schon, mit dieser Papageientaucherkolonie sieht es gar nicht gut aus ...«

Es war eisig kalt, sodass sich an den Fenstern Eisblumen gebildet hatten. Huckle legte jeden Morgen den Weg vom Turm zum Hafen frei, aber es fiel immer neuer Schnee. Dass er hier auf der Insel so lange liegen blieb, war ungewöhnlich. Normalerweise machten der Wind und die salzige Luft damit schnell Schluss, dieses Jahr waren sie jedoch geradezu von Schnee überschwemmt.

Traurig dachte Polly an den *Zurück-in-die-Zukunft*-Marathon, den sie für heute Nachmittag geplant hatten. Aber dann drängte sich ihr wieder der Gedanke an all die Papageientaucher auf, auf die ohne jede Unterstützung bestimmt ein übles Ende an der kalten Küste von Cornwall wartete.

Sie seufzte. »Also, was brauchst du?«

»Die Zutaten hab ich alle hier«, antwortete Reuben. »Komm

einfach nur rüber und sag allen Hallo. Außerdem will Herschel dich unbedingt sehen.«

»Läuft das jetzt immer so?«, fragte Polly. »Wirst du mich bis ans Ende deiner Tage jedes Mal mit deinem Baby unter Druck setzen, wenn du Lust auf ein Sandwich hast?«

»Immerhin ist er dein einziges Patenkind.«

Ins Federbett gewickelt, tauchte jetzt Huckle hinter Polly auf.

»Arbeit?«, fragte er knurrig.

»Und bring Huckle mit!«, brüllte Reuben ins Telefon, sodass ihn selbst der Erwähnte hören konnte.

»Nein!«, rief der, aber es war schon zu spät, weil sein reicher Freund längst aufgelegt hatte.

»Himmel Herrgott noch mal!«, fluchte Polly. »Ganz im Ernst, inzwischen finde ich ja, dass die Freundschaft mit diesen beiden überhaupt nicht gut für uns ist. Und ich weiß nicht einmal, ob wir es überhaupt bis zu ihnen raus schaffen.«

Huckle warf einen Blick aus dem Fenster. »Ich glaube, das dürfte kein Problem sein.«

Am Himmel tauchte nämlich ein kleiner Punkt auf, der größer und größer wurde und dann schließlich immer lauter.

»Er hat uns den Hubschrauber geschickt?«, fragte Polly. »Mal im Ernst, für ein bisschen Gebäck? Das ist doch lächerlich!«

»Aber es ist das tollste Gebäck aller Zeiten«, wandte Huckle ein.

Polly rollte nur mit den Augen.

Vorsichtig landete der Helikopter im Hafen, was Pollys Meinung nach bestimmt illegal war. Inzwischen hatte es zu schneien aufgehört, und es war ein leuchtender, eisiger, knirschender Morgen, der Vorbote eines wunderschönen Tages. Was aber nichts an der Tatsache änderte, dass sie nun wirklich nicht da rauswollte.

Als der Pilot ihnen bedeutete, sich zu beeilen, zogen sich die beiden rasch an. Neil hopste zum Hubschrauber – den er offenbar für einen riesigen Papageientaucher hielt –, um ihn sich genauer anzusehen. Polly schnappte sich das Vögelchen einfach und nahm es mit in den Helikopter, während Huckle ihr mit grimmiger Miene folgte.

»Ich bin hin- und hergerissen«, erklärte er. »Einerseits ist Reuben natürlich unmöglich, andererseits wollte ich aber immer schon mal mit so einem Ding fliegen.«

»Ich auch«, sagte Polly. Dann grinsten sie sich an, während der Pilot ihnen Kopfhörer reichte und sie anschnallte. Und schließlich ging es los.

Sie hielten einander bei der Hand, als der Hubschrauber sich seitlich in die Luft erhob und einmal den Leuchtturm umkreiste. Es war seltsam, ihn von hier oben aus kleiner werden zu sehen. Außerdem kam es ihnen vor, als würden sie merkwürdig nah über das Meer hinwegfliegen, dessen Wellen von weißem Schaum gekrönt gegen die Felsen schlugen. Heute waren nur wenige Kutter unterwegs, weil sich selbst die Männer der Fischereiflotte ein paar freie Tage gönnten, um die Zeit zwischen den Jahren mit ihrer Familie zu verbringen.

Mit dem Hafen und den pittoresken Kopfsteinstraßen voll von bunt zusammengewürfelten Häuschen, die sich da unten gegeneinanderdrängten und zum Teil übereinanderzustolpern schienen, wirkte Mount Polbearne von hier oben wie ein Postkartenmotiv. Polly machte Fotos mit dem Handy.

Sie konnte das kleine Lädchen erkennen, das Muriel weiter

unbeirrt aufmachte, auch während der Rest der Welt eine Pause einlegte. Dann entdeckte sie Patrick mit einem der herrenlosen Hunde, die er magisch anzuziehen schien. Der Tierarzt konnte den Gedanken einfach nicht ertragen, dass diese Vierbeiner ins Tierheim kamen oder eingeschläfert wurden, deshalb sammelte sich bei ihm oft ein bunter Haufen räudiger Kläffer an.

Schließlich sah Polly noch zwei der Kleinkinder aus dem Ort, die in ihren dicken Wintersachen aussahen wie Michelinmännchen. Sie stolperten den Strand entlang und spielten mit dem Schnee, während ihre Eltern bei der Kälte eng aneinandergeschmiegt dastanden. Sie schienen der kleinen Bäckerei am Strandweg böse Blicke zuzuwerfen, weil die ausgerechnet jetzt geschlossen hatte, wenn sie doch dringender als je zuvor eine heiße Schokolade brauchten.

Dann drehte der Helikopter ab und flog aufs Meer raus – an diesem Morgen war Mount Polbearne eine echte Insel, eine komplett vom Festland abgeschnittene eigene kleine Welt. Und wie so oft verspürte Polly einen leisen Stich, weil sie den Ort jetzt einfach hinter sich zurückließ, selbst wenn es nur für einen Tag war.

»So viel Spaß hat Pendeln selten gemacht«, wandte sie sich an Huckle, der ihr Lächeln erwiderte. Er genoss den Flug genauso sehr wie sie.

Dann sausten sie über Cornwall hinweg, auf dessen Klippen fruchtbare Felder folgten, die jetzt wie lange weiße Streifen aussahen, unterteilt durch ebenso schneebedeckte Hecken.

Hier und da gab es einen Forst, so alt wie die Legenden dieser Gegend, die einst von König Artus durchschritten worden war. Die Gehölze lagen unter ihrer Schneedecke reglos da, weil ihre Bewohner sich tief in ihre Höhlen zurückgezogen hatten. Eine Eule auf der Suche nach Feldmäusen schaute hoch, als sie vorbeiflogen, und die wenigen Wagen auf der Straße sahen aus wie Spielzeugautos. Polly bekam ein schlechtes Gewissen, als sie beobachtete, wie ein Pferd auf einem Gehöft durch den Lärm des Helikopters aufgeschreckt wurde.

Mal abgesehen von den belebteren Küstenorten wirkte der Landstrich unter ihnen, als hätte man ihn dort nur für sie allein ausgebreitet. Es waren kaum Menschen zu sehen, nur die sanfte, stille Landschaft, die sie beide so sehr ins Herz geschlossen hatten. Als sie durch das Dröhnen des Hubschraubers hindurch eine Kirchenglocke vernahmen, drückte Huckle Polly die Hand, und sie erwiderte die Geste. Dann kam am Horizont die Nordspitze in Sicht, und der Hubschrauber nahm Kurs auf das riesige Haus oben auf den Klippen, auf Reubens Villa, neben der ein enormes H aufgemalt war. Heftig winkend standen Reuben und Kerensa mit dem Baby draußen.

»Okay, dann wollen wir mal«, sagte Polly, als sie gelandet waren, und bedankte sich beim Piloten. Neil hüpfte verwirrt herum, weil er an so einen lauten Flug nun wirklich nicht gewöhnt war.

Herschel-Lowin schlief friedlich in Reubens Armen, seine Eltern strahlten begeistert, und Kerensa sah viel zu gut für eine Frau aus, die vor weniger als einer Woche ein Kind zur Welt gebracht hatte. Nun kamen auch Rhonda und Merv dazu, um sie zu begrüßen, was Polly seltsam fand. Eigentlich hätte sie ja gedacht, dass man sie direkt in die Küche schicken würde, damit sie sofort loslegte.

»Was ist denn los?«, fragte sie.

Alle strahlten sie so merkwürdig an, vor allem Kerensa, die

mit Reuben einen vielsagenden Blick tauschte. Nun fiel Polly auch auf, dass Reubens komplettes Personal wie beim Besuch des Präsidenten vor dem Haus aufgereiht stand.

»Also«, begann Kerensa. »Ich habe ... wir haben nach einer Möglichkeit gesucht, Danke zu sagen. Weil ihr im Laufe der Jahre so viel für uns getan und uns immer unterstützt habt. Und es ist auch eine Art Weihnachtsgeschenk.«

»Lasst mich direkt sagen«, fiel ihr nun Reuben ins Wort, »dass es für Kerensa im Prinzip ein Vorwand für ausgiebige Shoppingtouren war, als sie sich wegen der Schwangerschaft so fies gefühlt hat.«

»Jetzt sei mal ruhig!«, rief Kerensa und grinste ihn glücklich an.

»Was soll denn das alles heißen?«, fragte Polly, die langsam nervös wurde.

Kerensa trat an sie heran und griff nach ihren Händen. »Hör mal, du musst das wirklich nicht machen, wenn du nicht willst.«

»Was muss ich nicht machen?«, fragte Polly misstrauisch.

Kerensa zog sie strahlend mit ins Haus.

Innen war die Villa völlig verwandelt, und die Eingangshalle war mit weißen Orchideen und Lilien dekoriert, deren schwerer Duft sich mit dem weihnachtlichen Aroma von Preiselbeeren und Orangen mischte, welches hier schon den ganzen Advent in der Luft gelegen hatte. Alle Geländer waren mit Blumengirlanden umwickelt worden. Und dann entdeckte Polly mehrere Reihen von mit Schleifen dekorierten weißen Stühlen vor einer riesigen Laube ...

»Oh«, entfuhr es Polly. Das konnte ja wohl nicht sein, erwarteten die von ihr etwa ...

Kerensa sah sie an.

»Also weißt du«, erklärte sie nun so aufgeregt, dass sie die Worte kaum herausbrachte. »Nun ja, ich wollte dir gern danken und andere Leute auch. Für, na, du weißt schon, alles eben. Außerdem weiß ich ja, wie viel du immer zu tun hast und dass du kein großes Getue willst und auch nicht gerne einkaufst. Mal abgesehen davon, dass du sowieso kein Geld hast ...«

»Na, vielen Dank auch!«, unterbrach Polly sie.

»Deshalb hab ich gedacht ... als es mir so richtig dreckig ging ... da hab ich mir überlegt, dass wir uns vielleicht um das Organisatorische kümmern könnten! Dann seid ihr endlich verheiratet und könnt einfach wie bisher mit eurem Leben weitermachen.«

»Aber ich kann doch jetzt nicht heiraten!«, protestierte Polly. »Dafür muss ich erst einmal ein paar Kilo abnehmen, alles vorbereiten und mir die Nägel wachsen lassen und ...«

»Natürlich musst du nicht«, versicherte Kerensa, obwohl sie langsam besorgt aussah. »Ich meine, wir haben zwar ein paar Leute eingeladen, aber wir können genauso gut einfach eine Silvesterparty schmeißen.«

»Was denn für Leute?«, fragte Polly ein wenig panisch.

»Ach, natürlich die alte Clique aus der Schule ... und deine Freunde von der Uni ... und deine Mutter ... und weil ich mir bei den Leuten aus Mount Polbearne nicht sicher war, hab ich einfach alle gefragt.«

»Alle?«

»Äh, ja.«

»Du hast jede einzelne Person aus dem Ort eingeladen?«

»Alle können doch bestimmt nicht«, sagte Kerensa ein wenig verunsichert.

»Na, und ob! Kerensa, ich meine ... Also, das ist ja wirklich eine witzige Idee ... Aber ich kann echt nicht begreifen, wieso du dir so etwas nur eine Woche nach der Geburt deines Kindes antust ...«

»Weil ich eben die fantastischste Frau und das tollste Baby der Welt habe!«, rief Reuben triumphierend. »Die schaffen einfach alles.«

»Ja, klar«, entgegnete Polly. »Aber das Ganze ist so ... es ist wirklich ...«

In diesem Moment wurde ein riesiger Schwan aus Eis geliefert. Alle verstummten und sahen dabei zu, wie die Leute vom Catering ihn vorbeitrugen.

»Könnten stattdessen nicht vielleicht Jayden und Flora heiraten? Die sind auf jeden Fall dazu bereit.«

Kerensas Miene wurde immer länger. »Oh«, hauchte sie. »Es tut mir leid, aber ich dachte ... Ich hab das für eine super Idee gehalten. Eigentlich war ich davon ausgegangen, dass ihr begeistert sein würdet. Weißt du, auf diese Weise spart ihr euch den ganzen Stress und müsst euch keine Gedanken um die Kosten und so machen.«

»Könntest du es bitte mal damit gut sein lassen, wie pleite wir sind?«, bat Polly. »Hör mal, es tut mir leid, Kerensa. Mir ist schon klar, dass du es gut gemeint hast, aber ich ... Ich meine, so eine große Feier wollte ich gar nicht und ...«

Sie verstummte kurz.

»Sind eigentlich Huckles Eltern auch hier?«

Als Kerensa darauf nichts erwiderte, stieß Polly einen Fluch aus und zog ihren Verlobten zur Seite.

»Gott, ist das alles peinlich«, flüsterte sie. »Sollen wir uns einfach bei ihnen bedanken und uns dann davonschleichen? Oder vielleicht noch ein bisschen bleiben und dann ...«

Huckle sah sie an, schaute ihr direkt in die Augen. »Oder«, sagte er leise, »wir könnten es einfach machen.«

»Sag mal, hast du etwa davon gewusst?«

»Nein«, antwortete er. »Aber, du weißt schon. Wenn wir schon mal hier sind.«

»Aber ich hab doch eine Latzhose an! Und Thermalunterwäsche! Und ich hab mir ewig nicht die Beine rasiert, meine Augenbrauen müssten gezupft werden, meine Haare sind ein Desaster und ...«

Huckle blinzelte. »Ich finde, du siehst wunderschön aus.«

Und plötzlich kam es Polly vor, als würden alle Ängste von ihr abfallen. All die Frustration und die Sorgen über die Bäckerei und die Heizung im Leuchtturm und darüber, ob ihre Freunde auch glücklich waren ... Mit einem Mal hatte sie den Eindruck, dass auch der Rest des ganzen Ballasts von ihren Schultern abfiel. Die Welt erschien ihr auf einmal wie ein besserer Ort. Draußen glänzte die Sonne auf der Schneedecke, und im riesigen Kamin knisterte das Feuer. Als sie in das attraktive, offene, arglose Gesicht des Mannes schaute, den sie absolut vergötterte, verschwand ihre letzte Angst vor dem nächsten großen Schritt, der Ehe, und allem, was sie mit sich brachte.

»Und ich würde dich gern heiraten«, flüsterte er.

»Bist du wirklich sicher, dass du da nicht die Finger im Spiel hattest?«, hakte Polly noch einmal nach.

»Hatte ich nicht, versprochen.« Er schüttelte den Kopf. »Obwohl meine Eltern eventuell erwähnt haben könnten, dass sich plötzlich ihre Pläne geändert haben.«

»Du hast also schon was geahnt!«

»Seid ihr bald fertig?«, rief nun Kerensa. »Komm schon, ich hab tausend Sachen, die ich dir zeigen will. Und du passt in die wenigstens rein, anders als ich mit meiner Doppel-H-Milchfabrik. Außerdem sehe ich immer noch aus, als wäre ich im achten Monat schwanger, obwohl das Baby ja inzwischen offiziell draußen ist.«

Und damit zerrte sie Polly, die gar nicht wusste, wo ihr der Kopf stand, nach oben mit in ihre Gemächer.

KAPITEL 42

Polly betrat den Raum. »Was zum Teufel ist hier denn passiert?«

Kerensa strahlte glücklich. »Sieh dich um!«, rief sie.

Ihr Ankleidezimmer, in dem sie normalerweise ihre absurd ausufernde Schuh- und Handtaschensammlung aufbewahrte, die durch Reubens ständige Geschenke immer weiterwuchs, war in ein weißes Boudoir verwandelt worden. Und darin hatte man jede zur Verfügung stehende Oberfläche mit Brautkleidern in allen erdenklichen Stilen zugehängt – da gab es trägerlose Modelle und solche mit jeder Menge Spitze ... An der Tür hing außerdem ein völlig übertriebenes Prinzessinnenkleid.

»Was ... was ist das denn?« Pollys Augen wurden immer größer.

»Such dir einfach eins aus!«

Erst jetzt entdeckte Polly zu ihrer Verblüffung ihre Mutter, die mit ein wenig besorgtem Gesicht an einem Seitentischchen saß, aber tatsächlich an einem Champagnerglas nippte. »Mum?«

Doreen stand auf, und sie umarmten einander.

»Du hast davon gewusst?«

Ihre Mutter trug ein fuchsienfarbenes Kostüm, das ihr immer noch passte, obwohl Polly sie darin zum letzten Mal circa 1987 gesehen hatte. Sie lächelte und nickte.

»Du hast da wirklich eine tolle Freundin.«

»Was hast du denn ... Ich meine, könnten wir heute denn wirklich heiraten, oder wäre das alles nur symbolisch?«

»Wir haben das Aufgebot für euch bestellt«, erklärte Kerensa. »Die Bekanntmachung hängt in der Kirche.«

»Warum hat uns das denn niemand gesagt?«

»Weil uns alle hoch und heilig schwören mussten, dass sie den Mund halten. Wir haben ihnen damit gedroht, sie sonst wieder auszuladen. Und dass ihr zwei Heiden keinen Fuß in die Kirche setzen würdet, war ja klar. Ihr müsst zwar in ein paar Tagen noch beim Standesamt vorbeischauen, aber ansonsten könnte es echter nicht sein, Baby!«

Polly schüttelte den Kopf. »Das hast du also die ganze Zeit so getrieben!«

Kerensa zuckte mit den Achseln. »Du wusstest doch, wie mies es mir ging. Über das Baby wollte ich mir auf keinen Fall den Kopf zerbrechen, ich wollte nicht darüber nachdenken, wie ich damit zurechtkomme. Und weißt du, ich hab mir auch Sorgen gemacht. Um dich, meine ich.«

»DU hast dir um MICH Sorgen gemacht?«, staunte Polly.

»Ja! Da hattest du diesen tollen Typen direkt vor der Nase, und dann kamen diese ganzen Sprüche von wegen ›Oh, ich bin viel zu gestresst, um jetzt auch noch zu heiraten‹ und ›Ich bin wirklich noch nicht bereit‹, blablabla.«

»Aber ihm war doch immer klar, dass ich ihn liebe«, protestierte Polly.

»Er ist ein Mann!«, sagte Kerensa. »Männer kapieren gar nichts, solange man ihnen kein metergroßes Schild vor die Nase hält. Und deshalb hab ich die ganze Zeit gedacht: *Polly und Huckle nicht heiraten. Huckle traurig. Super-, supertraurig. Und dann Huckle Einundzwanzigjährige heiraten.*«

»Aber so war das doch gar nicht!«, rief Polly.

»Huckle supertraurig und allein.«

»Weißt du, sie hat schon recht«, mischte sich nun Doreen ein. Man musste Polly wirklich zugutehalten, dass sie in diesem Moment nicht herumfuhr und ihre Mum fragte, was sie denn schon über solche Sachen wusste.

Kerensa strahlte. »Meine Mutter ist auch hier und nörgelt die ganze Zeit rum. Ihr hätte es nämlich viel besser gefallen, wenn ich auch so geheiratet hätte, statt mich als Starwars-Prinzessin zu verkleiden. Und das Schlimme daran ist, dass ich ihre Ansicht teile.«

»Wie bist du überhaupt hierhergekommen?«, erkundigte sich Polly jetzt bei ihrer Mum.

»Dieser charmante junge Amerikaner hat mir einen Wagen geschickt«, erklärte Doreen. »Der hat sich wirklich gut um mich gekümmert. Er ist ja so ein netter Junge!«

»Reuben?«

»Er ist einfach ein Schatz«, bekräftigte Doreen.

»Allerdings«, nickte Kerensa und schaute liebevoll zur Wiege, in die sie Herschel-Lowin gelegt hatte.

Polly sah sich um. »Und du schwörst, dass Huckle davon wirklich nichts wusste?«

»Nein«, versicherte Kerensa. »Reuben hatte ja Angst, dass er einen Anfall bekommen würde. Seine Meinung nach hätte Huckle darauf bestanden, dass du alles so organisieren solltest, wie du es haben willst. Aber dann haben wir einfach beschlossen, dass für euch beide jetzt eben der Moment gekommen ist.«

»Du meinst das also wirklich ernst.«

»Du hast doch immer so viel zu tun, dass du nie den Dreh gekriegt hättest.« Kerensa kniete sich hin. »Du bist doch nicht sauer, oder?«

Wieder schaute Polly sich um. Ihre eigene Hochzeit zu planen war nun wirklich nie ein Kindheitstraum von ihr gewesen. Und die Dinge, von denen sie stattdessen geträumt hatte, hatte sie ja alle in die Tat umgesetzt – sie leitete ihr eigenes Unternehmen, war selbstständig und backte für ihre Kunden die tollsten Sachen. Aber wollte sie wirklich in dieser riesigen, verrückten, wunderschönen Villa heiraten?

»Du hast doch nicht im Ernst alle eingeladen, die du vorhin aufgezählt hast, oder?«, fragte sie matt.

»Doch«, erwiderte Kerensa mit verschmitztem Funkeln in den Augen, und tatsächlich füllte sich die Einfahrt draußen bereits mit jeder Menge Autos, aus denen lachende Hochzeitsgäste stiegen.

»O Gott«, stöhnte Polly.

Jetzt kam eine Frau mit Make-up-Koffern herein.

Polly wandte sich an die Visagistin. »Okay, dann legen Sie mal los, aber tragen Sie schön dick auf, am besten zwei Schichten. Vielleicht noch eine dritte, für alle Fälle.«

Kerensa schenkte für alle Champagner ein. »Guck mich nicht so an! Ich hänge nämlich an der Milchpumpe.«

»Ich hab das wirklich nicht verdient«, fand Polly. »Das alles verdiene ich überhaupt nicht. Wirklich nicht.«

Kerensa zog die Augenbrauen zusammen. »Du warst mir doch die beste Freundin der Welt«, sagte sie entschieden. »Nun such dir erst mal ein Kleid aus, den Rest schicken wir wieder zurück. Reuben hat gleich den ganzen Laden kommen lassen. Außerdem braucht Anita mindestens eine Stunde für die Nägel und das Haarteil.«

»Ein Haarteil?«

»Heutzutage tragen doch alle Bräute ein Haarteil«, erklärte Kerensa. »Oder sogar mehrere, das ginge auch.«

Polly dachte daran, wie oft Huckle zu ihr gesagt hatte, dass er ihr rotblondes Haar am liebsten ganz natürlich mochte. Er bevorzugte es gelockt, nicht geglättet, wie sie es normalerweise trug.

»Weißt du was«, meinte sie daher. »Ich glaube, ich lasse es am liebsten so, wie es ist.«

»Aber das ist ja ganz lockig!«

»Lockig ist doch nicht schlecht.«

»Mein Gott, eure Kinder werden wohl die wuscheligsten Lockenköpfe aller Zeiten haben.«

Bei dieser Vorstellung musste Polly lächeln. »Tja, vielleicht stört mich der Gedanke ja gar nicht mehr.«

Dann begann sie, die Kleider anzuprobieren, und kriegte sich bei dem voluminösen Prinzessinnenkleid vor kichern gar nicht mehr ein. Sie konnte einfach nicht mehr, weil das Ding an ihr so steif und merkwürdig aussah. Außerdem war es furchtbar unbequem.

»Nein!«, rief sie, »das auf keinen Fall!«

»Kein Problem, ich hab nämlich jede Menge tolle Fotos von dir damit geschossen«, erklärte Kerensa. »Wenn du willst, kannst du es also später noch auf den Hochzeitsfotos einfügen. Bei diesen ganzen Computersachen kann Reuben dir helfen.«

»Hm«, machte Polly, und in dem Moment entdeckte sie es. Es hing hinten am Schrank und hatte mit all den protzigen Glitzerdingern überhaupt nichts gemeinsam. Tatsächlich war es eher schlicht: ein einfaches Vintage-Kleid mit einem Spitzenoberteil, U-Boot-Ausschnitt und einem tiefen V auf Höhe der Taille. Es hatte einen leichten Mittelalter-Touch, dafür aber weder einen Petticoat noch Reifrock oder Rüschen und Schleifchen. Und darin würde Polly sich wohl auch nicht so eingeschnürt fühlen wie in den trägerlosen Modellen, mit denen sie sich außerdem so nackt vorkam. Stattdessen war dieses Modell dezent, hübsch, unaufdringlich ... Als Polly in das kühle Unterkleid aus Seide schlüpfte, schmiegte es sich so perfekt an ihren Körper, als wäre es für sie gemacht. Das Kleid schimmerte zauberhaft, wenn sie sich bewegte. Es war weder zu eng noch zu bauschig, nicht zu überladen oder zu unscheinbar. Die winzigen alten Pailletten reflektierten auf subtile Art und Weise das Licht, und das blasse Elfenbeinweiß ließ Pollys Haarfarbe erstrahlen. Sie blickte in den Spiegel und erkannte sich selbst kaum wieder.

»Oh«, sagte Doreen leise. »Genau das hätte ich ausgesucht. Für dich«, fügte sie hastig hinzu, schaute auf und wischte sich über die Augen. »Ich meine natürlich, dass ich es für dich ausgesucht hätte.«

Polly ging zu ihrer Mutter und schloss sie lange in die Arme, während die beiden gemeinsam ein paar Tränchen vergossen. Dann machte Anita sich an die Arbeit.

Durchs Fenster konnte Polly sehen, wie draußen immer mehr Autos ankamen. »Mein Gott, so langsam bin ich echt aufgeregt.« Sie wandte sich an Kerensa. »Was für Musik hast du denn ausgesucht?«

»Ach, das Übliche«, antwortete Kerensa rasch. »Mach dir darüber mal keine Sorgen.«

Polly blinzelte. »Himmel, und was ist mit den Ringen?«

»Wir haben uns ein paar für euch ausgeliehen«, erklärte Kerensa. »Ihr müsst dann später noch mal hin und selbst die passenden aussuchen.«

Polly schüttelte den Kopf. »Nein, lass mal. Ich glaube, ich hab da eine bessere Idee.« Und sie schickte Huckle schnell eine SMS.

Über eine halbe Stunde lang wurde an Polly herumgezupft, -gepinselt und -poliert, zwischendurch waren sogar mal drei Leute gleichzeitig an ihr zugange. Dann holte Kerensa noch das Strumpfband für die Braut und erklärte sie für startklar.

»Ich finde ja immer noch, du hättest mich vorwarnen sollen«, beschwerte sich Polly. »Dann hätte ich über die Feiertage nicht so viel Toastbrot und Häppchen gegessen.«

»Jetzt sei schon still«, schimpfte Kerensa. »Du siehst toll aus!«

Und so war es wirklich. Im bleichen Wintersonnenschein, der vom Schnee reflektiert wurde und durch die riesigen Fenster mit Meerblick hereinfiel, leuchtete Polly unfassbar schön. Sie war einfach umwerfend und perfekt. Die unverhoffte Braut blinzelte einen Moment, als sie bemerkte, was da unten in der Einfahrt vor sich ging. Dort half nämlich gerade Tierarzt Patrick der alten Mrs Corning aus einem riesigen Auto. Es waren tatsächlich alle hier.

»Mal im Ernst, wie habt ihr das nur hinbekommen?«, staunte sie. »Es wussten tatsächlich alle seit Wochen Bescheid?«

»O ja«, antwortete Kerensa triumphierend.

Fassungslos schüttelte Polly den Kopf. »Das ist doch Wahnsinn.«

»Ich glaube einfach, so etwas Tolles ist den Polbearnern schon ewig nicht mehr passiert.« Nun guckte auch Kerensa aus dem Fenster. »Oh, wow.«

»Was denn?«, fragte Polly. Als sie Kerensas Blick folgte, entdeckte sie Huckles Eltern, die ein wenig verblüfft, aber ziemlich gut gelaunt wirkten, und an ihrer Seite Huckles Bruder Dubose, das schwarze Schaf.

»Wow«, entfuhr es Polly, »du hast ja wirklich jeden eingeladen.«

»Ja, und deshalb sollten wir am besten den Schmuck gut wegschließen«, murmelte Kerensa. »Ach, das hätte ich fast vergessen. Ich hab ja noch ein Geschenk für dich.«

»Zusätzlich zu allem anderen?«, stöhnte Polly. »Mein Gott, Kerensa, das ist doch so schon der reinste Wahnsinn.«

»Psst«, brachte Kerensa ihre Freundin zum Schweigen. »Die Vorbereitungen für heute waren schließlich das Einzige, was mir in der letzten Zeit Freude gemacht hat.« Sie warf einen bewundernden Blick zu ihrem Baby in seiner Wiege. »Aber wenigstens war es das alles wert.«

Dann holte sie eine Schmuckschachtel mit Samtoberfläche hervor und reichte sie Polly. Als die junge Braut sie öffnete, fand sie darin eine zarte Halskette aus Platin mit Anhängern in Papageientaucherform, auf denen jeweils ein kleiner Diamant funkelte. Von Weitem sahen die Schmuckelemente einfach nur aus wie filigrane Formen, man musste sie sich aus nächster Nähe ansehen, um die Vögelchen zu erkennen.

»O mein Gott!«, hauchte Polly.

»Ha!«, rief Kerensa aus. »Ich wusste, dass sie dir gefallen würde.«

»Die ist ja der Hammer!«, rief Polly, während ihr Tränen in die Augen schossen. »Himmel, ich weiß wirklich nicht, was ich getan habe, um das zu verdienen.«

»Einfach alles«, sagte Kerensa. »Na, komm schon her. Zum Glück hab ich denen gesagt, dass sie wasserfeste Mascara nehmen sollen.«

Die beiden Frauen drückten einander ganz fest.

»Also mache ich das wohl wirklich«, murmelte Polly ungläubig vor sich hin. »Ich zieh das jetzt echt durch.«

»Außer, du glaubst vielleicht, dass da noch jemand Besseres kommt.«

Beide brachen in Gelächter aus.

Immer noch nervös stand jetzt auch Doreen langsam auf. Polly fiel erst jetzt auf, dass ihre Mutter bei der Maniküre gewesen war und dezentes Make-up trug. Offenbar hatte sie sich für heute große Mühe gegeben.

»Das hier ist ...« Doreen musste schlucken. »Das ist alles, was ich mir je für dich gewünscht habe. Nein«, korrigierte sie sich dann mit brechender Stimme. »Eigentlich wollte ich für dich doch immer nur das, was du dir selbst wünschst. Und das hätte ich dir wirklich besser zeigen sollen ... Du hättest wissen sollen, dass jede deiner Entscheidungen in Ordnung ist ... Und ich hätte –«

»Mum«, fiel Polly ihr ins Wort. »Vergiss das jetzt alles mal. Lass es einfach gut sein. Es ist schon in Ordnung, bitte, alles ist gut.«

Dann umarmten sich auch Mutter und Tochter, genau in dem Moment, als ein supercooler Fotograf mit Halbglatze und Cowboystiefeln hereinkam und anfing, mit einer unnötig kompliziert aussehenden Kamera Bilder zu schießen.

»Im Reportagenstil«, zischte Kerensa, »ich will keinen Kitsch.«

»Klar, das ist hier ja auch so gar nicht kitschig«, schluchzte Polly.

Der Fotograf ignorierte beide und knipste einfach weiter.

»Moment mal«, sagte Polly da. »Jetzt würde ich doch gern genauer wissen, was für eine Art von Musik du ausgesucht hast. Ich fürchte mich nämlich vor weiteren Überraschungen.«

»Du hast mir doch selbst gesagt, was du dir da wünschst«, erklärte Kerensa.

»Was meinst du? Nein, hab ich gar nicht! Wann denn?«

»Vor Jahren in der Schule«, antwortete Kerensa. »Weißt du das nicht mehr? Ich hab das damals alles geplant und in ein Heft geschrieben. Du hast mir dabei geholfen.«

Polly erbleichte. »Du hast doch nicht etwa ...«

»Was denn?« Kerensa tat ganz unschuldig. »*I Want It That Way* ist doch ein toller Song für den Weg zum Altar. Ich hab deren Management angerufen, und die Jungs sind jetzt hierher unterwegs ...«

»Das ist ein Scherz, oder?«

Kerensa grinste. »Ja, keine Sorge.«

»Oh«, machte Polly, die vor allem erleichtert, aber auch ein klitzekleines bisschen enttäuscht war.

»Ha, ich wusste es! Du machst ein enttäuschtes Gesicht!«

Polly schüttelte den Kopf.

»Glaub mir, ich bin im Moment so fassungslos und entsetzt, dass Enttäuschung da nicht auf dem Programm steht.«

»Keine Sorge«, beruhigte sie nun Kerensa und drückte ihr die Hand. »Wir gestalten alles ganz traditionell.« Dann sah sie auf die Uhr. Es war schon fast zwei. »Okay, so langsam wird es Zeit.«

»O mein Gott. Ich bin noch nicht fertig, ich bin nicht bereit. Wo steckt denn eigentlich Neil?«

»Der ist bei Huckle«, erklärte Kerensa. »Die Männer bleiben unter sich. Jetzt mach dir mal keine Sorgen, wirklich bereit fühlt man sich doch nie. Oh, übrigens sind Huckles Kumpel aus der Studentenverbindung auch da. Mich wundert ja, dass wir die gar nicht hören. Reuben wollte die auf keinen Fall hier im Haus haben, deshalb haben wir sie in einem Hotel untergebracht.«

»Weil sie zu einer Verbindung gehört haben?«

»Ja, er wäre nämlich auch gern einer beigetreten, die haben ihn aber nicht gelassen. Aus diesem Grund behauptet er auch immer, dass er an einer Krankheit arbeitet, die all ihre Mitglieder ausrotten wird.«

Polly schüttelte den Kopf. »Es ist echt Wahnsinn, was du hier auf die Beine gestellt hast.«

»Ich hab eben jede Menge Ablenkung gebraucht«, versetzte Kerensa grimmig.

In diesem Moment kam eine strahlende, kichernde Marta herein und tat angesichts Pollys Verwandlung lautstark ihre Begeisterung kund. Polly schloss auch sie in die Arme.

»Mr Finkel sagt, es ist jetzt so weit«, verkündete das Hausmädchen. »Ich soll Ihnen ausrichten, dass Sie in die Gänge kommen und auch das Baby mitbringen sollen.«

Kerensa nickte. Dann huschte sie kurz ins Bad und schlüpfte in ein pastellfarbenes Kleid aus Seide, das auf einen Streich sofort Bäuchlein und Speckröllchen beseitigte und Kerensa aussehen ließ, als hätte sie höchstens ein paar Pfündchen angesetzt, aber nie vor Kurzem ein Baby bekommen. Tatsächlich war sie atemberaubend schön, endlich waren ihr Leuchten und ihr Schwung zurückgekehrt.

»Chefbrautjungfer!«, verkündete sie.

Draußen vor der Tür drängten sich ein paar Kinder aus dem Ort, bei denen auch Reubens jüngste Schwester stand. Das Ganze war die reinste Orgie aus Cremetönen und Blumen und Gekicher und makelloser Schönheit, und als Polly dann aus dem Zimmer trat, brach das Grüppchen spontan in Applaus aus.

»Hallo, alle zusammen!«, rief sie fröhlich. Dann schob sie sich ein paar Schritte vor und warf einen Blick über das Geländer.

Kerensa hatte wirklich nicht übertrieben, es waren alle gekommen, einfach alle. In schickster Hochzeitsgarderobe hatten sich alle aus ihrer Schulclique eingefunden und auch ihre Freunde von der Uni – die Sache hatte sich offenbar herumgesprochen.

Was die wohl alle von ihr gehalten hätten, wenn sie sich geweigert hätte? Daran wollte Polly lieber nicht denken.

Das ganze Unterfangen war einfach unfassbar. Als Polly nun die breite Treppe nach unten ins Visier nahm, begann ihr Herz zu rasen.

»Bist du bereit?«, fragte Kerensa.

»Ja … nein!«, stammelte Polly. Sie wich einen Schritt zurück.

»Ehrlich gesagt …«, begann sie dann. Sie war so gerührt und durcheinander, dass sie die Worte kaum herausbekam. »Mum, du kannst wirklich gern Nein sagen, wenn du willst, das versteh ich total. Aber ich hab mir gedacht …«

»Was auch immer du willst«, versicherte ihr Doreen.

»Ich dachte, wir könnten vielleicht Carmel anrufen. Ich … ich meine, ich hab da draußen mehrere Halbbrüder und -schwestern, die ich gar nicht kenne, na ja. Aber vielleicht würde ich sie ja eines Tages doch mal gern treffen … Irgendwann … Hm …«

»Und deshalb möchtest du sie jetzt gern einladen?«

»Vielleicht erst mal nur Carmel«, sagte Polly. »Aber wenn … wenn ich je Kontakt aufnehmen will, dann wäre das hier doch kein schlechter Anfang.«

Sie schauten einander an.

»Bin schon dran!« Kerensa zog Pollys Mobiltelefon aus der Handtasche und tippte wild darauf herum.

»Moment!«, rief Polly und hob die Hand.

Doreen starrte einen Moment zu Boden, dann schaute sie

mit entschlossenem Gesichtsausdruck wieder hoch. »Ja. Wenn es da draußen eine Familie für dich gibt, Polly … Also, noch mehr Verwandte, meine ich. Das alles liegt jetzt so weit in der Vergangenheit … Deshalb ist es für mich in Ordnung, ja.«

Polly nickte. »Danke.«

»Ich schreibe ihr sofort«, entgegnete Kerensa.

Mit angehaltenem Atem warteten sie, bis Kerensa schließlich vom Display hochguckte. »Sie wird rechtzeitig zum Kaffeetrinken hier sein«, erklärte sie.

»Nein!«, rief Polly ungläubig aus.

Jetzt räusperte sich jemand hinter ihnen, und so langsam kam Unruhe auf.

»Okay«, sagte Kerensa.

»Okay«, wiederholte die Braut.

Dann schlang Doreen den Arm um Polly, um ihre Tochter zum Altar zu führen.

KAPITEL 43

Polly blieb noch einen Moment oben stehen und betrachtete am Fuß der Treppe die Menschen, die als Sinnbild für ihr ganzes Leben standen. Lächelnd, strahlend schauten sie zu ihr hoch. Viele hatten zur Feier des Tages einen schicken Hut aufgesetzt oder schwankten unsicher auf Stöckelschuhen, und Polly fand es einfach unfassbar, dass jeder von ihnen dieses Geheimnis vor ihr bewahrt hatte.

Mit zögerlichen Schritten begann Polly, inmitten von kichernden Gästen die Treppe mit ihrem roten Teppich hinunterzusteigen.

Dann erhaschte sie einen ersten Blick auf Huckle neben dem einen Kopf kürzeren Reuben. Der Bräutigam trug einen schwarzen Anzug, und auf seiner breiten Schulter hockte Neil, der sich mit einer Fliege schick gemacht hatte. Das Vögelchen wirkte angesichts der Feierlichkeit des Moments äußerst fasziniert.

Polly hielt eine Sekunde inne und wurde von einem wohligen Schauer erfasst, als auch die restlichen Gäste sie zu bemerken begannen. Reuben schaute sich um und stieß Huckle an, dann drehten sich die Männer zu ihr um, die beide ein Sträußchen weißes Cornwall-Heidekraut im Knopfloch trugen. Pollys Herz machte einen Satz, und dann begann die altbekannte Swingband zu spielen, die jetzt aber nicht mehr ganz so selbstgefällig wirkte. Den Song erkannte Polly zunächst gar nicht.

Als Huckle sie ansah, legte sich ein Strahlen über seine Züge, das Polly ihr Lebtag nicht vergessen würde.

Und dann zwinkerte er ihr übertrieben zu, während sie sich auf die Lippe biss und die letzten Stufen in den cremefarbenen Schuhen mit flachem Absatz hinunterschritt, die sie sich ausgesucht hatte. Polly hoffte nur, dass sie jetzt nicht stolpern würde. Die Schar Brautjungfern um sie herum ließ Rosenblütenblätter regnen, die ihren langen Rock entlang zu Boden glitten und auf den neuen Schuhen landeten, mit denen sie ja testweise kaum ein paar Schritte gegangen war. Aber es war eigentlich ganz gut, dass Polly sich so sehr auf jede Stufe konzentrieren musste. Auf diese Art und Weise hatte sie nämlich keine Gelegenheit, in Tränen auszubrechen oder hysterisch zu werden.

Und die Tatsache, dass alle vor ihr von ihrem großen Tag gewusst hatten, dass sie keine Ahnung hatte, was eigentlich geplant war und wie sie darauf reagieren würde ... All dies hatte plötzlich überhaupt keine Bedeutung mehr, weil Huckle sie nämlich mit seinen leuchtend blauen Augen anschaute. Neil hopste mit seiner Fliege auf Huckles Schulter herum und hielt in den Krallen zwei Ringe aus frischem Seetang, die jemand draußen vom Strand geholt hatte.

Und von der Band erklang: »It must be love, love, love!«

Der Rest des Tages verging dann wie im Fluge, und Polly würde sich später an vieles kaum noch erinnern können. Aber das hatte sie ja schon von vielen Leuten gehört, die ihr von ihrer Hochzeit erzählt hatten. Aber an das superleckere Essen und jede Menge Champagner würde sie sich mit Sicherheit noch erinnern können und an das strahlende Lächeln, mit dem Pastorin Mattie die traditionelle Eheformel vortrug.

Verblüfft begrüßte Polly dann immer wieder Leute, die sie schon ewig nicht mehr gesehen hatte, weil sie so sehr mit ihrer Arbeit und ihren eigenen Problemen beschäftigt gewesen war.

Auch Reubens Rede prägte sich ihr ins Gedächtnis ein, weil sie sich natürlich zu einer Hymne auf ihn selbst auswuchs, und die von Huckle natürlich. Der stand nämlich einfach nur auf und sagte: »Ja, das ist Liebe, und ich stecke mittendrin«, bevor er sich wieder setzte.

Ebenso unvergesslich war das Gesicht von Huckles Eltern, als sie rüberkamen, um das Brautpaar zu umarmen. Polly bekam mit, dass Merv mit Doreen tanzte und Jayden Flora zuflüsterte: »So könnten wir doch auch heiraten«, was seine junge Verlobte nur mit entsetztem Gesichtsausdruck quittierte.

Bernard stürzte sich auf Polly und dankte ihr überschwänglich für die Rettung der Papageientaucherkolonie, also hatte Reuben ihre Rechnung vermutlich bezahlt, ohne dass sie sie ihm auch nur geschickt hatte. In Gedanken nahm sich Polly vor, die Sache mit der Vogelstation nächsten Sommer in Angriff zu nehmen. Aber bevor sie mit dem Australier darüber sprechen konnte, zog Huckle sie auch schon von ihm weg, während sich Selina in einem sexy Kleid aus rotem Satin bei Bernard unterhakte.

Und natürlich würde sich Polly auch an Carmel erinnern, die später allein kam und furchtbar nervös war, aber ihre Kamera mitgebracht hatte. Polly umarmte sie, und Carmel prostete ihr mit melancholischem Lächeln zu, bevor beide von einer Hora-Tanzrunde mitgerissen wurden.

Spät in der Nacht fuhren dann Wagen für die Gäste und eine riesige Limousine für Polly, Huckle und Neil vor. Die Brautleute schoben sich kichernd auf den Rücksitz und schauten sich angesichts all dieses Wahnsinns unter Küssen kopfschüttelnd an. Als sie den Fahrdamm erreichten, herrschte Ebbe, und der Weg nach Mount Polbearne war zu ihrer großen Verblüffung mit riesigen, edlen Feuerschalen erleuchtet.

Sie fragten sich, wie Reuben das wohl geschafft hatte, wie er dafür auch nur die Genehmigung bekommen hatte. Aber die uralte Straße sah auf jeden Fall aus wie ein magischer Pfad hinaus in den Ozean, wirkte wie ein geheimer goldener Weg, den nur sie kannten und der nach dem Überqueren sofort wieder verschwinden, von den Wellen verschluckt werden würde.

Die Autofahrer hier aus der Gegend rollten, ohne zu zögern, über das Kopfsteinpflaster, die fremden Chauffeure weigerten sich jedoch, sich auf dieses riskante, unbekannte Terrain zu begeben.

Deshalb stiegen die Brautleute aus ihrer Limousine, die als Letzte angekommen war, dann lüpfte Polly den Rock und zog ihre unfassbar teuren Schuhe aus, und schließlich rannte sie mit Huckle kichernd, vor Champagner und Glückseligkeit übersprudelnd, über den Fahrdamm. Hinter ihnen schwappten die Wellen bereits über den Rand.

Eine nach der anderen erloschen die Flammen in den großen Schalen, daher musste Mount Polbearne vom Festland aus wohl wie ein Trugbild in der Ferne gewirkt haben, wie ein verlorener Traum.

Andy hatte den Red Lion geöffnet, wo nun Fiddler zum Tanz aufspielten, Huckle hob Polly jedoch hoch und trug sie die Treppe zum Leuchtturm hinauf.

In diesem Moment, in dem das alte Jahr vor Beginn des neuen eine kurze Pause einlegte, kam es ihnen vor, als würde die Welt noch einmal tief durchatmen.

Polly glaubte eigentlich nicht an Magie, aber als sie die Türschwelle überquerten, hatte sie plötzlich eine Vision, konnte zukünftige Ereignisse nicht nur vor sich sehen, sondern schien sie am eigenen Leib mitzuerleben.

Obwohl der Turm doch dunkel und kalt und leer war, kam es ihr vor, als würde plötzlich jemand ihren Namen rufen. Badewasser wurde eingelassen, Kinder rannten die Treppe hinauf und hinunter – oder purzelten hier und da eine Stufe runter –, lärmten und tobten und sausten zur Tür hinaus.

Der Film vor Pollys innerem Auge lief immer schneller ab, alles drehte sich … Reubens neue Schule war längst eröffnet, die Kinder aus dem Dorf spielten dort miteinander, dann trafen Freunde ein, und man saß zusammen vor dem Ofen …

Noch einmal nahmen die Bilder an Tempo auf und sausten – wie das Licht des Leuchtturms – immer weiter im Kreis, während die Kutter im Rhythmus der Gezeiten rausfuhren, sich eisige Winter in perfekte Sommer verwandelten, Kinder rein- und rausliefen und quiekten und heranwuchsen und Brot die Luft mit seinem Duft erfüllte.

Die ganze Bande kam von der Schule nach Hause und schnappte sich ein Stück Bananenkuchen, um damit wieder nach draußen zu laufen. Mit wuscheligem Haar und Keschern in den Fingerchen spielten sie bei den Meerwasserpfützen mit Neil. Dann bettelten die Kleinen darum, mal im Seitenwagen mitfahren zu dürfen, und der mit seinen roten Haaren und Sommersprossen unverkennbare Herschel-Lowin rannte wichtigtuerisch durch die Gegend und tat so, als habe er hier das Sagen …

Polly schloss die Augen und vertrieb die Vision aus ihrem Kopf – wahrscheinlich hatte sie zu viel Champagner getrunken, und dann war da ja auch noch die ganze Aufregung und Müdigkeit und die emotionale Achterbahnfahrt, einfach alles zusammen.

»Ich liebe dich, mein Schatz«, sagte in diesem Moment Huckle. »Aber jetzt muss ich dich mal absetzen, dieses Kleid ist nämlich megaschwer.«

»Ja«, antwortete Polly, die immer noch halb in ihrem Traum gefangen war, »es liegt bestimmt am Kleid.«

»Eindeutig«, nickte Huckle. »Soll ich schon mal hochgehen und die Heizdecke anmachen?«

»Ja, bitte«, nickte Polly.

Als er nach oben verschwand, drehte sie sich kurz um und betrachtete den Strahl des Leuchtturms. Er fegte über den Hafen und den kleinen Ort hinweg und dann über die Küste drüben, wo jetzt ein Feuerwerk losging und am Himmel ein, zwei, drei bunte Blüten explodierten.

In ihrem Hochzeitskleid ging Polly schließlich in die Küche und legte für das Brot morgen früh schon mal Hefe, Mehl und Eier bereit. Schließlich küsste sie Neil, der es sich bereits vor dem Ofen bequem gemacht hatte, und machte das Licht aus, um nach oben zu laufen. Dabei zog sie nicht nur ihre Schleppe, sondern auch eine zarte Mehlspur hinter sich her.

DIE ALLERBESTE
HEISSE SCHOKOLADE

Anmerkung: Nehmt lieber nicht ZU VIEL Sahne, sonst wird das Ganze eher ein Pudding.

Und auch wenn das jetzt widersprüchlich klingt, solltet ihr euch die Marshmallows auf keinen Fall sparen.

Die Schokolade müsst ihr immer schön im Auge behalten. Wenn die beim Schmelzen mehr als nur leicht köchelt, ist die Sache auch schon gelaufen.

1 Tafel Milchschokolade (Die Marke überlasse ich euch.)

½ Tafel dunkle Schokolade (Da könnt ihr ruhig was richtig Edles nehmen. Wenn ihr zum Beispiel auf diese Schokolade mit Chili steht, dann nehmt doch die, da verurteile ich wirklich niemanden.)

Brandy oder Cointreau (nach Wunsch)

750 ml Vollmilch

ein Klecks fettreduzierte Kochsahne

Ingwer oder Zimt zum Abschmecken

2 TL Vanillezucker (nach Wunsch)

Die Schokolade GANZ, GANZ langsam auf kleiner Flamme erhitzen. Falls bei der Zubereitung auch der Nachwuchs beteiligt ist, dann müsste er in diesem

Zeitraum anderweitig abgelenkt werden. Falls nicht, gehört an dieser Stelle ein Schlückchen Brandy oder Cointreau eigentlich dazu.

Wenn die Schokolade geschmolzen ist, bis zu 750 ml Vollmilch zugeben – je nach gewünschter Konsistenz – und dann noch einen Klecks Kochsahne. Das Ganze soll schön andicken, aber nicht wie ein Nachtisch aussehen.

Manche Leute nehmen auch noch ein oder zwei Löffel Zucker oder Vanillezucker, das überlasse ich ganz euch. Ich mach's auf jeden Fall.

Wenn ihr ein Gerät zum Aufschäumen habt, könnt ihr das jetzt benutzen, sonst schlagt die Mischung ganz vorsichtig, bevor ihr sie in die Tassen gießt.

Ob ihr dann normale oder welche von diesen winzigen Marshmallows dazugebt, müsst ihr selbst entscheiden. Ich nehme gern die ganz kleinen, weil ich dann das Gefühl habe, dass ich mehr kriege. Jetzt guckt doch nicht so!

Die Schokolade ganz langsam genießen, zum Beispiel mit diesem Buch in den Händen.

KNISHES

Knishes sind im Prinzip die jüdische Version von Teigtaschen. Den Teig dafür kann man selbst herstellen oder welchen kaufen, aber er sollte auf jeden Fall sehr dünn sein. Man kann die Knishes mit Fleisch füllen oder mit Kartoffeln und Zwiebeln oder Frischkäse. Aber die mit Frischkäse find ich nicht so lecker, deshalb stell ich euch hier die klassische Version vor.

2 Kilo Kartoffeln
2 große Zwiebeln
3 TL pflanzliches Öl
Salz und Pfeffer zum Abschmecken
gehackte Petersilie

Für den Teig:
800 g Mehl
2 Eier
4 TL pflanzliches Öl
240 ml warmes Wasser
1 TL Salz

Die Kartoffeln kochen und die gehackten Zwiebeln im Öl sautieren (also sanft anbraten).

Dann beides zusammen mit viel Salz, Pfeffer und Petersilie zerdrücken und zum Abkühlen zur Seite stellen.

Für den Teig zunächst die flüssigen Zutaten vermengen, dann nach und nach das Mehl dazugeben, bis die Mischung fest genug zum Kneten ist. Eine Minute bearbeiten und dann beiseitestellen und ruhen lassen.

Den Teig so dünn wie möglich ausrollen und Kleckse der Kartoffelmischung darauf verteilen. Das Ganze wie eine Wurst zusammenrollen. Wenn man dann Stücke abgeschnitten hat, sollte man die Kartoffelportionen komplett mit Teig umhüllen können, weil zwischen den Klecksen jeweils ein bisschen Platz ist. Ihr solltet runde kleine Päckchen daraus machen, falls ihr versteht, was ich meine.

Mit verquirltem Eigelb bestreichen und bei 190 °C etwa 35 Minuten backen.

Die Dinger sind das perfekte Fingerfood, und ihr könnt dazu auch einen Saure-Sahne-Dip servieren, wenn ihr wollt.

MINCEMEAT-STANGEN

Ich find es toll, mein eigenes Mincemeat herzustellen, für mich läutet das die Weihnachtszeit ein. Dann muss man auch kein schlechtes Gewissen haben, wenn man für dieses Rezept gekauften Blätterteig nimmt.

Mincemeat (mindestens zwei Wochen vorher zubereiten)
275 g Korinthen
100 g Sultaninen
250 g Rosinen
3 EL Zitronensaft
abgeriebene Zitronenschale
300 g Rindertalg
300 g brauner Zucker
100 g glasierte Früchte
1 Prise Muskatnuss
2 geschälte Äpfel (am besten knackige grüne)
jede Menge Brandy

ALLES ZERMANSCHEN, MANSCHEN, MANSCHEN und die Mischung dann stehen lassen.

Nach ein paar Stunden kann man sie in sterile Marmeladengläser geben. (Ich sterilisiere meine, indem ich in der Spülmaschine das Programm mit kochend heißem Wasser durchlaufen lasse.) Beim Einfüllen muss man aber sichergehen, dass man keine Luft mit einschließt. Danach kann man die Gläser noch mit diesen niedlichen karierten Tüchern dekorieren, bevor man sie zwei Wochen in den Schrank stellt. Wenn ich vom Mincemeat etwas übrig habe, verschenke ich es auch gerne. Als ich das in Frankreich gemacht habe, wo wir lange gewohnt haben, haben mich unsere französischen Freunde allerdings angeguckt, als wäre ich völlig verrückt. Wahrscheinlich stehen die Gläser immer noch ungeöffnet bei ihnen rum.

Für die Mincemeat-Stangen Dreiecke aus dem Teig ausschneiden, einen Löffel von der Mischung darauf geben und sie dann aufrollen. Es ist nicht schlimm, wenn die Dinger nicht superordentlich aussehen, das gehört doch dazu!

Mit verquirltem Eigelb bestreichen, braunen Zucker darauf verteilen und 30 Minuten bei 200 Grad backen oder bis sie goldbraun sind.

GALETTE DES ROIS

Als wir in Frankreich gewohnt haben, war die große Weihnachtsspezialität dort Yule Log, und nach Weihnachten wurde am Dreikönigstag (oder zur Raunacht) dann Galette des Rois serviert. In diesem Kuchen sind kleine Figuren aus Keramik versteckt, die man Fêves nennt. Normalerweise sind es Engel oder andere religiöse Figuren, heutzutage kann man aber auch durchaus auf Scooby-Doo stoßen. Wer die Figur findet, wird mit der goldenen Papierkrone, die den Kuchen traditionell umgibt, zum König gekrönt. Diese Person ist dann beim nächsten Mal damit an der Reihe, die anderen zum Kuchenessen einzuladen. Unserer Erfahrung nach ist es immer am sichersten, das Stück mit der Figur dem jüngsten Mitesser zuzuschustern. Wenn ihr keine kleinen Figürchen bekommen könnt, sollte eine in fettdichtes Papier eingeschlagene Münze es auch tun und die Nachweihnachtsdepression ebenso gut vertreiben.

1 Rolle fertig gekaufter Blätterteig, außer natürlich, du bist ein
Blätterteigexperte (Dann ist dir meine Verehrung sicher!)
1 geschlagenes Ei

2 EL Marmelade
100 g weiche Butter
100 g extrafeiner Zucker
100 g gemahlene Mandeln
1 EL Brandy

Den Ofen auf 190 Grad vorheizen. Den gekauften Blätterteig halbieren und jede Hälfte zu einem Kreis ausrollen. Einen dieser Kreise auf ein Backblech geben und mit der Marmelade bestreichen. Dann die Butter mit dem Zucker schaumig rühren und den Großteil des Eis einarbeiten. Zum Schluss noch die Mandeln, den Brandy und die kleine Figur unterrühren.

Die Mischung auf der Marmelade verteilen und dann mit dem zweiten Teigkreis abdecken. Die Ränder verschließen, indem ihr sie mit den Fingern zusammendrückt und mit einer kleinen Drehbewegung versiegelt. Ihr könnt die Oberfläche auch noch mit einer Gabel verzieren, wenn ihr wollt.

25 Minuten backen, bis der Kuchen knusprig und goldbraun ist. Warm oder kalt servieren.

Danksagung

Ich danke allen, die Polly, Neil und die ganze Truppe im Lauf
der letzten Jahre so toll unterstützt haben, vor allem: Maddie
West, Rebecca Saunders, David Shelley, Charlie King, Man-
preet Grewal, Amanda Keats, Jen und dem Team vom Vertrieb,
Emma Williams, Stephanie Melrose, Jo Wickham, Kate Agar
und allen bei Little, Brown; Jo Unwin, Isabel Adamakoh
Young, dem Papageientaucherfestival in Amble und all unseren lieben Freunden und Verwandten, die in schwierigen
Momenten so unbeirrbar für mich da waren. Alles Liebe und
wunder-, wunderschöne Weihnachten euch allen!

Ein neues Leben mit Meerblick

Jenny Colgan

Die kleine Bäckerei am Strandweg

Roman

Aus dem Englischen
von Sonja Hagemann
Berlin Verlag Taschenbuch,
496 Seiten
€ 9,99 [D], € 10,30 [A]*
ISBN 978-3-8333-1053-9

Es klingt fast zu gut um wahr zu sein – Polly wird ihr Hobby zum Beruf machen, und das in Cornwall, auf einer romantischen Insel mit Männerüberschuss. Genau die richtige Kur für ein leeres Konto und ein gebrochenes Herz. Aber die alte Bäckerei ist eine windschiefe Bruchbude, am Meer kann es sehr kühl sein, und der Empfang, den manche Insulaner ihr bereiten, ist noch viel kälter. Gut, dass Polly Neil hat, einen kleinen Papageientaucher mit gebrochenem Flügel. Doch bald kauft der halbe Ort heimlich ihr wunderbares selbstgebackenes Brot. Nur das mit der Liebe gestaltet sich komplizierter als gedacht …

Leseproben, E-Books und mehr unter www.berlinverlag.de

Mit Polly ist das Leben süß!

Jenny Colgan

Sommer in der kleinen Bäckerei am Strandweg

Roman

Aus dem Englischen
von Sonja Hagemann
Piper Taschenbuch, 480 Seiten
€ 9,99 [D], € 10,30 [A]*
ISBN 978-3-492-31129-8

Endlich hat der Sommer an Cornwalls Küste Einzug gehalten, und Polly Waterford könnte nicht glücklicher sein: Ihre kleine Bäckerei läuft blendend, und zusammen mit Huckle, der Liebe ihres Lebens, genießt sie die lauen Abende im Hafenstädtchen Mount Polbearne, das inzwischen zu ihrer Heimat geworden ist. Doch plötzlich ist die Bäckerei in Gefahr, denn die alte Besitzerin stirbt. Außerdem fällt es Huckle schwer, seine Vergangenheit in Amerika gänzlich hinter sich lassen. Polly bangt um ihre Zukunft …

Leseproben, E-Books und mehr unter **www.piper.de**